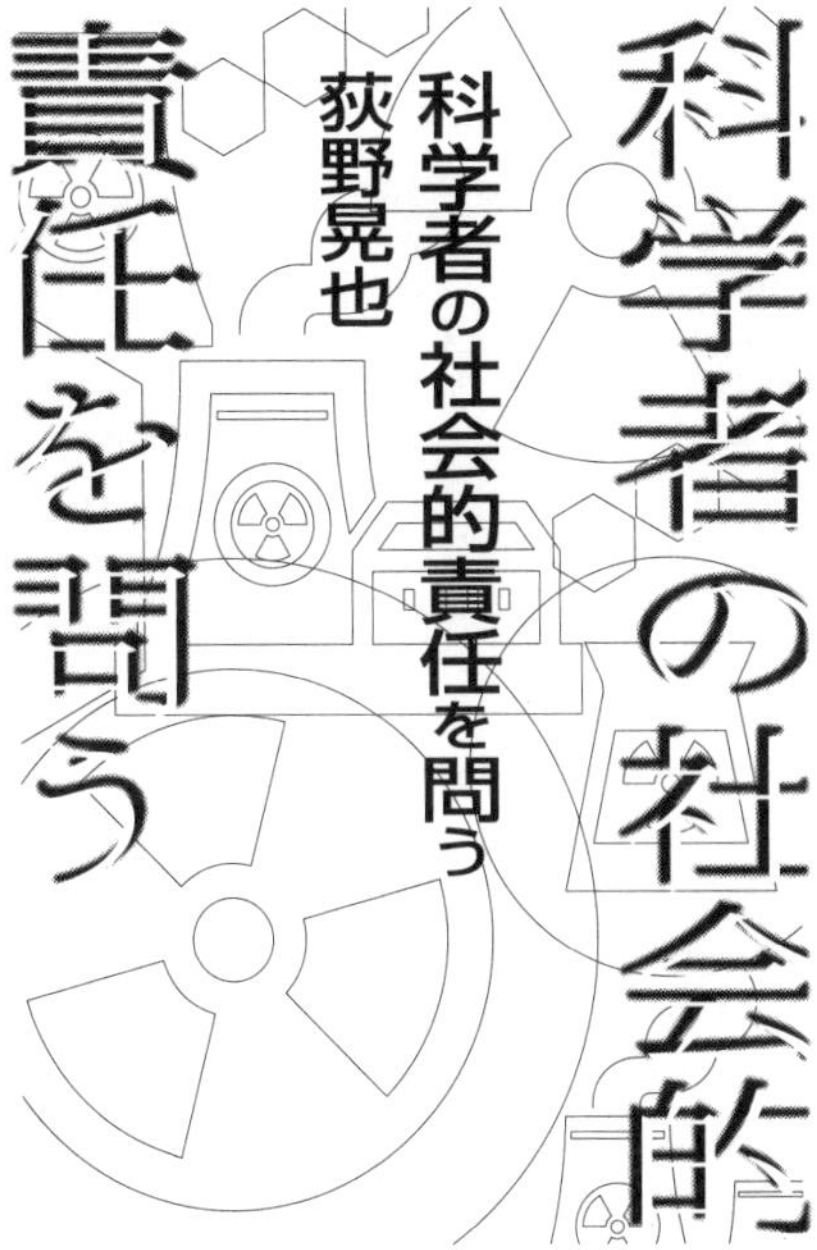

科学者の社会的責任を問う

科学者の社会的責任を問う

荻野晃也

緑風出版

目次

科学者の社会的責任を問う

目次●科学者の社会的責任を問う

第3章　伊方原発訴訟のこと

第1章　科学者の社会的責任と反原発

はじめに

福島原発事故から九年も経過し、今なお原発問題に関して多くの論争が続いています。すでに原発の再稼働が加圧水型原子力発電所を中心に進められていて、そろそろ福島原発と同じ型の沸騰水型原発に関しても再稼働が噂されています。その様な時に、過去の反原発運動に関することを書くことが良いのかどうか……とても悩むのですが、長い間、反原発運動に関わってきた私の生き様とその過程で感じたことなどを書き残しておくことも重要なのではないか……と思うようになったのです。

「書くべきではない」と言う人たちと、「ぜひ書いてほしい」と言う人たちがいて困ってしまうのですが、小生が書いておかなければ、「事実が消えてしまう」こともあるかも知れない、と思い始めたのです。個人名の表示は出来る限り限定して、私が経験をしたり、考えてきたことなどを書くことにしました。私は日記なども書きませんし、資料などを集めてきたわけでもありませんので、思い違いをしている個所もあるかもしれませんが、その点は大目に見て欲しいものです。関心をお持ちの方があれば、独自に調べて頂きたいと思います。

『世界』二〇一七年二月号（岩波書店）に井野博満・東大名誉教授が「脱原発の技術思想」という文章を書かれていて、その中に「反原発科学者運動」の最初の例として「全国原子力科学技術者連合（以下「全原連」という）」のことが紹介されていました。それを読んだ私は、井野氏にお会いした際に「全原連を紹介して頂いてありがとうございます」「福島原発事故の後で、全原連に触れられたのは井野さんが最初ではないですか」と言いました。福島原発事故の後では多くの方々が原発問題の経過などを書いておられるのですが、「全原連に触れられることはなかった」からです。

「全原連」の活動が紹介された最初は「日本原子力産業会議」の『原子力年鑑一九七三年版』で、当時、全原連が発刊していたパンフレット「原発問題資料」である「スターングラス博士による乳児死亡率問題」や「緊急炉心冷却系（ＥＣＣＳ）の問題点」などを紹介していました。特に、乳児死亡率問題は「原発の稼働と共に乳児死亡率が増加している」ことを示した最初のスターングラス論文を翻訳・紹介したもので、反響が大きかったのでした。もちろん、一九七〇年代中期以降は表立った独自の運動をして来た反原発団体ではなく、いわば「幻の全原連」と揶揄されたりしたのですが、それでも初期の反原発運動では重要な役割を果たしてきたと言っても良いでしょう。

「全原連」が誕生したのは一九六九年なのですが、東大闘争に触発され「科学者・技術者」の生き方を真剣に考える若い研究者たちを中心に結成された全国組織でした。「夢のエネルギー」としてもてはやされていた原子力発電（以下「原発」という）なのですが、日本の核兵器開発とも関連してその技術に疑問を持つようにもなったのでした。その頃は、すでに「コールダーホール原発」や「東海第一原発」が稼働していましたが、電力会社が建設している大型の「加圧水型原発」（ＰＷＲ）と「沸騰水型原発」（ＢＷＲ）とが稼働寸前でした。日本で推進される原発は、この二つの型になることが決まっていて、三菱重工・日立・東芝が乗り出し、反対運動は建設予定地周辺の住民の方々のみと言っても良いのが実情でした。もちろん、日本では「原水爆禁止運動」も盛んでしたから、それとの関連もあって疑問に思う人たちが多かったのも事実でした。そこで、私なりに関連する研究生活や「反原発運動」のことを率直に書いておくことも意味があるように思ったわけです。「全原連」に関しては、後ほど私なりの感想をも書くことにします。

私は一九四〇年（昭和一五年）富山市生まれで、京大理学部へ入学したのが一九五八年四月でしたから、ちょうど原発推進の初期に大学生だったことになります。当時の京大では一年生の時は「宇治分校」で、二年生では「吉田分校（三高の跡）」で教養課程を過ごすことになっていました。当時「宇治分校」は宇治市にある旧陸軍・火薬庫の跡地にあって、レンガ造りの火薬庫の教室も点在していました。その跡地の一角に京大原子炉実験所を建設する計画があったのですが、私が入学した時は、大阪の水源である宇治川近くに建設することに反対が多く、高槻市の方へと計画が変更されていた後ですが、それも反対が強くて、結局は大阪府の南の熊取町への計画が浮上しつつあった時でした。

もちろん、当時の私は「原子力の基礎研究」をするための「原子炉実験所」の建設に反対する理由を理解はできていませんでした。その証拠に、原子炉実験所の建設調査室でアルバイトをしたほどでした。今でも良く覚えているのですが、建設調査室には「七人の侍」と言われていた助教授の方々がおられていて、その中の岡本朴・助教授のもとで「コンクリートの放射化」の計算をしていたのです。コンクリート中にはコバルトがごくわずか含まれているのですが、中性子の吸収で「コバルト60の放射能」が強く残ってくることに驚いたのでした。その頃は、一九六〇年安保改定問題の直前でしたから、大学も大きな荒波に直面していたことは言うまでもありません。当時の京大理学部では教養課程から専門課程に進むに当たっては学科への配属試験があり、三年生から理学部の物理学科へ進学したのですが、授業よりもデモの方が多い……と揶揄されるような毎日だったのです。

当時の理科系の学生はもちろんのこと、多くの研究者は「原発は夢のエネルギーだ」と思っていたのでした。宇治分校は広大な敷地を占めていて、宇治川に接していることもあり大阪湾へ弾薬を運ぶのに便利だということで、その保管庫を明治初期に大村益次郎が設置したほどの古い歴史がある場所でした。その一部に「京大原子炉実験所」の建設が予定されていたのです。しかし、宇治川は下流の大阪などの水源地ですから、反対運動も激しかったのです。後になって知ったことですが、大阪大学の槌田龍太郎教授を始めとして大学人にも反対する人が多かったのですが、京大では反対の声は少なかったのではないでしょうか。私も原発よりも安保改定反対の運動にしか関心がなかったのでした。

第1節　京大における原子核研究

ここで、私の知っている京大と原子力研究の歴史を簡単に触れておきます。原発エネルギーの基本は「核分裂反応」なのですが、そのような研究分野は「原子核物理学」が中心でした。この分野での日本の先駆者の一人として良く知られているのが理化学研究所の仁科芳雄博士であることは有名です。京大理学部物理教室にも荒勝文策教授がいて、同様な研究をしていたのですが、仁科博士ほどには知られていないのが残念です。

荒勝教授は台湾・台北帝国大学の教授であった時に、外国での原子核反応の成功のニュースを知り、すぐに台北帝国大学にコッククロフト・ウオルトン型の加速器を作り上げ、一九三四年に陽子イオンを加速して標的であるリチウムに照射して核反応を成功させたのです。その苦労話を私は荒勝教授と共に実験をした植村正明教授から良く聞かされたものでした。加速器建設で一番難しかったのは「高真空にする技術」で、一九二八年にバーチ（英）によって発明された油拡散式真空ポンプが役にたったそうです。陽子イオンをリチウムに照射して核反応で作られたα粒子がシンチレーターで光るのを顕微鏡で測定した時の感激を植村先生から話して頂いたことを思い出します。

その実験成功の一九三五年七月直後の一〇月に台北帝国大学で開催された「学術研究会議」（日本学術会議の前身）の大会には長岡半太郎博士や仁科芳雄博士も参加していたそうですが、荒勝教授がその成果を報告したそうです。ところが、長岡半太郎博士の息子である嵯峨根遼吉・東大教授が「そんなことが起きるわけがない」と会場から非難をされたことをも植村先生は話されていました。原子核構造に関する長岡模型では「核反応による核変換などは起きるはずがない」と思っていたのでしょうか。その「国立台湾大学」（台北帝国大学の後身）の実験室は「東洋で最初に原子核反応実験に成功した歴史的な場所」として「物理系原子核陳列室」が二〇〇五年に開設されています。

一九三六年に京大物理教室の教授になった荒勝教授は台湾から持ち込んだコッククロフト・ウオルトン型加速器を使用する実験も開始し、一九四〇年にはさらに大型の同型加速器を建設し、サイクロトロン（大きな磁石の中でイオンを回転させながらエネルギーを高める加速器）の建設も計画していました。

原子核分裂と深い関係のある研究に、核分裂の際に放出される中性子数の測定研究があります。ウラン235の核分裂の際に何個の中性子が放出されるか……ということは極めて重要な問題でした。一回の核分裂の際に複数個の中性子が放出されるのであれば「連鎖反応」が可能になるからです。「ラジウムとベリリウムとからなる中性子源」を使用してウランに核分裂を起こさせることによって、一核分裂あたりに二・六個の中性子が放出されることを確かめたのが、京大化学教室の萩原篤太郎氏の博士論文でした。パラフィンの中で中性子エネルギーを減速させて核分裂させたのですが、ほとんど正確な値（正しい値は二・四）だったことに驚きます。

萩原博士の友人だった故清水栄・京大名誉教授の話によれば「パリにあるジョリオ＝キューリーの記念室に行ったときに、核分裂と放出中性子数の論文ファイルがあったので、中を見せて頂いたことがあるのだが、萩原論文が二番目にファイルされていた」とのことでしたから、如何にその研究が早い段階での研究だったかがわかると思います。一九八六年に出版された米国のリチャード・ローズ（Richard Rhodes）の『原子爆弾の誕生』（紀伊國屋書店）に「京大で水爆の研究をしていた」証拠として「萩原論文」のことが取り上げられたことがあり、とても驚いたのですが、「水爆研究」とは全く関係のない論文だったのです。これらの荒勝研究室の研究などに関しては、『荒勝文策と原子核物理学の黎明』（政池明著、京都大学学術出版会、二〇一八年）に詳しく書かれています。

当時の日本の原子核・原子力研究の中心には、理化学研究所の仁科芳雄、大阪大学の菊池正士、京都大学の荒勝文策の三人がいたといえるでしょう。その最初の研究者は仁科博士であり、その影響は極めて大きく、仁科博士の指導の下で、世界で二番目のサイクロトロンが一九三七年に完成し、菊池博士も一九三八年に大阪大学でサイクロトロンを完成させ、荒勝先生もサイクロトロンの建設中に終戦を迎えたのです。この三人の戦前の原子力との関わり方で興味の持たれているのが原爆開発に関する動きではないでしょうか。理研は陸軍の、京大は海軍の依頼で原爆開発の研究を行っていたのですが、初期の段階で終戦を迎えています。京大では理論面を湯川秀樹教授と小林稔助教授（当時）が、実験面を荒勝先生が担当していて、原爆には濃縮ウランが必要なので、理研はガス拡散法を、京大・阪大は遠心分離法の研究を開始していましたが、もちろん成功はしませんでした。

菊池博士は原爆開発には関わっていませんが、フランスから極めて高価だったラジウムを輸入して「ラジウム・ベリリウム線源」「ポロニウム・ベリリウム線源」などの中性子源を作成して、原子核研究を行っていました。その線源を作成していた大阪・中之島にあった大阪大学物理教室の菊池研究室の実験室は、ラジウムから出てくるガス状の放射性物質で部屋の壁がとても汚れていたことが、大阪大学の移転の際に明らかになり、その後始末に悩んだことを、私と同じ伊方原発訴訟の住民側の特別弁護補佐人であった阪大の久米三四郎講師から聞いたことを思い出します。壁のコンクリートを削り取ったそうです。菊池博士は東大原子核研究所・所長や原子力研究所・所長などを歴任され、肺ガンでお亡くなりになったのですが、「ラジウムなどの放射能を吸い込みすぎたからだろう」と噂されたほどでした。

戦後になって、米軍（進駐軍）により理研・京大・阪大のサイクロトロンが破壊されて海に捨てられました。理研のサイクロトロンは東京湾に、阪大のサイクロトロンは大阪湾に沈められたことは確かですが、京大のサイクロトロンがどこに沈められたのかは今なおミステリーになっています。私が清水先生から聞いた話では、京大から廃棄に向かう米軍のトラックを自転車で追いかけた学生の話では、「京大から南に行き琵琶湖疏水のあたりで大津方面の東方向へ向かった」とのことから「琵琶湖に沈められたのだろう」との話になっているのですが、本当のことは今なおはっきりとはわかっていません。

その後になって、京大のサイクロトロンは京都市内の蹴上にある関西電力の水力発電所の旧館を借用して再建され、一九六二年から二年の間、大学院生だった私もそのサイクロトロンを使用して原子核実験の研究に従事していました。修士課程を修了した後、私は京大工学部原子核工学科へ就職したのですが、その後もそのサイクロトロンを使用して実験をすることが多かったのは、原子核実験をするための加速器が京大ではそこにしかなかったからでした。

その後、米軍によって完全に破壊され捨てられたはずのサイクロトロンのことは話題にもならなくなったのは当然のことでした。ところが、そのサイクロトロンの一部が残されていることを私が知ったのは一九八二年頃でした。

ポールチップ

その頃、私は微量の放射線（ガンマ線）を検出できる「ゲルマニウム検出器」を持っていて、仲間の研究者と共に原子力発電所から漏洩される放射能の検出を行っていました。一九七九年の米国・スリーマイル島原発事故の際には現地でサンプルを入手して帰って測定したこともありましたし、福井県敦賀原発周辺の貝の中から半減期が五年の放射能である「コバルト60」が検出されたこともありました。その様な測定例を「資料1」としました。原発からの核分裂・放射能ではなくて腐食生成物なのですが、原発からしか放出されていないことは明らかでした。多分、日本における原発からの放射能汚染の最初の測定例の一つだったのではないでしょうか。

資料1　敦賀原発からのコバルト60

敦賀原子力発電所の温排水が放出される浦底湾（湾口水深24メートル）の海藻（ホンダワラ科ヤツマタモク）から検出したコバルト60

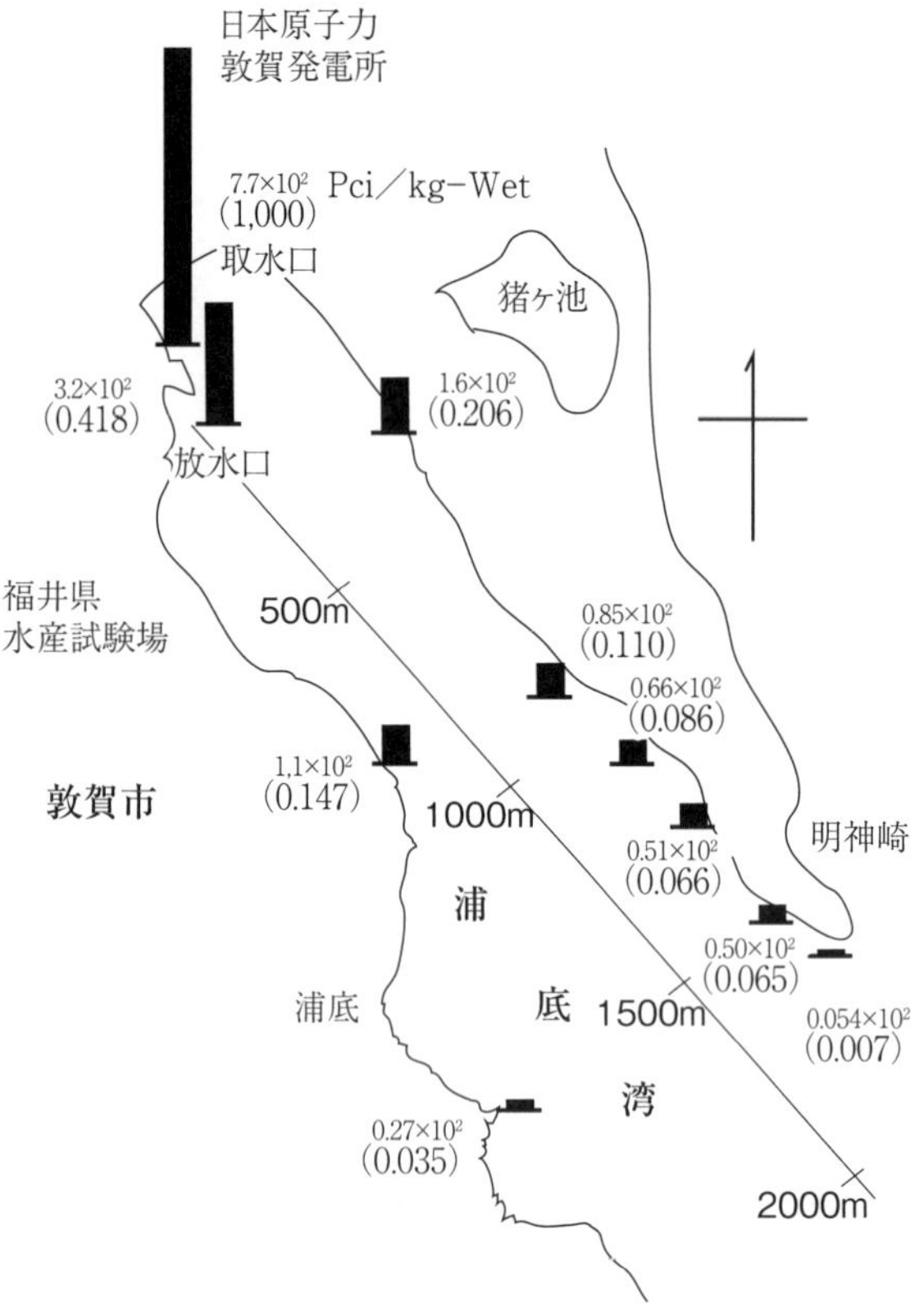

出典:原子力発電所による海洋生物汚染の実態（京都大学水産学科漁業災害グループ）『技術と人間』1973年春号

そんな理由もあり、極微量のコバルト60の精密測定を考えていたのですが、測定に問題がありました。宇宙線や地上からの外部放射線を遮蔽するためには鉛のブロックで外部を遮蔽し、更に内部には鉄の遮蔽材を使用することで、極微量の放射能を検出することができるのですが、そのような遮蔽材の入手が困難だったのです。戦後に作られた鉄材には微量のコバルト60が入っているからでした。溶鉱炉の壁の崩壊を防止するために、溶鉱炉の壁にはコバルト60が含まれていて、その存在量を測定することで壁の減厚をチェックしていたからで、そのような鉄材には溶鉱炉壁からコバルト60が混入するために極微量のコバルト60の測定は困難だったのでした。鉛に関しては戦前に作られたX線撮影室の鉛板を京都府舞鶴市にあった京大水産学科から入手して、鉛ブロックを作っていたので、鉛からの放射能の低減化がある程度は可能でしたが、問題なのは戦前の鉄材の入手でした。

京大にある古い鉄材を探し回っていた時のこと、京大サイクロトロン施設の施設長をしておられた、私の修士課程の指導教授でもあった柳父琢治教授に「戦前の鉄材が見つからなくて困っている」と話をしたのです。その頃の柳父先生は、定年を直前にしておられたし、ノーベル賞委員会から「ノーベル物理学賞」の推薦依頼もあったりして忙しくしておられたのですが、私のその相談事を聞いて、しばらく考えておいでででした。その内に「荻野君、良いものを見せてあげよう」とおっしゃって、私を小さな倉庫に案内されたのです。そこで見せて頂いたのが京大最初のサイクロトロンの「ポールチップ」でした。

「ポールチップ」というのは、サイクロトロンの心臓部に相当する重要な部品です。サイクロトロンの磁石による磁界は均一であることが要求されます。そのためには磁石の間に二枚の大きな純鉄を入れて一様な磁界を得る必要があり、その上下二枚の純鉄を「ポールチップ」と言うのですが、その間に真空にした加速箱が設置されるわけです。磁界が一様でなければ加速が出来ないので、当時の技術では直径九〇cmで厚さ五cmもの純鉄の製造は困難だったでしょう。その「ポールチップ」には一部に錆はありましたが、油を塗ってきれいに保管されていました。定年を直前にして柳父先生も「ポールチップ」の今後のことが心配だったようでした。

この「ポールチップ」は、米軍がサイクロトロンを破壊・撤去する際には、たまたまその場所から少し離れた所に保管されていたことで撤去がまぬがれたのです。広島で海軍将校だった先生は、自宅で原爆の被害を受けられたのですが、何とか回復して京大物理教室に戻られた際に、この「ポールチップ」を発見して、密かに保管されていたのです。このことは先生以外には知っている人はいませんでした。厚みが五cmだということは、鉛ブロックと同じ厚みであり遮蔽材としても最適であることは言うまでもありません。しかし、先生もその「ポールチップ」の行く末のことをゆっくりと考えたいようでした。サイクロトロン施設の方々との相談もしたいのだろうと思われたので、私もしばらく様子を見ることにしました。しばらくして先生にお会いしたのですが「このポールチップは荻野君に預けることにした」「一つはレンガにしてくれても良いが、一つだけは記念に残るようにして欲しい」との条件でした。多分、「そのポールチップの歴史的な価値を重視する人は私だけだろうと思われているようだった」ので、私が預かることにしたのです。

私は業者に頼んで、一つのポールチップを鉄材レンガに加工したのですが、もう一つのポールチップは京大宇治構内にある原子核工学教室・放射実験室に保管していて、どこかに歴史的記念品として

資料2　ポールチップの写真

引き取って頂けるところを探し続けていました。その頃、京大内に博物館の建設が予定されていたので「そこに納めるのが最適だ」と私は考えて時期をねらっていました。その内に京大に博物館が出来たので「保管をお願いに行った」のですが、この博物館は、動物・植物・鉱物などの「自然博物館」なので「物理や工学などの資料は受け付けることが出来ない」と断られてしまいました。

「どうしようか」と悩んでいる内に、私の定年時期も近づいてきていて、「東京の科学博物館へお願いに行こうか」と考えていたのですが、京大博物館の友人から「密かに引き受ける」との連絡がありました。正式な委員会に諮らずに「搬入してしまえば、棄てようがないだろう」と私も考えて、定年の直前の二〇〇三年二月一七日に木の枠に入れてトラックで倉庫の通路の片隅に搬入したのでした。二月末までには私の大学の研究費（校費）を片付ける必要があり、ポールチップの移転費用として残していた校費を使用して無事に先生との約束を果たすことが出来て私は満足しました。この「ポールチップ」は、今では博物館の人気のある記念物になっているらしくて、博物館の入り口近くに鎮座しています。

その搬入の際の「写真」を「資料2」としました。

このように、私は放射線計測をも専門にしていたこともあって、いろいろと相談を受けることも多かったのですが、その中で、興味のあることがらに関して、箇条書きにして幾つかを短く紹介しておきます。

放射能汚染の測定

「原水禁」から依頼されて、ビキニ島に住民が帰還する場合に、「どれだけの被曝になるのか……を調べて欲しい」との依頼がありました。米国政府が「安全になった」として帰還を進めていた時でした。ビキニ島にあるコンクリート破片を頂き、そのコンクリートで家を作った場合の被曝量の推定でした。数値は覚えていませんが、とても強いので「帰還は無理だ」との結果でした。

一九九三年に「ＮＨＫ：クローズアップ現代」からの依頼で、台湾のマンションが放射能で汚染されていて、その測定依頼もありました。ソ連の原子力潜水艦などからの汚染廃材が利用されているのではないか……と言う疑惑でした。測定器を持参して、マンションの汚染マップを丁寧に測定したのですが、コバルト60の線源が溶鉱炉で溶かされて、台湾のアチコチの鉄材に紛れ込んでいたことが原因でした。

一九八六年四月の「ソ連・チェルノブイリ原発事故」の際は、テンヤワンヤの忙しさでした。四月末の新聞報道を知り、私は実験室の屋上に「ダストサンプラー」を設置し、すぐに測定を始めました。「八〇〇〇㎞も離れた遠方の事故なのだから、放射能は来ないだろう」と笑われながら、測定を続けていました。それが突然、フラッシュのような光にTV画面が見舞われたので驚いたのでした。

チェルノブイリ事故の際の「日本人の放射能汚染」に関して私が特に関心を持った「体内被曝線量」について、ここでは少し詳しく述べることにします。

日本各地の茶葉や松葉などを「セシウム137+134」中心に精力的に測定したのですが、その結果の一部を「資料3」としました。しかし、日本での汚染による「被曝線量」の推定には、いろいろなファクターがあり、数多くの茶葉を集めて抽出実験などもしたのですが、日本人全体でも「平均的被曝線量の推定」には多くの困難がありました。それでも「茶葉」からは「〇・六六ミリレム／年」、「ミカン」からは「〇・〇一四ミリレム／年」の推定量でした（一ミリレムは〇・〇一ミリシーベルトに相当）。

しかし、一つでも良いから、何としても食品による内部被曝線量の決定的な推定がしたかったのです。そこで考えたのが、イタリア産デュラム小麦による被曝線量でした。スパゲッティは北イタリア産の「デュラム小麦」の輸入が大部分であり、年間輸入量も明らかですし、北イタリアの汚染も高かったからです。五〇件以上もの沢山のデュラム小麦のスパゲッティをあちこちで購入しました。汚染の最大値は一一九ベクレル／kgで、最小値は一五ベクレル／kgでしたが、平均操作をして「体内被曝線量を推定した」結果は、「資料3」に示したように「成人の全身・内部被曝線量」は「〇・〇二六ミリレム／年」でした。

資料3　スパゲッティなどの内部被曝線量

内部被曝線量の推定（平均値。成人）

（全身）セシウム134＋137による被曝

茶	0.066	mrem/年
ミカン	0.014	mrem/年
イタリア・パスタ	0.026	mrem/年

（消化管）銀-110による被曝

カキ	0.002	mrem/年

（参考）
被ばく線量の推定値（暫定値）

（単位　ミリレム）

	成人	幼児	乳児
外部被ばく線量	1.3／2.6	1.3／2.6	1.3／2.6
内部被ばく線量			
甲状腺	2.1／4.2	5.5／10	5.3／9.8
全身	0.009／0.014	0.011／0.025	0.014／0.031

（注）上段／下段＝平均値／最高値

ソ連原発事故調査報告書（第２次）
（1987年5月28日　原子力安全委員会による）
内部被曝・実効線量当量　0.14mrem
（その内、セシウム134＋137によるもの：0.01～0.02mrem）

出典：1986年7月11日、科学技術庁による

一方、一九八六年七月一一日に「科学技術庁による」推定値は「全身」で「平均値が〇・〇〇九、最高値が〇・〇一四ミリレム」と低く、翌年の一九八七年五月二八日に「原子力安全委員会」が発表した「内部被曝・実効線量当量は〇・一四ミリレム」なのですが、その内の「セシウム134＋137」は「〇・〇一〜〇・〇二ミリレム」なので、スパゲッティのみよりも低い値でした。

また、興味深かったのは「銀‐110」による「貝のカキ」による「消化管」への内部被曝線量なのですが、「資料3」で示した様に「〇・〇〇二ミリレム／年」に相当していたことです。「カキ」などの貝類は「銀‐110」を一万倍近くにまで濃縮することが知られているので、私も関心を持っていたのですが、福島原発事故の際には「銀‐110」の汚染報告がなかったのではないでしょうか。私が気付いたのは、中国の発表だけだったように思います。

チェルノブイリ原発事故の際の被曝線量に関して、私はこの様な経験をしていたのですが、福島原発事故でも同じようなことが行われているのではないかと心配になります。監視体制は本当に万全だったのでしょうか。

第2節　京大での私の研究について

私は教養部の二年生の時に、現在の京都大学・時計台のある正門の南に位置する教養部・吉田分校で学ぶことになりました。そして二年生の後期の分属試験にも合格して、理学部・物理学教室の木村毅一教授の研究室に分属することになりました。木村先生は湯川先生と同期の卒業生であり、湯川先生は原子核の理論分野でしたが、木村先生は原子核の実験分野を担当しておられました。荒勝教授の定年後に教授に昇進された方であり、京大サイクロトロンの建設責任者で京大原子炉実験所の計画の中心人物でした。私の卒業と同時に木村先生は大阪府熊取町に建設が決まった原子炉実験所の所長として赴任され、私は京大化学研究所・蹴上分室のサイクロトロンの責任者である柳父琢治教授のもとで、原子核実験を修士課程で行うことになったのです。そんなわけで、私は理学部物理教室の卒業生であるとともに、化学研究所の卒業生でもあったわけで、今なお、化学研究所の同窓会にも出席しています。

京大化学研究所は、今では、「化学のみの研究所」のように思われていて、物理関係は無視されているように思えるのですが、「物理」をも重視した研究所であるからこそ、サイクロトロンの建設をしたのだし、電子顕微鏡の設置もなされたのです。もちろん、物理関係でも実験系ばかりではなく、理論部門もありました。その一つが湯川研究室でしたので「資料4」にしましたが、そのことを知っている人も少ないのではないでしょうか。

湯川研究室も高槻市にあった化学研究所に設置されていたのですが、湯川先生はほとんど来ることがなく、研究室で弟子の一人が研究をしていたようです。その助手の人が具体的にどのような研究をしていたのかは知りませんが、何度かお会いしたこともあります。化学研究所の兼任教授でもあった湯川先生は、化学研究所での研究はほとんどされなかった様なのですが、理論分野であっても共同で議論しながら研究を進めるのが一般的なのですから、そのとばっちりを受けたのがこの助手の方だったのではなかったでしょうか。

資料4　化研の柳父・湯川研究室

化学研究所の研究部門と研究施設（昭和42年3月現在）

分類	（旧）研究項目*	（新）部門名**	担当教授		大学院研究科
			専任	併任	
原子核科学	原子核物理学（昭20）	原子核反応	柳父琢治	湯川秀樹	理学
		原子核放射線（昭31）	清水　栄		理学
		放射化学（昭31）	重松恒信		理学

出典：『京都大学七十年史』より

いずれにしろ、化学研究所の湯川研究室はその内になくなってしまったのですが、その助手の方は行き場がなくなってしまい、他の研究室に預けられた形になっていたようです。その内に高槻から宇治へ化学研究所は移転したのですが、その助手の方は、給料をもらいに月に一度だけ宇治に来られるようでした。その頃は、給料は銀行振り込みではなく、直接に手渡されていたからです。私が良く実験していた宇治構内・工学部放射実験室が化学研究所のすぐ近くなので、柳父先生の部屋で、私も何度かお会いはしていたのですが、多分、その様な生活を定年までなさっていたのではないでしょうか。そのことを思うとともに「湯川先生とどのような関係があったのか」を知っているわけではない私ですが、何となくその助手の人を可哀そうに思ったのでした。

　京大サイクロトロンが蹴上に完成したばかりの当初（一九五六年）、柳父先生たちは中性子の漏洩問題に悩まされていて、その遮蔽の研究もされていました。サイクロトロンそのものは、崖の下の谷間にある古い関西電力蹴上水力発電所の赤レンガの建物にあり送水管の横にあったのですが、ちょうど中性子の漏洩方向に「松下幸之助の家がある」こともあって、気にかけておられたのでした。

そのような関係もあり柳父先生は三菱重工の友人に頼まれて、一九五九年一〇月から「放射線の遮蔽について」を六回にわたって講義をされていました。その後も「原子炉物理について」の講義を一六回もされていることもお亡くなりになった後で私は知ったのですが、三菱重工の原発開発の恩人の一人だそうです。

三菱重工での講座は当初は原発関連の内容だったそうですが、その後は物理関連の最近の話題の紹介で、この講座は実に一九九一年まで月に一回のペースで行われていたとのことに驚きます。「この科学論文は面白いよ。今度はこの内容を話すつもりだ」と先生から英文の雑誌を見せて頂いたことも時々ありました。もちろん、その後のことですが、私が反原発運動をしていることは良く御存じだったし、伊方原発は三菱重工製の加圧水型原子炉だったのですが、先生と原発の安全論争をしたことは全くありませんでした。

先生は被爆者であったこともあり、原発とは距離を置いておられるように私には思われました。ある時、先生の家の屋根裏にある「黒い雨が少し残ったタンス」を見せて頂き、その後で、「ガーゼを使ってアルコールで拭いたので、放射能が残っているかどうかを測定して欲しい」と依頼されたので、「セシウム137が僅かに測定されました」と報告したこともあります。

第3節　京大の原子核・原子力研究について

ところで、京大と原子核・原子力との関係では「広島の原爆の調査」のことや「原子力研究」にも触れておくことにしましょう。

私は修士課程から柳父研究室に配属されて蹴上に設置された化学研究所のサイクロトロンで実験に参加していましたから、それに関する原子核研究と原子力研究に関することを紹介することにします。私は広島・原爆の調査に直接たずさわったわけではありませんし、荒勝先生の弟子の方々から聞いた話が中心ですから、あくまで伝聞であることを最初にお断りしておきます。

京大サイクロトロンは一九五六年に完成披露がなされたのですが、ビームの取り出し電圧の放電が多くてうまく取り出せなかったことと、放射線遮蔽に問題があったことなどから実験開始が遅れて、実験が出来るようになったのは一九五九年で、主に軽い原子核を対象としての原子核反応の研究から開始されたのでした。

柳父先生は、原子核内には「アルファ（α）・クラスター（塊り）」があるのではないか……との「αクラスター模型」の着想を当初から持っておられたのですが、その頃の原子核構造に関しては「シエル（鞘）模型」と「コレクティブ（集団）模型」のみと考えられていましたから、「α・クラスター模型」に対しては疑問視する声も多かったのです。サイクロトロンがうまく稼働して、建設関係者の博士論文の実験もできるようになり、そろそろ研究者・独自の研究テーマでの研究が可能になってきた頃に私が修士課程の院生として柳父研究室に来たのでした。そこでの研究テーマは「αクラスター模型」の探求でした。後にも述べますが、私は湯川秀樹先生の講義を聞いた頃から、原子核内でのα粒子（ヘリウム4の粒子）の存在に関心がありましたので、「αクラスター」研究に関心を持ったのも当然でした。

柳父先生は、戦争中は高槻市にあった京大化学研究所で粘土などの粘性の研究をされたことがあり、原子核にもそのような「粘性的な性質があるのではないか」と思っておられたようでした。サイクロトロンでの実験が可能になった直後からは、反応断面積の大きな軽い原子核に陽子や重陽子を照射しての（p、α）（d、α）などの研究が行われたのですが、それらのα粒子の放出強度（断面積）が後方で異常な増加を示す現象に関心が集まりました。

核反応の直接過程では、「重粒子ストリッピング反応」というのですが、その反応でα-反応粒子が後方角で異常な増加を示すことで、それが核内でのαクラスターの存在と関係が深いのではないか……と考えられたのです。そこで、柳父先生たちは核内にある可能性のあるα粒子を直接に外部に叩き出すことが出来ないか……との実験計画を立てられました。すでに、α粒子模型やαクラスターの可能性は知られてはいましたし、高エネルギーの陽子を炭素に照射すると、陽子とα粒子がフリーのα粒子に衝突したといって良いような現象も報告されていました。この様な反応過程を「クエイサイ・フリー・散乱（Quasi-Free-Scattering：準弾性散乱）」と呼ぶのですが、その様な過程で放出されるα粒子を測定できるかどうかが、まず最大の関心事でした。そこで、柳父先生と山下佐明助手（後に奈良女子大学教授）は「軽い原子核のなかでもαクラスターが多いと思われるベリリウム9にα粒子」を照射し、核内にあると推定する「α粒子を叩き出す」様な「Be9（α、2α）He5反応の実験を行うことを計画されたのでした。

そして、その研究グループは柳父先生・山下先生・一年先輩の大学院生の滝本清彦さん・私の四人組でスタートしたのでした。

この実験は予想通りの結果が得られて、軽い核における「αクラスター構造模型」の進展に大きな貢献をしたのでした。第三の原子核模型としての「αクラスター模型」は実験面・理論面でも日本独自に進展した原子核模型なのです。今では、重い原子核にもαクラスターが出現していることも明らかになっているのですが、日本ではあまり知られていないのが残念です。そのαクラスター模型を探索したBe9（α、2α）He5反応実験のことを中心に発表したのが私の修士論文であり、それ以来、私は「αクラスター模型の研究」に情熱を燃やし続けることになり、定年まで友人たちと「αクラスター模型」の研究を続けていたのでした。

柳父グループのその研究は高く評価されていて、先生の定年直前に「ノーベル賞財団」から「ノーベル賞・物理学賞」の候補者の推薦を依頼されたのですが、先生の推薦された三人の人が、その後にノーベル物理学賞を受賞されたことも紹介しておくことにします。誰を推薦されたかは五〇年以内では秘密にすべきことですから名前を上げることはしません。また、柳父先生の定年後のことですが「ノーベル賞にノミネートされている」との連絡があったそうで、私も期待していたのですが、残念なことに早くにお亡くなり、「誰がノミネートしたのか」なども五〇年後の楽しみなのでしょうか。

このように反原発運動をしながらも研究をしていることに、「荻野さんは研究を止めるべきだ」との批判を受けたりもしましたが、私は定年まで「αクラスター模型」などの原子核物理学や加速器利用などに関する実験的な研究を続けていたのでした。反原発運動から足を洗うことができれば、その様な研究にのみ専念したいと思い続けながら、「反原発」から「電磁波問題」へと、ついに二足の草鞋（わらじ）を履くような研究生活をしてしまったわけですが、今になって考えると複雑な思いになります。

第4節　湯川秀樹先生のこと

ここで、急に湯川秀樹先生のことが登場することに不思議に思われるかもしれません。後でも詳しく述べますが、私は一九六九年から「反原発運動」に関わり始めました。その頃から「湯川先生の原発問題に対する考え方」に関心を持ち続けてきました。そのことに触れるためもあって、ここで、私の考えてきた湯川先生への思いを述べることにしたのです。結論から言えば「湯川先生は原発推進に賛成」であることを表面に出すことなく、「核兵器廃絶を唱えてきた」のではないかということです。そんなこともあり、私の知っている湯川先生のエピソードなどを紹介しながら、「天才・湯川秀樹」の別の側面である「人間・湯川」先生のことを、原発問題を中心として書き残して置きたいと思ったのでした。

私たち京大理学部を受験した人の多くは、「湯川先生の下で学びたい」との気持ちが強かったと思います。私もその一人でした。五歳の時に富山市近郊の疎開先で、米軍の飛行機が焼夷弾を落とす光景も記憶にありますし、昭和天皇の玉音放送を聞いた覚えもある私たちは戦争の記憶の鮮明な最後の世代ではないでしょうか。

戦後の困難時で記憶にある嬉しい出来事には、水泳の古橋選手の世界記録や湯川博士のノーベル賞受賞があります。たしか小学生五年生の時に富山へ来た湯川博士の講演を小学校の運動場に整列して聞いたこともあり、それが、高校からは多くの同級生が東京の大学を目指していたのにもかかわらず、私が京大理学部を受験することにした背景なのです。そのようなこともあり、湯川先生の講義を聞くのを楽しみにしていたのでした。

湯川自伝「旅人」

湯川先生は私の入学した一九五八年から『朝日新聞』で「旅人」と題する自伝を書かれ始めておられて、それが私たちの間でも大変に話題になったのでした。東京からの国鉄での帰りに、京都駅の近くで東山トンネルを通過するのですが、湯川先生がそのことを印象深く語っておられるシーンもあり、郷里の富山からの帰路に東山トンネルを通った私も同じ思いになったことでした。

私たちは「旅人」をむさぼるように読み、話題にしたことは言うまでもありません。しかし、湯川先生の友人や先輩などの「旅人」への評価は異なっていました。「ノーベル賞受賞」という日本始まって以来の偉業ですから、表立って非難はできなかったのでしょうが、それでも「あんなことを書いている」と笑いながら私に話して頂いた方もいたのです。

「旅人」には、如何にも自信たっぷりに「中間子論」を考えたように書いてありますが、「それは嘘ですよ」と笑いながら私に話して下さったのが、当時の教養部・物理教室のある教授でした。「こんな理論を作ったのだが、心配で心配でしょうがない」と湯川さんからコメントを求められたのだそうです。その教授は定年直前だったと思いますので、多分、湯川先生の先輩だったのではないでしょうか？

湯川先生のエピソードは、湯川先生の弟子筋の方々が「神聖にして侵すべからず」のような雰囲気で紹介しておられますが、本当にそうなのでしょうか？　私も原子核物理学の研究者でしたから、湯川先生の「中間子論」のすごさは高く評価しています。いわゆる素粒子物理学の最初が「中間子論」だといって良いわけですから、その功績は極めて大きいと思います。しかし、「人間・湯川はどうだったのか」という点では、私は異なる意見を持っています。湯川先生の書かれた本や文章などはこまめに読んだつもりの私ですが、「人間・湯川」には違和感を持ち続けていたのです。湯川先生と対比して比べられることの多い朝永振一郎・東京教育大教授の講義も物理教室で何度か聞きましたが、私は朝永先生の方が「人間として信頼できる」ように思ったのでした。

私が、そのように感じた理由は、湯川先生の「物理学の講義」を聞いていての私なりの率直な感想です。そんな気持ちになった理由を書くのは勇気がいることですし、湯川先生の高尚な意見を非難しているようで気持ちが悪いのですが、実際に教えて頂いた教え子の中にも、私のような学生もいたことを紹介することも意味があるように思います。

私の同期で一緒に授業を聞いた友人のなかでも、私の様に「人間としての湯川先生」を信頼できないような気持になったのは私だけなのかも知れません。私が「反原発運動」に深く関わったことも理由かもしれませんし、私の湯川崇拝が子どもの時から続いていたからかもしれません。私は小学生の時に湯川先生の講演を聞いただけではなく、中学生の時から湯川先生のことには関心があったのです。それも核兵器問題よりも原子力の平和利用（原発）に関することが中心でした。

湯川先生は一九五六年に「原子力委員会・委員」になられましたが、その日本の原子力開発を率先して進めたのは、正力松太郎・読売新聞社主でした。当時は知られてはいなかったのですが、米国・

中央情報局（ＣＩＡ）のスパイの様な役割をしていたようです。読売新聞や日本テレビなどを中心に活躍し、今では「プロ野球の父」「テレビ放送の父」「原子力の父」と呼ばれている財界の大物でした。その正力氏は富山県の出身であり、富山県での「英雄」なのでした。その正力氏が原子力推進のためもあって、「平和のための原子力」展などを読売新聞が中心になって開催してのキャンペーン活動を行ったことは良く知られています。一九五五年には富山県二区から衆議院議員に当選し、翌五六年には科学技術庁長官として原子力委員会の初代委員長となり、原子力発電所の誘致構想を大々的に打ち上げたのでした。原子力が日本のエネルギー問題を解決できると考えたのでした。高校生だった私は、この様な一連のことにも関心があり、湯川博士が原子力委員になったことを誇らしい気持ちで見ていたのでした。

そんな私でしたから、「原子力は素晴らしい」と思いこそすれ、問題があるとは夢にも思ってはいませんでした。熊取町に建設途中の施設へ見学に行った記憶もあります。今では笑い話になることなのですが、洋式トイレの使い方がわからなくて困ったことを鮮明に覚えています。当時では「基礎研究」が重要であり、早急な外国製の原子炉の導入は問題である……との意見があり、多くの研究者はそのように思っていたのではないでしょうか。正力氏とのそのような意見の相違から「湯川先生は原子力委員を辞任された」ということになっているようです。

物理学科の専門課程に進み、湯川先生の講義が始まり、教室が聴講生で一杯だったことを覚えています。消え入るような小さな声で話されるのですが、時々はユーモアもありとても面白い内容だったのですが、その内容はほとんど覚えてはいません。覚えている話では「全ての現象を簡単な方程式で現わそう」という「いわゆる宇宙方程式の探求」が当時の素粒子・原子核理論の目標だったのだそうです。しかし「そうは言っても、蛙の腹に臍がない理由が明らかになるわけではない」と言った話や「今から、素粒子や原子核の研究をしても手遅れであり、研究するなら生物学や医学が良いのではないか」と言った話もあり、理学部から医学部へ行った人も多かったのは、その影響だったのだろうとも私には思われたほどでした。当時の京大では、自分の入学試験の成績の一〇％減で考えて、希望する他学部などの最低点を越えていた場合は、その学部への転学部が可能だったからでした。私の同期でも理学部から医学部へ転学部した人が四人もいたほどでした。

私は優秀な学生ではありませんし、歴史や社寺巡りが好きでしたから「京都大学・美術研究会」というクラブに入り、勉強よりもそのようなクラブ活動に熱心で、当時の学生に多かった座禅などにこったこともありました。その内に、湯川先生の講義を聞きながら、何となく違和感を抱くことが多くなりました。先ほどにも書きましたが「人間・湯川」に対して不信感を持ち始めたのです。

その中でとても良く覚えているエピソードがあります。講義の中で学生の一人が湯川先生に質問をしたのです。講義の内容は「ガモフのα崩壊モデル」の話が中心でした。「ウランやトリウムなどの重い原子核からα線が崩壊するトンネル効果を説明したモデル」のことです。その話を聞いて、学生の質問は「α粒子がトンネル効果で外部に出てくるのはわかりますが、原子核内部にはα粒子がないのですから、その中間ではα粒子はどうなっているのでしょうか」との趣旨でした。私も「良い質問だ」と思って先生の回答に期待したのですが、先生は「そんなつまらん質問はするな」とばかりに怒ってしまわれました。「量子の世界と現実の世界」との間での問題ですから「笑いながら答えても良い」と思うのですが、そうではなかったのです。

急に甲高い声になり、顔を赤くして怒られたその姿を私は今なお鮮明に思い出します。当時の研究状況では、簡単に答えることが出来なかったのかもしれませんが、そうであれば、そのように答えることが出来たはずです。その場面からも、私は「人間・湯川」は教育者ではないように思い、幻滅を感じたのでした。相当後になって、質問した友人にそのことを聞いたことがあるのですが、本人は忘れてしまっていました。その時のことを覚えている友人もいて、「怒るとまでは感じなかったけど、湯川さんのその質問に対する説明の調子が、いやに甲高い声と調子になったことを覚えている」とのことですから、異常に思ったのは私だけではなかったのでしょう。湯川先生のことに関しては、多くの弟子の人たちが「褒めたたえること」を書いていますが、私はそのように思わなかった珍しい一人だったのかもしれません。しかし、そのことは、その後の私の人生に「研究であれ、反原発運動であれ」大きな影響を与えたように思っています。

また卒業時期になると、学生は卒業要件である「単位」を揃えねばなりません。いまでこそ、単位は事務室へ行けば確認できますが、私たちの時は「単位」は先生から直接に頂くことになっていて、自分の「単位帳」を持って先生の部屋へ行くのです。そのように集めた「単位帳」を持って事務室へ行き、卒業手続きをして頂くのです。私も湯川先生の部屋へ行き、「良、署名、印鑑」を押して頂きました。私の成績は「良」でしたが、湯川先生から「優」をもらおうと一生懸命に勉強していた優秀な人たちも全て「良」だったはずです。

たしか一年先輩の人たちは、全て「優」だったそうで、「今年の先生は機嫌が悪いらしくて、我々の全員が全て良だったようだ」という話でした。つまり、年によっては「全てを優にしたり、良にしたり」するのだそうです。真否はわかりませんが、仲間の話では「今年の学生は良かったな」と先生が思った年は「全てを優」にし、「今年は良くなかったな」と思った年は「全てを良にした」のだそうです。「可」はしなかったそうですが、本当に採点していたのかどうかは疑問です。私たちより九年程先輩の桜井邦朋氏は『湯川秀樹：白紙の講義録』（黙出版、二〇〇〇年）の中で「講義を受ける全員に向かって『みなさんに、全て優をあげます』というふうにいわれたのであった」「また、『みなさんは、よい成績を喜びますから』ともいわれた」と書いておられますが、湯川先生は学生の答案を最初から見るつもりはなかったのではないでしょうか。

当時の京大理学部への入学は「湯川効果」があったのでしょうが、とても難しかったはずです。偏差値制度がありませんから、どの程度の難しさだったのかは比較できませんが、日本中から秀才が集まって来ていたように私には感じられました。特に大学院で原子核・素粒子理論を希望する学生にとっては「狭き門」だったのではないでしょうか。現在と異なり、その頃は浪人の割合も高かったはずで、私のクラスでは現役は四割程度だったと思います。私は「原子核物理学でも実験系」を選択しましたから、関係はありませんでしたが、理論を選択する人は「現役入学の秀才でなければ入れない」とまで言われていました。特にそのような考えの強かったのは湯川先生だったように思います。

私の友人で、とても優秀な人がいたのですが、家庭の事情で入学が遅れてしまい、「試験の成績は良かったのに、浪人を嫌う湯川先生の判断もあり面接で落とされた」とのことでした。そのような結果になったことを「他の面接委員（勿論、湯川先生は欠席）だった先生が教えてくれた」のだそうです。

最近の「東京医科大・問題」で「浪人にマイナス点を与えた」ことが問題になっていますが、湯川先生はその様なことは平気だったようです。湯川先生は「飛び級で三高に入学した」からなのでしょうか。湯川先生に嫌われて、追い出されてしまった……と言われる研究者の方もおいでですから、「湯川賛美」をしておられる弟子筋の方々は「気にいられた秀才の人」だったのでしょうか。

私が四年生の時の卒論指導教官であった木村先生は湯川先生の同期でしたし、私の回りには湯川先生の周辺においでだった先輩・同輩・後輩が多かったのですが、「ノーベル賞受賞」という国民的な称賛もあってか非難を口にする人は少なかったように思えます。それでも、「旅人」に書かれているような「湯川・自伝」に問題を感じた人もいたことは間違いありません。

その典型例が「旅人」のゴーストライターだったといわれる朝日新聞の澤野久雄氏の書いた『山頂の椅子』（新潮社、一九六七年）ではないでしょうか？　もちろん、「この本の主人公が湯川秀樹」と書かれているわけではありませんが、取材しながら、「旅人」の内容とは異なる「湯川秀樹をモデル」にした科学者の生き様をテーマにしたのでしょう。あそこに書かれているのが、「ほとんど湯川先生そのものだ」との声を私は先輩から聞いたこともあります。あの本の内容に一番に怒ったのは夫人の「湯川スミさん」だったことは有名で、夫人は「名誉棄損で訴訟まで考えた」そうですが、回りの人たちから「訴訟になれば、主人公が湯川秀樹であることを認めたことになる」と言われて、諦めたという話が伝わっているほどです。その話を平沢正夫氏が『宝石』一九六七年七月号に書いておられます。個人的に平沢氏を良く知っていた私ですが、『宝石』の原稿取材をされた平沢氏の話では、澤野氏が「その話は書かないで欲しい」と電話の向こうで懇願されていたように感じたそうですから、かなり正確な話だったのだと思われます。もちろん、創作も入っていることは確実ですが、澤野氏も「神格化された湯川像」に不信感を持ったからこそ、あのような内容の本を書いたのではないでしょうか。

もちろん、私は湯川先生の中間子論の素晴らしさを認めてはいますが、周辺の人たちが「湯川先生の人間像」をどのように見ていたのか……は知らせておくことも必要なように思って書くことにしたのです。国民的な偉人・天才として称賛され、戦後の日本で国民に希望を与えた人ですから、批判するような声は全くでなかったのかもしれませんが、昭和天皇の戦争責任問題と共に、湯川先生の戦争責任を問う声も消えていったように思います。国粋主義者である徳富蘇峰・三宅雪嶺とともに、戦中の「若き皇国の科学者」の代表として、一九四三年に「文化勲章」を受賞したわけですが、戦後の一九四六年に徳富蘇峰が「文化勲章を返上」した時に（三宅雪嶺は一九四五年に死去）、湯川先生に対しても「返上すべきだ」との声は強かったと聞いています。京大理学部で力を持っていた荒木俊馬教授が大学を辞職したのも戦争責任を取ったからでしたし、荒木教授が湯川先生の文化勲章受章に力があったと私は聞いていたからです。そのような話は湯川先生に関連する本を読んでもどこにも書かれてはいないのではないでしょうか。

昭和一七年（一九四二年）に出版された『決戦下學生に與ふ』（京都帝国大学新聞部編）には、京大の三五人が寄稿しているのですが、最初の「羽田総長」に続いて天野貞祐・荒木俊馬・桑原武夫・高坂正顕・新村出・西谷啓治・蜷川虎三などの著名人が寄稿していて、湯川先生も「現代科學と世界観」を書いておられます。

国会図書館の検索で「湯川秀樹」をキーワードに調べると、数多くの図書や文献が出てきます。それらの中から「湯川先生の人間性」に関する資料を探すのですが、子供の時のことは書かれてはいても、戦争前後の成人した人間像は良くわからないのです。戦時中の湯川先生のことを紹介した本に『湯川秀樹とアインシュタイン』（田中正著、岩波書店、二〇〇八年）がありますが、湯川先生の弟子筋の方々が登場しておられるので、やはり「湯川・賛美」が中心のように私には思われます。すでに述べていますが、反原発運動をする際に私は湯川先生の「原発に関する意見」を色々と調べたつもりですが、全く見出すことができず、「核兵器反対＝原発反対」と考えていた私にとっても悩むことが多かったのです。

特に私が反原発運動をする際に最も悩んだことの一つに「被爆者団体（被団協）が原発推進に賛成していた」ことがあります。被爆者団体の若い人たちが、私の研究室に押しかけてきて「反原発運動をするとは何事か」と団交の様に追及されたこともありました。悲惨な原爆の強大なエネルギーを「平和利用に使用すること」に夢を抱いておられたからでしょうが、しかし爆発エネルギーだけでなく、放射能被害のことを考えると、原発の方が「圧倒的に莫大な放射能を内蔵している」のですし、原発で製造されるプルトニウム239は原爆になるからでもあります。

そのこともあって、湯川先生が「原子力」と言われる言葉には「原発」は含まれていないのではないか……と思い続けていたのです。湯川先生は「原子力の脅威から人類が自己を守るという目的は、他のどの目的よりも上位におかれるべきではないか」「人類の一員としてこの問題を考える」と毎日新聞（一九五四年三月末）に寄稿されているのですが、ここに書かれた「原子力の脅威」は核兵器のことだけなのでしょうか。このような問題を抱きかかえながら、私は反原発運動に関わったのですが、二〇〇三年に京大を定年退職する前後から、ここで紹介するような「湯川先生と原発問題」を真剣に考え始めました。

第5節　湯川秀樹と原発問題

戦前の世界の物理学会などでは、数多くのアイデアが提出されており、科学的な根拠のないような仮説に対しては「否定的な雰囲気」が強く、湯川先生の一九三五年（昭和一〇年）に発表された「素粒子の相互作用について」の論文の中の「中間子を予言する新説」も嫌われた説だったのです。しかし、その内容が外国の雑誌に紹介されたりしたことで、一九三七年の「ソルベー会議」に招待されて急に有名になり、一九三八年にはその論文を骨子として大阪帝国大学で博士号を得ています。

ソルベー会議そのものは中止になってしまったのですが、湯川先生は欧米視察をして帰国され、「最先端の国際会議に招待された」ということもあり、一九三九年には京都帝国大学教授に、一九四二年には東京帝国大学教授にもなり、一九四〇年に「恩賜賞・受賞」、一九四三年には最年少で「文化勲章」を受賞したのです。「文化勲章」は戦時の学問高揚の為もあり、一九三七年に作られたのですが、一九三八、一九四一、一九四二年には受賞者はなく、一九四三年には戦争での科学技術推進の為もあり「若き希望の科学者像」のシンボルとして対象になったと言われています。何故なら「欧米の科学技術の素晴らしさに対抗することは不可能だ」と多くの国民が感じていたようですから、それ

資料5

渡るぞよ

三宅雄二郎

私が御祝ひ申されをするのは、誠に恐縮至極に存じます。

文化勳章が出來ましてから、拜受者が二十人。三人亡くなられまして、十七人。中で、最年少者が湯川さん、最年長者が私。この二人がこゝで落り合せになるといふことは、何か因縁のあることでありませうか。

之で、文化勳章は若い人でも年取つた人でも、いつ拜受になるか知れぬといふことが示されて居るのではありますまいか。さういふ御趣意ではなからうと思ひますけれども、さういふ御趣意があつても然るべきことと思ひます。私は湯川さんより四十七歳も年長で、殆ど半世紀も隔つて居ります。

石川丈山が七十歳でかういふ歌を詠みました。

わたらじな瀬見の小川の淺くとも
老の波そふ影もはづかし

之は石川丈山の七十歳の時の歌でありますが、私はそれから十四年も經つて居るのでありますから、「影もはづかし」どころではなく、もう何とも言ひ樣がないのであります。

然し之は時代でありまして、石川丈山が七十歳の時「わたらじな」と言つて鴨川を渡らず、二十年間も何をしてゐたかといふことに就ては、德川一箇の解釋に依ると、德川幕府の探偵をしてゐた。誰にも會はないやうに引つ込んでゐて、實は密かに京都の形勢から天下の勢を見てゐた。その證據には、一朝事あれば我れ先づ知ると言つて居る。然しさうして引つ込んでゐて天下のことが知れるものか。人に會ふ者は事ずに内々に事情を探つてゐたと言ふのは、少し度を過ぎるのでありまして、まさか丈山は探偵の眞似はしなかつたと思ひます。

丈山が七十歳で「わたらじな」と言つて、二十年間鴨川を渡らなかつたといふことは、疑問は疑問として、その時代はさういふものであつた。最早や德川の天下が定かになつて、永遠に事勿れといふやうになつた時代であつた。然し今は違ふ。非常な違ひである。

そこで、變へ歌をかうしたらばどうでありませうか。甚だしく拙く、拙い程度に於ては之れ程拙いものはないと思ひますが……

渡るぞよ大海原の深くとも
老ひの力で……墜ちてし已まむ

かうして間違ひがないと思ひます。之は私、老人一個人の挨拶でありまして、只今湯川さんが特別の御挨拶をなさることと思ひます。（本會顧問、文學博士）

★米英擊滅の★
★總力結集
—第一回定例總會—

昭和十八年六月四日、社團法人大日本言論報國會第一回定例總會は東京丸の内大東亞會館に於て午前十時より盛大に擧行された。

24

自然科學の立場から

湯川秀樹

本日は言論報國會の大先輩であらせられます德富先生並に三宅先生の驥尾に附しまして、私の如き若輩迄この席に列るを得ましたことは、この上もない光榮と存じて居る次第でございます。

申す迄もなく德富先生や三宅先生は、明治、大正、昭和を通じまして、言論界の指導者であらせられるのでございますが、之に反しまして、私は言論といふやうな方面に對しては何等の功績もないのでありまして、省みて誠にお恥づかしいことと存じて居ります。私の專攻して居りますのは自然科學でございまして、自然と言論といふやうな方面とはそれ程今迄關係が近くなかつたのでございます。然し今後は色々な意味に於きまして、出來ますことでございますれば努力を致させて頂きたいと思つて居る次第でございます。

元來自然科學と申すものは、從來動もすると物質偏重の唯物的思想、或は自由主義的な思想といふものと結びついて居るやうな傾があつたのでございます。然し科學が進歩して參るに從ひまして、殊に現代に於ける物理學の進歩は、寧ろさういふ將來の狹い固定した考へ方から脫しつゝあるのであります。更に又その方向へ進みつゝあるものであると私は信ずるのであります。

今日我が國の言論界の有力な方々の力に依りまして、日本的世界觀の樹立といふことが力説く行はれて居ります。私は殘念ながら哲學とか歷史とかの方面に關しては充分な知識を持つて居らぬのではございますが、自然科學、特に私の專攻する物理學の立場から致しましても、自然科學の方面からさういふ思想の何等かの裏付けをすることが出來れば、是非さういふ風にして參りたいと念願して居る次第でございます。

只今德富先生から、私が今迄やつて來た研究に就て簡單に紹介せよといふ御命令でありましたが、私の研究といつても別に皆樣に御披露申上げるやうなものではありませんけれども、極くかいつまんで申上げて見たいと思ひます。

今日私共が物理學に於て研究して居りますのは、あらゆる物質の最後的構造、つまり物質を非常に細かく分けて來て最後的のものは何であるか、又さういふ最後的なものを支配して居る法則は何であるか、それに從つて自然界に起つて居るあらゆる物理的、化學的な現象を理解して行かう。かういふのが今日の物理學の立場であります。

25

26

その場合に、最後的な要素となつて居るものには色々なものがあるのであります。一口に素粒子と呼んで居りますが、之に色々なものがあるのであります。あらゆる物質の中には、例へば電子といふやうなものがあります。我々が放射的な現象と稱して居るものは、大體之に依つて決まつて來るのであります。又原子の中には原子核といふものがあつて、その中にも色々なものが入つて居ります。私共が提唱致しましたのは、さういふ新粒子の一種でありまして、それを中間子と呼んで居るのであります。

我々が住んで居る地上には、水素とか酸素とか、或は色々な金屬とか、九十二種類の元素がありますが、その種々の元素の夫々違つた性質を示すもの、その違つて居る根元は只今申した原子核といふものであるのであります。その原子核の更に根元として中間子といふものを考へたのであります。それが同時に又、地球の外部から地球に向つて不斷に降り注いで居る大きなエネルギーの放射線、宇宙線と稱せられて居るものの中に存在して居るのであります。さういふ意味に於て、今日の物理學では原子核及び宇宙線の研究が最も中心的問題になつて居ります。中間子といふものは、さういふ問題を解く鍵となつて居ると言つていゝと思ひます。

斯樣な研究は未だ進行中でありまして、未だ解決出來ない問題が非常に澤山あるのであります。私共は極めて微力ではありますが、さういふ問題を解決して、更に進んでは、物質といふものは單に物質に止まらないのでありまして、人間の精神といふやうなところへどうして繋がつて行くかといふやうなことを究めて參りたいと思ふのであります。何卒今後とも御援助を御願ひして已まない次第であります。簡單ではありますが、之を以て御挨拶と致します。

（本會會員、理學博士、京都帝國大學教授）

× × ×

× × ×

27

『言論報國』創刊号（大日本言論報國会：昭和18年10月）

を払拭するためにも若き科学者として湯川先生を浮上させる必要があったのだと思います。当時では特に物理学が戦時の兵器開発と深く関係していると思われていて、兵役義務でも物理学者は除外されることが多かったのです。そういえば、ナチスの「アウシュビッツ」でも「双子と物理学者」はガス室送りがなされなかったと言われています。

一九四二年には「日本文学報國会」と「大日本言論報國会」が徳富蘇峰を会長として設立されたのですが、湯川先生は当初からの会員であり、仁科芳雄氏も会員でしたが、物理学者の会員は珍しかったはずです。特に天文物理学者の荒木俊馬・京大教授は学生時代(一九二二年)にアインシュタインの京大での講演に対する学生代表として感謝の辞を述べたことでも有名であり、ドイツに留学して国粋主義になっていました。京大の花山天文台を建設した京大総長・新城新蔵氏の娘婿であり、「大日本言論報國会」では「理事・評議員」の要職を務めています。京大で量子力学を講義した最初は荒木教授だそうです。湯川先生を「若き世界的な科学者」の代表として、盛り上げた人物が理学部の荒木教授でしたが、その推薦もあって湯川先生が「文化勲章を受賞した」と言われていたほどです。

戦後になり、荒木教授は京大教授を辞任し「大日本言論報國会」の理事等を努めていたことから、「公職追放」され、公職追放の解除後に大谷大学教授となり、六五年に「京都産業大学」を創立し学長になっています。京大を辞任したのは、「米軍の言いなりになるのが嫌だったから」とも言われているのですが、荒木教授同様に「湯川教授も辞職すべきだ」との強い意見があったことをも、私は先輩から聞いていますが、荒木教授の辞任の後の講座を湯川先生が併任されています。

「大日本言論報國会」の会報である『言論報國』は一九四三年一〇月に創刊号を出版し、「文化勲章」

を受賞した湯川先生が三宅雪嶺（本名：雄二郎）とともに創立記念の講演をしています（資料5）。文化勲章の対象となった「中間子論」のことを話しているのですが、いずれにしろ「日本は欧米の科学に遅れを取っている」と考えている多くの国民に対する啓蒙の意味が大きかったことは間違いありません。同時に受賞した徳富蘇峰は戦後になって「文化勲章」を返上したことはすでに触れました。

湯川先生は「ノーベル賞・受賞」と「核兵器反対」の事ばかりが主に取り上げられていますが、私は「人間・湯川と原発問題」に関心があり、何かの機会があれば「戦前の湯川像」をも調べていました。湯川先生の「ノーベル賞・受賞」という偉業があったために、戦前の湯川先生を巡る問題は表から消えてしまった様に私は感じています。

「中間子論はたまたま当たっただけ」

私は物理学教室の原子核物理学専攻・修士課程を終了後、工学部原子核工学科へ就職しましたが、そこでは向坂正勝・研究室、荒木源太郎・研究室、片山泰久・研究室などを転々とさせられました。原子核工学科は日本で最初に作られた原子力推進のための学科で、設置にあたった人たちは木村毅一先生・清水栄先生・荒木源太郎先生・西原宏先生たちだったのですが、私はそんな教室で教官としてたった一人で反原発運動に関わっていましたから、教授さんたちからは嫌われていたことでしょう。戦前であれば、「まさに戦争反対を叫んでいた」のと同じことだったかもしれませんが、そんな点からもここに書くことが出来ないようなとても辛いことを沢山経験しましたが、幸いなことに定年まで勤務できたのでした。

東大に原子力工学科が出来たのは京大の翌年で、名前も原子力工学科であることでもわかりますが、原発そのものを中心に教育・研究を行うことが目標でした。それに反して、京大の原子核工学科は原子核全体を研究・教育することをうたっていて、原子核物理学・原子力関連は勿論のこと、量子力学・加速器・放射線・アイソトープ・放射線遮蔽・核燃料まで幅広く取り扱う学科だったのです。荒木源太郎先生は、工学部の喜多源逸教授の「量子力学を学ぶ必要がある」との考えのもと、湯川先生の推薦でまず京大工学部工業化学科の教授として赴任されていたのです。

工学部の喜多教授や児玉信次郎教授などによる化学分野での量子力学の重要性の指摘の結果がフロンテア電子論での福井謙一教授のノーベル賞受賞や二〇一九年の吉野彰氏のノーベル賞受賞につながったといえるでしょう。私が原子核工学科で首にもならず、定年まで勤めることが出来たのは、原子核物理学の研究を続けている研究者が私一人だったからでもありますし、原子核工学教室では「原子核物理学の研究が重要だ」と考える教授さんもいたからでしょう。また、大学院入試でも「助手の私一人のみから成る正規の研究室」を希望する学生が多かったことも理由の一つだった様に思っています。

荒木源太郎先生の定年の時には、私は荒木研究室に在籍していましたから、定年の行事にも協力したのですが、荒木先生の定年講演のことを思い出します。湯川先生のことも話されたからです。その内容は「中間子論はたまたま当たっただけであって、幸いだったに過ぎない」「外国の数学者（多分、ノイマンのことを言われた様に思う）も言っているが、数学のノーベル賞があれば物理学者の受賞者は激減するだろう」と言った趣旨の話でした。私はその定年行事に湯川先生が出席なさることを知っていましたから、ハラハラしながら聞いていたのですが、湯川先生はその講演には来ておられなくて、おいでになったのは祝賀会になってからでしたから、荒木先生は湯川先生が来ておられないことを知っていて話されたのだと思います。

湯川先生は京大を卒業された後、東北帝国大学から大阪帝国大学へ来た八木アンテナで有名な八木秀次教授の研究室で講師となったのですが、研究成果が出なくて焦っていたことは良く知られており、その結果として「中間子論」を発表したことを荒木先生は御存じだったのかもしれません。「旅人」では、いかにも素晴らしいアイデアだったという具合に書かれているのは、ノーベル賞・受賞以降の文章だからではないでしょうか。

荒木先生の祝賀会での湯川先生のスピーチも面白いものでした。荒木先生には二人の息子さんがおられるのですが、二人ともとても優秀で有名でした。湯川先生はそのことを指摘して、「荒木さんの息子さんが優秀なのは、奥さんの骨盤が広いからで、私の女房は骨盤が狭いからダメなのだ」と言った趣旨の話をされたのですが、このことを聞いて、私は「これでは荒木先生を褒めたことにはならないのではないか」と思ったほどでした。この話は「湯川スミさんに対する非難」なのかもしれません。湯川先生があまりにも有名になったことで、湯川スミさんも有名になって表に登場することが多くなったのですが、そのことを湯川先生は心良くは思っておられなかったことだけは確かで、そのことを湯川先生の周辺の方々から私も良く聞いていました。

湯川先生には二人の息子さん（湯川春洋（はるみ）氏と湯川高秋氏）がおられたのですが、二人ともコロンビア大学理学部に進学されていますから優秀だったのでしょう。高秋氏は若くしてお亡くなりになりましたが、春洋氏は近松門左衛門などの近世演劇研究家として知られています。春洋氏は終戦直前にエリート教育のために一九四五年一月から設置された「特別科学学級」に入学されていますから、優秀だったのではないでしょうか。その「特別科学学級」では湯川先生も物理学の講義を担当したそうです。春洋氏は二〇〇三年に『湯川家に生を受けて』（どりむ社）を出版し、二〇〇六年にスミ夫人が九六歳でお亡くなりになった後の二〇〇八年に『湯川家に生きた子と母』（どりむ社）という本の編著者になっておられます。そこでは、両親のことを「核兵器反対の平和運動に邁進した」と褒めて書いておられますし、後者ではスミ夫人を追悼するべく多くの方々が書かれているのですが、湯川先生の人格などに関しては全く書かれていないのが残念です。また、すでに発生していた米国・スリーマイル島原発事故やチェルノブイリ原発事故も、核兵器問題と同じ様に重要なことだと思うのですが、そのことに触れられる人がいなくて、湯川先生が「原発開発には賛成で、核兵器にのみ反対だった」と言うことを調べている私としてはとても不満でした。湯川スミ夫人が一九七八年に書かれた『苦楽の園』（講談社、一九七六年）には「主人は大学で嫌なことがあると、帰宅しても機嫌が悪くて当たり散らすことがあった」などと家での雰囲気が読み取れるところもあるのですが、やはり「人間・湯川」の人格が良くわかる文章はないのです。

片山研究室で

私は原子核工学教室で荒木研究室から新たに片山泰久教授の片山研究室に移動しました。荒木先生の後任として、荒木研究室の助教授・講師の人ではなくて湯川先生の共同研究者であった片山先生が基礎物理学研究所から移られたのです。勿論、湯川先生が推薦されたのだと思いますが、基礎物理学研究所の教官には任期があったからでもありますし、湯川先生としても近くに共同研究者を置いておきたかったのかもしれません。片山先生は私を「理論物理の研究をするように」考えられたのですが、私は「αクラスターの実験的な研究」を続けたくて断ったのでした。しかし、その様な私でしたが片山先生に嫌われることもなく、原発の危険性を指摘している私に対しても理解があった様にも思いました。原発問題に関しても湯川先生と話をされていたのかもしれませんが、反原発に熱中していた私に対しては、そのようなことを話されることは全くありませんでした。

その様な関係もあり、私は片山先生から湯川先生のエピソードを時々聞くことが出来たのです。表には出来ないことであっても、何かの機会にポロッと話されるのですが、その中から私が覚えていることを紹介することにします。その一つにマージャンのことがあります。同じ研究室ですし、当時はマージャンが大人気でしたから、時々は片山先生とマージャンをする機会があったのです。ある時のことですが、大三元で上がったことがあるのですが、その時に片山先生は「湯川さんとマージャンをしていて一番困るのは、湯川さんは白・撥・中のパイがあると、何時も大三元をねらってパイを放そうとはしないのだ」「湯川さんとはマージャンはしたくないのだが……」と言われたのでした。マージャンをしている人にはわかると思いますが、最初に白・撥・中が一枚でもあると、ある程度パイが集まらなければ途中で諦めるのですが、湯川先生はそうではなくていつまでも手放さないので、他の人が困るわけです。片山先生の家が湯川先生の家に近かったこともあり、マージャンする人が少ない時に呼び出されることが多かったそうです。その話を聞いて笑い合ったことを思い出します。

また、ある時のことですが、『毎日新聞』（一九七六年四月二三日）の一面に大きく「湯川先生の研究論文」が紹介されたことがありました。その論文は片山先生との共著論文なのですが、そのことを片山先生にお聞きしたことがあります。それに対して、片山先生は「湯川さんは英文の研究論文が少ないことを気にしていて、このような論文が発表できたことを、新聞に知らせたようだ」「恥ずかしくて困ったことだ」と言われたのです。日本語の本や文章は多いのですが、素粒子論に関する英文の研究の少ないことは有名でしたから、湯川先生も気にしておられたのでしょう。我々の様に研究成果の少ない研究者も「湯川先生の様に、数は少なくても立派な論文が一つあれば良いのだ」と言ったりして自己満足していたほどでした。

荒木先生の「たまたま、中間子論があたっただけだ」という意味も、研究論文の少ない湯川先生に対する批判だったのかもしれません。またこの論文発表や前に紹介したモデル小説『山頂の椅子』を巡っての「話題」に関しては、平沢正夫氏が『宝石』一九六七年七月号で「特別読み物：話題の焦点に立つ人」「新理論は〝年寄りの冷や水〟といわれる　湯川秀樹」として背景を書いておられます。また見出しの横には「モデル小説〝山頂の椅子〟で、赤裸な私生活をあばかれたノーベル賞学者が、今秋、国際会議で「素領域」論を発表するという。はたしてそれは学問的価値のあるものか」と書かれていて、片山先生が「恥ずかしい」と思われた意味もわかります。

消えた二つのエッセイ

湯川先生を巡っての小生の疑問点の一つに、戦前の先生の本のこともあります。京大図書館で「湯

資料６　湯川寄贈を示すページ

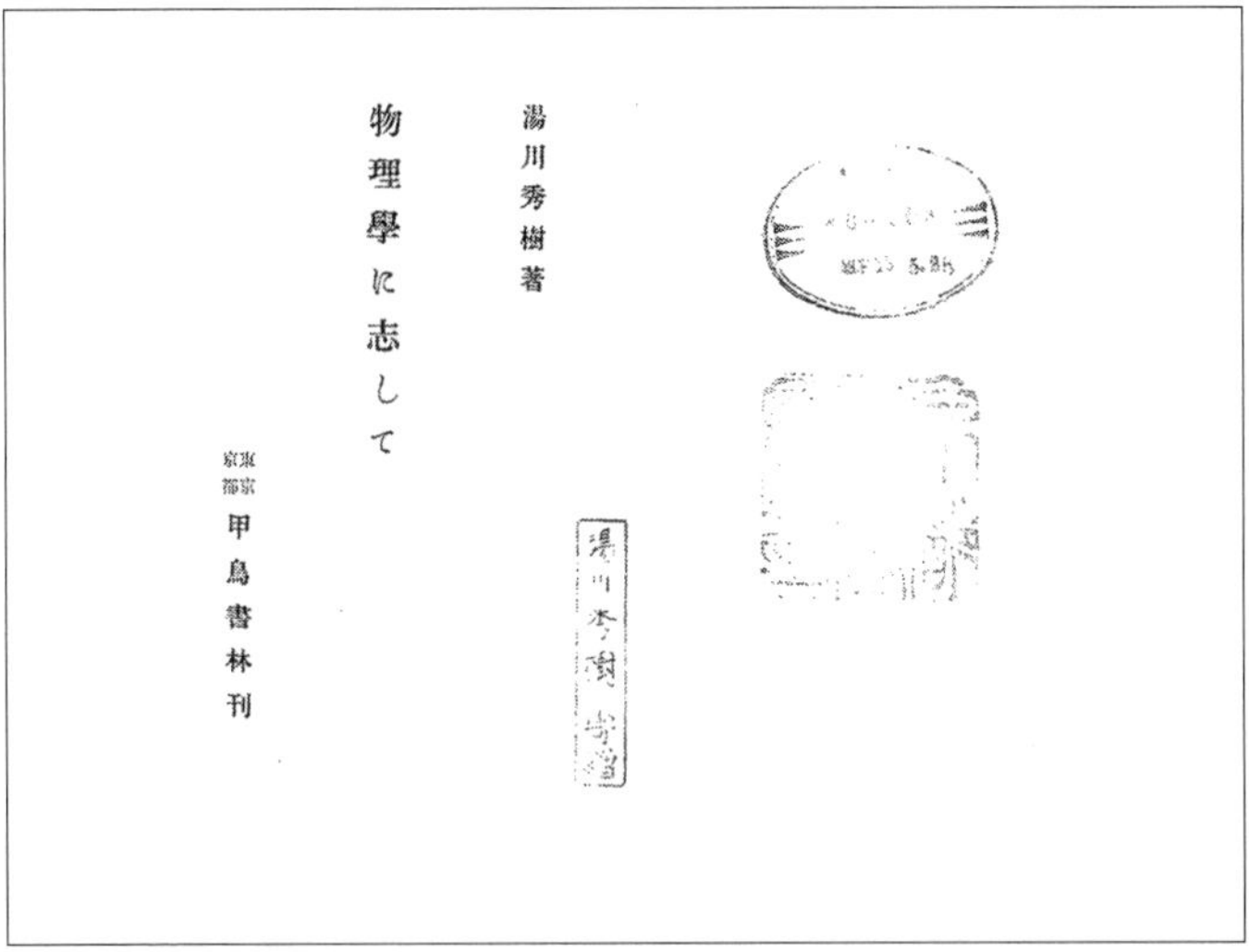
湯川秀樹著

物理學に志して

東京
京都
甲鳥書林刊

湯川秀樹寄贈

出典：『物理学に志して』（甲鳥書林、1944年）より

川秀樹」で検索すると戦前の出版物もヒットしますが、物理学関係以外では『最近の物質観』（弘文堂書房、一九三九年）、『極微の世界』（岩波書店、一九四二年）、『存在の理法』（岩波書店、一九四三年）、『物理学に志して』（甲鳥書林、一九四四年）、『物理学に志して』（養徳社、一九四四年）の五件のみです。このリストを見て「不思議だ」と思われるのではないでしょうか？　それは一九四四年に同じ題目の本『物理学に志して』が二つの出版社から出ていることです。私も本を書いていますが、この様な例は珍しいように思います。前者は京大図書館に「湯川先生から寄贈」されていますので、それを示すページを「資料６」にしました。

　湯川先生は昭和一八年に「文化勲章」を受賞された直後の一九四四年（昭和一九年）に出版された『物理学に志して』を、先生が直

資料7　「奥付」のこと

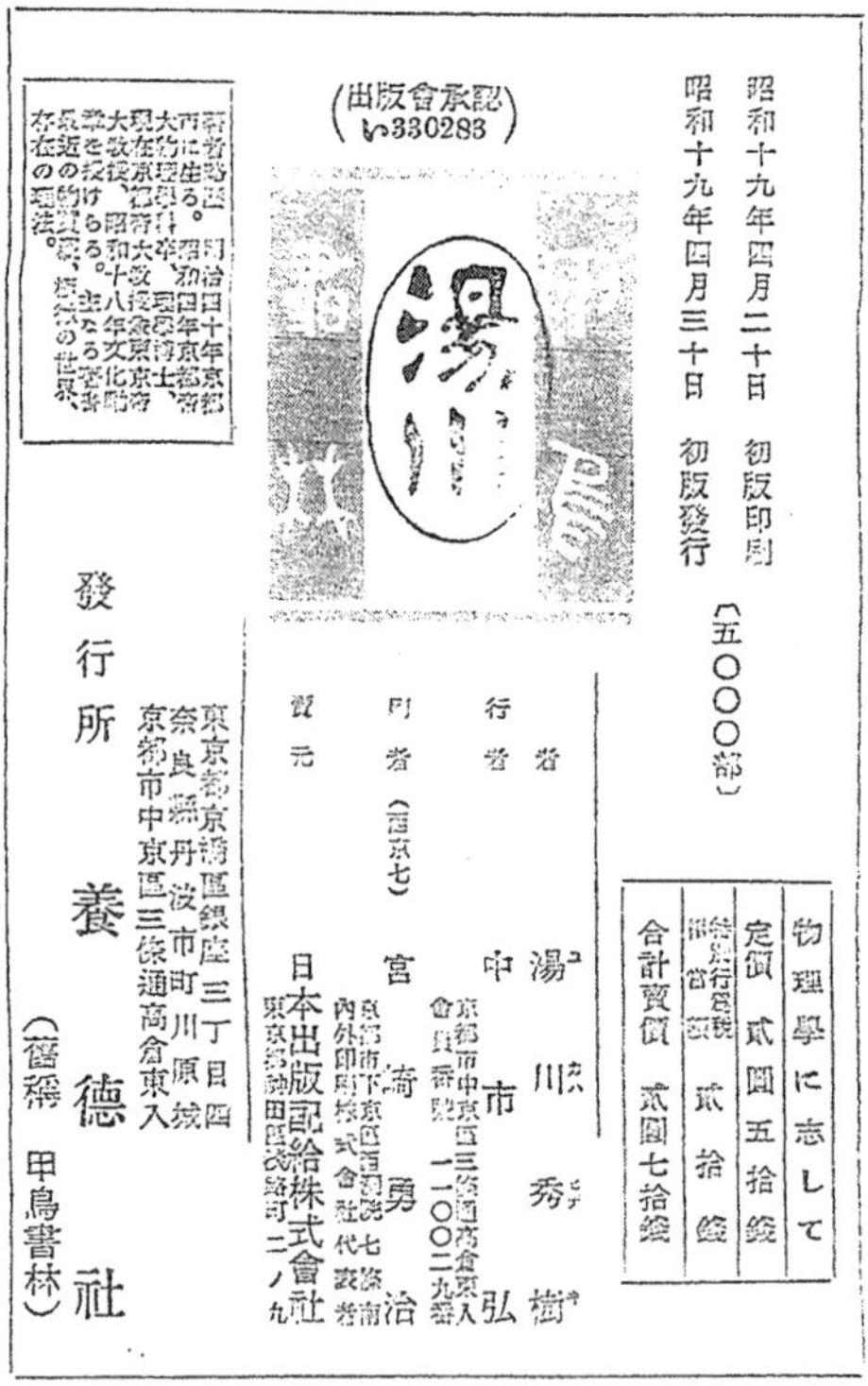
昭和十九年四月二十日　初版印刷
昭和十九年四月三十日　初版發行
（五〇〇〇部）

（出版會承認　い330283）

物理學に志して
定價　貳圓五拾錢
特別行爲税相當額　貳拾錢
合計賣價　貳圓七拾錢

著者　湯川秀樹
發行者　中市弘
印刷者（西京七）　宮崎勇治
配給元　日本出版配給株式會社

發行所　養徳社（舊稱　甲鳥書林）
東京都京橋區銀座三丁目四
奈良縣丹波市町川原城
京都市中京區三條通高倉東入

出所：養徳社（舊稱　甲鳥書林）より

接に京大図書館に寄贈されて五月二五日に登録されているのですが、同時に昭和一八年七月五日に初版印刷された『存在の理法』の第二刷も寄贈されていて、京大図書番号では「806208」「806209」と並んでいます。先生の寄贈本はこの二冊だけで、その後は寄贈されることは全くありません。「文化勲章」受賞後の出版物だったことで寄贈されたのでしょうか。

『物理学に志して』は京大本部図書館・吉田南図書館（昔の三高が一九四四年一〇月に購入・所蔵）・

基礎物理学研究所・図書室にあり、これら三種類の本の表紙はいずれも異なるのですが、寄贈本の方には「甲鳥書林刊」と表紙にも印刷されていて立派です。

これら三冊の「奥付」を「資料7」としましたが、いずれも全く同じで、「養徳社（舊稱　甲鳥書林）」となっています。その理由は「出版社が途中で変わったからだ」と言われているので、色々と調べてみました。

昭和一九年前後は、本の出版などに厳しい制限があり、国からの紙の支給も少なく、多くの出版社が廃業したり統合したりせざるを得なかった時でした。「甲鳥書林」の社長であった中市弘氏が中心となり、天理時報社・六甲書房などと合併して昭和一九年八月に「天理時報社の姉妹社」として「養徳社」が設立されたようですから「寄贈本の奥付」はそれ以前ですから間違っている様にも思えます。「養徳社」と命名したのは天理教の中山正善・管長（真柱）であり、出版内容の優れた「甲鳥書林」と紙の確保に優れていた「天理時報社」との合併に期待が持たれたのでしょうか（「創設のころ：養徳社創立六〇年」養徳社、平成一八年二月一〇日）。それ以前に「養徳社」が中市氏によって作られていた可能性もあります。講談社、文藝春秋・改造社などの大手出版社が解散を命じられ、印刷業界も壊滅状態になっていた時でしたから、『物理学に志して』は、まさに中市弘氏の努力によって出版がなされたと言える様に思います。

一方、戦後すぐに『物理学に志して』と内容がほぼ同じの『目に見えないもの』（一九四六年）が「甲文社」から一九四六年三月一〇日に印刷されています。この「甲文社」も中市弘氏が社長であり、その本には湯川先生が書かれた「後記」があり、「出版社を変更した理由や一部を変更したことなど」

資料８　1944年の養徳社版『物理学に志して』目次（上）と1946年の甲文社版『目に見えないもの』目次（下）

目次

目次

が書かれていますが、……新版には「巻頭の二編及び巻末に近い『目に見えないもの』という小編を加え、他の部分にも多少の改訂を施し、題名も改めて上梓することとなったのである」となっていて、前者から二つのエッセイがなくなっていることには触れられていません。

「後記」の書かれた日付が一九四五年一二月になっていることでもわかりますが、戦後すぐに『目に見えないもの』が出版されたことも明らかです。この二冊の本では「序」などの日付も文章も同じなのですが、内容が異なり、前者にある二本のエッセイが後者で消されていますので、その二冊の本の目次を「資料8」にしました。

勿論、出版の日付から考えても前者の方が早いのですが、消されたエッセイの表題は「戦争と物理学」「科学者の使命」ですから、湯川先生は内容が問題なので二つを消して『目に見えないもの』などのエッセイを追加したのではないでしょうか。特に問題なのは「科学者の使命」が消されていることではないでしょうか。「科学者の社会的責任」を強調されていた湯川先生が何故「科学者の使命」という重要な一文を消されたのでしょうか。このことは私も「日本物理学会」でのシンポジウム「第二八回「物理学者の社会的責任」（「科学・社会・人間：二〇〇四年3号（通算89号）」）で報告していますが、それ以前の二〇〇二年にも京大内で話したことがありましたので、その文章を「資料9」とし、湯川先生の「科学者の使命」を「資料10」としました。「資料9」は、私が「科学者の使命」を探していることを聞いた方が、協力して下さった経過を書いたものです。この『物理学に志して』は湯川先生が京大図書館に直接に寄贈されている自信作なのでしょうから、『湯川秀樹著作集』にも掲載されているはずだと思って調べたのですが、何と二つのエッセイは著作集からもカットされています。

資料9　荻野の講演の文章

湯川秀樹著「科学者の使命」をめぐって

荻野晃也

定年退官を前にした2002年6月、若い人たちの依頼で「研究者は、どのように核問題と関わってきたか」という話しをした。「気楽に話して欲しい」との依頼だったこともあって、私が学生の時から気にかかっていた、湯川先生のことも話したのだった。湯川先生の講義を聞いた学生もそろそろ姿を消し始めているので、私なりに「神様のような湯川秀樹」ではなく「人間・湯川」の実像を伝えておく必要を感じたからである。

当日配布のレジメにも、

アウシュビッツで選別されなかったのは「双子の子供」と「物理学者」だった
「皇国（興国）の科学者」の代表例が、湯川秀樹。

と書いたが、中間子論のすばらしさと、人間・湯川に幻滅した私の経験を話したのだ。

そして、「湯川秀樹著作集」から消されたと思われる、私がかって読んだことのあるエッセイのことや、定年後に暇を見つけて「それらのエッセイを探したい」とも話したのである。書いた文章が、死後の著作集からも消されることは、その人間に対する冒涜ではないかとすら私には思えたからだ。

その時その時を真剣に生きてきたのであれば、どんな文章が残されていても、その事実には責任として受けて立たねばならない。湯川先生のように偉くはない私でも、「どんな批判があろうとも」甘んじて受ける決心をしながら行動してきたつもりだからである。

その講演会の後、しばらくして大津市に住んでおられる方から手紙を頂いた。湯川先生の件で「ある大学図書館に友人がいますので協力しましょうか」という連絡だった。私はすぐにお願いすることにした。京大総合図書館で探しても見いだすことの出来なかったあのエッセイの見つかることを期待したからだ。

その大学図書館から「著者名：湯川秀樹」で登録されている何枚もの図書カードのコピーが送られて来たのを見て、私は探しているエッセイが昭和19年に「甲鳥書林」から出版された「物理学に志して」の中に在るように思えて、その本をお貸し下さるようお願いしたのだった。この本は、湯川先生によれば戦後になって「目に見えないもの」に改題されたということになっている。しかし送られて来た、その本の中に私の探していたエッセイがあり、しかもその表題が何と「科学者の使命」であることに驚いたのだった。昭和18年4月29日の文化勲章授賞直前の正月、「年頭に當って」決意に燃えた若き湯川先生の書かれた使命感あふれる短い文章だったのである。

私はすぐに京大総合図書館に急いだ。京大の著者名目録は、昭和23年（1948年）以降だけであり、それ以前の本は「和漢書・図書目録（旧）」でしか調べることはできない。本の名前がわからなかった為に検索できなかったからである。勿論のこと、京大にも「物理学に志して」があったことはいうまでもなかった。しかもその本の表紙には、「湯川秀樹　寄贈」「806208 昭和19.5.25」と記載され、文化勲章授賞後に著者自らが寄贈した本として「寄贈図書棚」に納まっていたのである。湯川先生の戦後の多くの著作は寄贈されていないことを考えると、湯川先生の自信作であり、永久に保存されることを願って寄贈されたことはいうまでもなかろう。

「物理学に志して」には21のエッセイがあり、自選集は勿論のこと著作集にも入っていないのがあるようだが、私に取ってはこの「科学者の使命」だけが意味を持ち続けてきたのだった。なぜ、このような重要な表題のエッセイを編集責任者たちは著作集から除外したのであろうか。現在では差別的な表現として使用されない言葉が含まれていたからかも知れないが、もしそうだとしても、編集責任者にはその理由を明らかにする責務があると私は思うのである。少なくともそうすることが、「人間としての使命」ではないだろうか。

この「戦争と科学を考える」講演会を企画した若い人たちにとって最も関心の高い問題の一つが「科学者の使命は何か」であり、この講演会によって明らかになった湯川先生のエッセイがまさにその「科学者の使命」だったことに私は驚いたのだ。そこで、この講演会パンフレットにこのエッセイを原文のままコピー添付することを申し出たのだった。

このエッセイが書かれてから今年で60年である。今、大学をめぐる状況は、形は変わってはいても、まさに「科学者の使命」が問われる重要な時代に直面している。湯川先生の書かれた「科学者の使命」を複雑な思いで読み返しているのである。（2003.7.16）

資料10　科学者の使命

資料Ⅰ「科學者の使命」（昭和十八年一月）

年が立ちかはる毎に、私共は心構へを新たにする。過去を顧み將来を望んで現下に處する自己の責務を改めて自覺しようとするのである。大東亜戰下、第二回目の新春を迎ふるに當つて、私共の感懷はまた格別である。一億の國民は皆同じ一つのことを念願し、同じ方向に邁進しつゝある。そこには何等の疑惑もあり得ないのである。萬人共通の唯一つの心構へがあるだけである。併し今日の國家は極めて複雑なる組織を持つてゐる。その多くの部分が互ひに微妙に關聯してゐる。この大いなる組織の中に於て、自己が如何なる役割を果すべきに就ては、各個人がそれぞれの立場から十分に考慮しなければならない。各方面に於ける人員の不足を補ふためにも、各人が正しい部署について十二分の技能を發揮することが、何物にも増して強く要求せられてゐるのである。一箇所に於ける缺陥は、やがて國家の總力に影響を及ぼさずにはゐないであらう。

科學も亦、國家總力の重要なる根基の一つであり、且つ軍事技術、産業等の諸方面と複雑な關聯にあることは改めていふまでもない。所が科學自身がまた非常に複雑な構造を持つてゐるのである。それは無數の專門分科に區劃されてゐる。無數の科學者の一人々々は、その中のある一つの分科の又ある一方面を分担してゐるに過ぎないのである。今日の學者はその面貌が異なる如くにその專門が少しづゝ違つてゐるのである。一人々々として見れば、いはゞ極端な片輪者なのである。自分は何でも知つてゐる、何でも出來るといふ人があつたら、その人は最早科學者ではないのである。反對に私共は自分が片輪であることを十分自覺し、お互ひ同士如何に協力連絡すべきかを常に真面目に考へてゐなければならない。この點に關しては、わが國の學界の過去の状態は決して理想的なものではなかつた。由來わが國に於ては近代科學の各部門が多かれ少かれ獨立して、それぞれ國外から輸入せられた。それ等は國内で共存し枝や葉を繁茂させてゐた。しかしその根幹は國外にあり、そこから養分を吸ひ取らねば成長を續け得ない様な場合も稀ではなかつたのである。短時日の間に先進國に追ひつく爲めには、それも寔に止むを得ないことであつたかも知れない。

今や情勢は既に一變し終つてゐる。今日の科學者の最も大いなる責務が、既存の科學技術の成果を出來るだけ早く、戰力の増強に活用することにあるのは言を俟たない。併しその反面に於いて科學の眞の根基をわが國土に培養するのでなければ、應用さるべき科學、技術の源泉は久しからずして涸渇するを免れないであらう。私共科學者の一人々々は、自分の擔當すべき分野がいづこにあるかを愼重に考慮し、科學に於ても米英はいふに及ばず、あらゆる國々を後に瞠若たらしめねばならない。

甚だ平凡陳腐ではあるが、年頭に當つて感懷を述べ、顧みて自ら戒める次第である。

また「湯川先生の所長室」や「基礎物理学研究所の図書室」にもあるはずだと小生は思っていて、公開されたり本が展示されたりした際にも探したのですが、長い間、いずれにも置いてはありませんでした。どこかにしまわれていたのかもしれませんが、最近になって登録されていることを「京大図書館の検索」で知り、「研究所内で見つかったのか」と思って調べに行ったのですが、『橋本蔵書』の印があり「橋本勝彦氏」の蔵書が寄贈され、昭和三〇年（一九五五年）一月四日に京大に登録されたことがわかりました。寄贈された方は、一九五五年という重要な時期に、どの様な思いで寄贈されたのでしょうか。基礎物理学研究所もこの本に関して混乱がある様に思えますが、ありのままに保存して欲しいものです。

また『目に見えないもの』の出版は「甲文社」で、今回になって初めて気付いたのですが、その所在地と発行者の「中市弘」氏（甲鳥書林の社長でもある）の住所が、同じ「京都市左京区下鴨泉川町六」なのです。この住所は湯川先生が下鴨神殿町から昭和三三年（一九五八年）に移り住まれた住所と同じだということがわかります。「甲文社」の経営が一九五六年頃から旨く行かなくなったようですから、湯川先生に売却されたのかも知れません。

私は一九五八年に京大に入学しましたから、学生時代に湯川邸を見に行ったこともあります。下鴨神社の東側の京都の住宅地として有名な場所にあり、立派な邸宅であったことを覚えています。勿論、「下鴨泉川町六」だけでは同じ場所かどうかはわかりませんが、いずれにしろ、『物理学に志して』『目に見えないもの』の出版と中市氏と湯川先生とには深い関連がある様に思われるのですが、調べれば調べるほど、二冊の関係の曖昧さにわけのわからない思いにさせられます。『物理学に志して』を初版のみで再版をせず、『目に見えないもの』を出版することで、本の価格を大幅に高くしていますから、その様なことも考慮された可能性もあります。『物理学に志して』は「二円五〇銭」だったのが、『目に見えないもの』では、実に「一八円」もの価格になっていますから、当時の物価上昇の高騰ぶりもわかります。

湯川先生のお亡くなりになった後で基礎物理学研究所では後輩の方々が先生の蔵書などを整理されているのですが、当然ですが、京大図書館に寄贈された前者の本のことは御存じのはずだと思います。それらの方々は、湯川先生の二つのエッセイが気付かれないようにされたのであれば残念に思います。湯川先生自身が前者の本を消したいと思われたのかもしれません。その後では、湯川先生は京大図書館には、一切、本を寄付されてはいないのです。何故なのでしょうか？　この問題も私が頭をひねっていることなのですが、私なりに推定した結果を以下に紹介しておくことにします。

戦犯追及

先輩から聞いたことですが、戦争が終わり戦犯の摘発が始まりそうだと言うことで、京大では荒木俊馬・湯川秀樹に関心が集まったのだそうです。湯川先生は「核兵器開発」とも関係していましたが、終戦間際の事であり、核分裂の理論計算などは弟子の小林稔先生（私も教えて頂きました）が中心でしたし、核物理実験では荒勝文策先生が中心だったはずで、湯川先生は中間子論の研究で忙しかったようです。湯川先生より当時では荒木俊馬教授の方が右翼の科学者として大物でしたから、戦犯追及の危険性を感じて荒木氏は自ら京大を辞任しましたが、湯川先生も危険性を感じて『物理学に志して』

の再版をしないで、中市氏に依頼して内容を変更して『目に見えないもの』に書き換えたのではない
かと私は推測しています。

そのあたりの経過を「京大基礎研・湯川記念館資料室の資料目録」で調べますと、『目に見えない
もの』は『物理学に志して』の第二版として企画されたのですが、削除・改定・追加を行って一九四
五年一一月二〇日に初校が、再校が一九四五年一二月八日に終わっています。一二月八日だというこ
とも意味があるのでしょうか。最初の「第一次Ａ級戦犯三八人の逮捕」が九月一一日、マッカーサ
ー元帥と昭和天皇との会見が九月二七日です。九月一五日には理学部へ米軍将校が初訪問しており、
「米軍が京大のサイクロトロン関係の研究ノートや資料などを押収」したのが一一月二〇日と初校の
日と同じで、サイクロトロンを破壊したのが一一月二四日ですから、湯川先生が『日に見えないも
の』の出版を急いだ様に思われます。『目に見えないもの』の初版印刷は一九四六年三月一〇日ですが、
米軍が湯川先生の居室などの調査をした時には『物理学に志して』の本があったのでしょうか。いず
れにしろ、基礎物理学研究所には所蔵されていなくて、現在、所蔵されている『物理学に志して』は
一九五五年に外部から寄贈された本だからです。

湯川先生は、戦前の「若き皇国の科学者」の代表として戦意向上のシンボル的存在でしたし、同時
に一九四三年に文化勲章を同時受章した徳富蘇峰が中心になって作った「日本文学報國会」（一九四
二年五月設立）「大日本言論報國会」（一九四二年一二月設立）とも深い関係にあったのです。その「大
日本言論報國会」の発足式には湯川先生も講演をしておられることはすでに紹介していますが、その
機関紙『言論報國』の一九四四年二月号には「日本の道義とは何か」との短文も書いておられますの

資料11　言論報國の「道義」の文章

湯川秀樹

「海行かば」の歌の心を常に保持し、八紘爲宇の大精神を世界に顯現せんとするものであると思ひます。それは現在の瞬間に最も忠實に生きんとする努力であると同時に、最も永遠なるものへの歸一でもあります。道義と道理との最も高い意味に於ける合一がこゝで實現されるのであります。（[illegible]）

「言論報國」大日本言論報國会、1944年2月号

資料12　木村先生の書評

湯川博士・極微の世界
湯川粒子の思想的背景
木村毅一

湯川粒子を以て[illegible]豫言した湯川博士の業績は、今次の大東亜戦争の[illegible]と共に、大和民族の[illegible]を高めた點に於て[illegible]い。[illegible]に於て、その天分を自ら恃ってゐたこの民族が、今日[illegible]く[illegible]・自然を自己の内に見出したことは當然であらう。[illegible]のみならず何處にも[illegible]が無くてはならない。今日まで我[illegible]に欠けてゐたものは[illegible]十分ではなくて、この[illegible]だつたのではなからうか。

我々は一つの大きい業績がなされた時、先づそれが如何にして生れたか、當事者はどんな人であらうかに興味が惹かれる。中間子理論の誕生の経緯と、湯川粒子の源泉たる博士の思想を探り知りたいと思ふのである。この時、博士は近著「極微の世界」を公にされたのである。これは昭和十四年に、ものされた「最近の物理學」の續篇とも見られるもので、それから後に色々の機會に發表されたものを併せとして、中間子理論への道程を示し（第一部）、併せてその思想的背景の一端を慎み深く、[illegible]して述べられてゐる（第二部）。殊に、はしがきに於て先づ著者の[illegible]しい、力強い語に心打たれる。

第一部「理論と實驗」に於て、物理學界の転換、理論物理學への道、[illegible]の[illegible]、放射能と[illegible]、宇宙線の本性、中間子（湯川粒子）理論の現状等に就て叙かれてゐる。一般向きに書かれてゐる[illegible]所もある。然し我々は、この「極微の世界」の[illegible]されてゐる[illegible]と[illegible]を知ると共に、これ等「極微の世界」の粒子[illegible]を[illegible]する[illegible]か、[illegible]を[illegible]かしてゐるかを教へられるのである。[illegible]中間子は[illegible]であつて、[illegible]の[illegible]か、その[illegible]に[illegible]を[illegible]いてゐられる[illegible]は[illegible]が[illegible]る。ともあれ[illegible]が[illegible]くなる「[illegible]」を[illegible]めて、[illegible]に[illegible]を[illegible]ねてゐる[illegible]を見るのである。

第二部「自然と人間」に於て、[illegible]の[illegible]、[illegible]の[illegible]、[illegible]と[illegible]、エネルギーの[illegible]、自然を知ること、[illegible]等[illegible]に[illegible]りて、[illegible]の立場等、[illegible]の[illegible]が色々の立場で[illegible]されてゐる。[illegible]の[illegible]に[illegible]して[illegible]は[illegible]天々の[illegible]もあらうが中間子がこの中に[illegible]れ、それが[illegible]く伸びんとしてゐることに[illegible]たる[illegible]なのである。[illegible]それが湯川粒子の[illegible]なのである。

この書の中に、そこばくの[illegible]をはじ、[illegible]人の[illegible]を[illegible]て[illegible]れりとしてはならない、こゝに著者の[illegible]たる[illegible]と[illegible]の[illegible]に[illegible]し、[illegible]を我[illegible]の手にて[illegible]し、[illegible]の[illegible]の[illegible]の[illegible]な[illegible]の[illegible]を[illegible]せずんば[illegible]はならない。

又[illegible]に科學を[illegible]する[illegible]を[illegible]へ、共に[illegible]ひ、共に[illegible]まんとされてゐる[illegible]、[illegible]よりの[illegible]にものである。大[illegible]は[illegible]に[illegible]の[illegible]である如く、科學においてもまた[illegible]しことが[illegible]はれるのである。この[illegible]に於いても、一般に、科學に[illegible]する人人には勿論、そうで無い人々にも一讀をすゝめたいのである。

（[illegible]書店・一圓八十錢）

『京都帝国大学新聞』昭和17年5月5日号

で、それを「資料11」にしておきます。このことは『湯川秀樹とアインシュタイン』（田中正著、岩波書店、二〇〇八年）でも紹介されています。

このようなことを考えるたびに、尊敬する湯川先生の「人間性」が一体どんなだったのか……と私は考えてきました。先生と同じような時代に生きていたとすれば、「物理学者としてどのように行動すべきなのか」と自らを問いただしながら、私は原爆や原発問題を考えてきたといっても良いでしょう。

戦争前の『京都帝国大学新聞』にも湯川先生が良く登場するのですが、それらの文章が『著作集』に採録されていないのも多いのです。「原子核と宇宙線」（昭和一四年一二月二〇日号）、「眼の夏休み」（昭和一六年一〇月五日号）、「現代科学と世界観」（昭和一七年一月二〇日号）、「過ぎし日」（昭和一七年六月五日号）、「目と手と心」（昭和一八年一〇月五日号）、「一つの願望」（昭和一九年七月一日号）などで、気楽なエッセイなのですが、幾つかは『物理学に志して』にも収録されています。また『京都帝国大学新聞』中にはとても興味深い記事もあります。木村毅一先生（湯川先生と同期であり、私の卒業時の指導教授です）が昭和一七年五月五日号に書かれた「湯川博士・極微の世界：湯川粒子の思想的背景」に関する書評なのですが、その記事を「資料12」にしました。この書評では、湯川先生がこの本に書かれている「はしがき」について「……殊に、はしがきに置いて先ず著者の美しい、力強い詩に心を打たれる」と「詩（和歌）」のことをほめておられるのです。

書評には紹介されていない「はしがき」の詩（和歌）を、前後の文章と共に紹介しておきます。

資料13　科学者の夢

見よ光芒浴びるワシントン議事堂の想像図

科學者 新春の夢

B29の四倍の親飛行機

無人機群操り米本土爆撃へ

山本峰雄氏の夢

華府を吹飛ばす

洞穴から"謎の放射線"

湯川博士の夢

敵基地の蠢動も暴露

すごい・高性能受信機の

淺田博士の夢

『朝日新聞』(昭和20年1月8日号)

……。今日も生きこの道を行けるといふことは、國家の絶大なる恩恵であることを、須臾も忘れてはならないのです。（注：須臾とは「しばしの間」の意味）

國に捧ぐいのち尚ありて今日も行く一筋の道限りなき道

この道が大東亜建設の道と一つであることを、私は信じて疑はないのです。

この歌は湯川先生の和歌全集である『深山木』（私家版、一九七一年）には含まれてはいません。これらのことはあまり知られてはいないのですが、戦争中の文章に関して湯川先生は神経質だったことを示しているように思います。また、『朝日新聞』（昭和二〇年一月八日号）の「科学者　新春の夢」にも湯川先生は寄稿されているのですが、その記事を「資料13」にしました。「洞窟の奥に設置された巨大なサイクロトロンから発生させた中間子ビームがワシントンを破壊する」との夢であり、その絵までが示されていることがわかります。

この様に、幾ら夢ではあっても「中間子・兵器」を書いておられたことは、教え子である私たち何人かは知ってはいても、一般には殆ど知られてはいないのではないでしょうか。

この様な中間子ビームを使用することに関しては、その後に「中間子医療」として話題になって来たこともありますので、そのことをも簡単に紹介することにします。中間子は透過力が強いことは「資料12」の文章でもわかりますが、最終的にエネルギーがなくなった後では、爆発的に周辺にエネルギーを分散することになります。つまり、ガンなどの組織内で中間子をストップさせれば、丁度その周辺の「ガン細胞」だけをうまく破壊することが出来るわけです。

また、湯川先生と古田重二良・日本大学会頭との関係もあまり知られてはいませんが、この「中間子医療」に関してでした。古田会頭は湯川先生の協力を得て、一九五七年に「原子力センター」を創立し、一九六三年には核融合を目的とする「原子力研究所」をも創立しています。核融合研究のことも湯川先生との相談があったからだと思われます。原子力委員を辞任された湯川先生ですが、その後も「核融合研究」にはとても熱心でした。原発の様なウランの核分裂では、汚い放射性物質が多量に出来ますが、核融合ではその様なことは少ないからです。「核融合研究」特に「トカマック型」を研究することは、各国ごとで独自にすることは資金的には不可能なので、世界中が集まって「国際核融合研究機構：ＩＴＥＲ」計画が浮上し、日本とフランスが建設候補地を争ったのですが、日本での建設を推進する研究者に湯川先生の弟子たちが協力し合っていた様に私は思っていましたので、その「ＩＴＥＲの問題点」を私は書いたこともあります。

原発の制御は「核分裂の際の中性子ではなく、後から崩壊してくる遅発中性子の存在が重要」なのですが、核融合ではその様なことがなくて制御が困難な可能性が高く、また、トリチウムという放射能の問題もあるからです。そういえば、この「ＩＴＥＲ国際研究機構」はその後どうなっているのでしょうか。うまく研究が進んでいるのでしょうか。

湯川先生がガンになると、古田会頭は一九七五年には「中間子のガン治療計画」を企画して、熊谷寛夫・東大名誉教授（物理学）などの協力で「中間子医療」の研究を進めたのですが、最終的には断念しています。大学闘争（日大闘争）で古田体制が批判を受けたことも理由なのかもしれません。いずれにしろ、中間子は二次粒子であるために発生量が少なく、一次粒子である重イオンや陽子イオンの方が優れていたからでした。この「中間子医療」は京都大学でも柳父先生が計画されたことがあり、その計画を湯川先生にも相談されたのですが「湯川先生がとても喜んでおられた」と私に話されたこともありました。

湯川先生の講義を聞いた学生の中で、湯川先生の人間性に疑問を持っていた学生は極めて少ないようで、その様な私のことをそれとなく聞いた先輩が私を呼んで、話を聞かせてくださった方もおられます。その一人が清水栄先生でした。お亡くなりになる直前のことで、高槻市の施設に入っておられたのですが、「荻野君に話しがしたい」との友人からの伝言を受けて、会いに行きました。清水先生は湯川先生の七年程後輩ですが、京大の理科系では名物教授の一人でした。

その際に私に伝えたかったことは、湯川先生が戦前？（清水先生は昭和一六年だと言われました）に書かれた専門書のことでした。「湯川さんの書かれた専門書を購入して読んだのだが、外国の本を翻訳して自分が書いたようにして出版されていた」「量子力学関係の本だった」「それが問題になって、すぐに廃刊にしたのではないか」との内容でした。どの様な表題の本なのかは、良く覚えてはおられない様で、「その内に家へ帰ったら君にあげるよ」とおっしゃったのですが、残念なことにすぐにお亡くなりになってしまいました。「本当かどうか」を調べているのですが、清水先生の思い違いなのか、国会図書館や京大図書館にもそれらしい本は見つかっていませんが、当時は、その様なことが平気で行われていたのかもしれません。湯川先生は、「父母にねだって専門の書物を随分買って頂いた」（『科学朝日』一九四二年一月号）と書いておられますから、高価だった外国の本を紹介しよう……と考えられていたのかも知れません。また「井上健君（京大名誉教授、素粒子論）も同じようなことをしていて、すでに翻訳本が出ていることが問題になり、出版社から出版社へ五〇万円も支払った」「井上君のことは湯川スミ夫人から聞いたのだが、旦那の真似をしたことをスミ夫人も知らなかったようだ」などとも清水先生は話されたのですが、本当かどうかは私にもわかりません。

その本以外にも、湯川先生の専門書の中の一章に「外国の本をそのまま翻訳した文章がある」と私に教えて下さった大学教授もおられます。その本は『量子力学序説』（弘文堂、一九四七年）なのですが、「ディラックの本からの一章」を丸写しにして翻訳していたようです。また、『素粒子論序説』という本は、「上・下」巻が出版される予定だったのですが「上巻しか出ていないのは何故なのか」と友人から聞かれたこともあります。翻訳本を自書のようにして出版したので「下巻」が出来なくなったのかもしれませんが、「基礎物理学研究所：湯川記念館史料室の史料目録」の中には「下巻の草稿」もあるようですから、別の理由で出版が出来なくなった可能性もあります。外国の本を翻訳して、自分の著作にする様な例は、当時の研究者に多かったのかもしれませんし、小生が直接に湯川先生のすべての著作を確かめたわけでもありませんので、間違っているかも知れません。

湯川先生の原子力委員・就任と辞任の問題も、反原発をしていた私にとっては重要な関心事でした。「科学者の社会的責任」とは何なのか……を考えながら、私は「反原発をするかどうか」を原子核工学教室で悩んでいたからですが、その湯川先生の原発に関する態度はどうにもわからなかったのです。湯川先生を良くご存知の小沼通二・慶応大学名誉教授も「湯川さんは原発のことを全く話されなかった」と言っておられますから、わからないのが当然だったのでしょうか。この問題は森一久氏とも関係がありますので、後ほど述べることにします。

京大学派と日本科学者会議

ところで、私の学生時代では京大では湯川先生は格段に有名でしたが、それ以外にも有名な先生方が沢山おられました。小生も文学部の授業にまぎれこんで、吉川幸次郎教授の「唐詩選」の講義や、有賀鉄太郎教授の宗教学の講義などを時々聞きに行ったことがあります。湯川先生も学生時代には西田幾多郎の講義を欠かさず聞いていたそうですが、その様な他学部の講義を聞くことは京大では良くあることでした。文科系では京大学派が有名でしたから、その中心の一人だった桑原武夫教授の話も聞いたことがあります。ここでは、原子力との関係の話に絞りながら「湯川先生と京大学派との関係」に関しても考えることにします。

私は理学部出身ですが、理学部は京大の本部構内ではなく北部構内にあります。その横には農学部があり、更に北東方向には人文科学研究所がありました。西田哲学の流れをくむ京大学派には桑原武夫・梅原猛・松田道雄などの著名人がいて、またその系列につながる学士山岳会や山岳部などには西堀榮三郎や今西錦司氏などの著名人もいましたが、その中心にいたのが桑原先生だったのではないでしょうか。湯川先生との対談でも桑原先生や梅原先生が良く登場しますが、同じような仲間だったといって良いように思います。

京大山岳部（学士山岳会）には今西錦司・西堀栄三郎・桑原武夫・梅棹忠夫氏などの有名人も多く、京大学派とも深く関係していたはずです。特に第一次南極越冬隊・隊長だった西堀氏は「原研の所長」にも就任し、山岳部の後輩の松浦祥次郎氏（後の原子力安全委員会・委員長）を原研に引っぱったほどでした（『日刊工業新聞』二〇〇四年七月五日号のインタビュー記事より）。いずれにしろ、京大の有名人の多くは原発推進だったといって良いのです。それだからこそ、理学部や工学部などの研究者では、原発反対はタブーの様になっていて、原発に反対であると「追い出されるような雰囲気がある」ようにすら私は感じたほどでした。

私は一九六九年から反原発の運動を始めましたし、一九七三年から始まった伊方原発訴訟では、住民側の特別弁護補佐人となりましたので、反原発運動に協力して頂ける科学者の協力が必要であり、必死になってコンタクトしたつもりですが、残念ながら原発に批判的な科学者はとても少なかったのです。特に理学部・農学部で環境問題に関心のある研究者はホンの数人でした。農学部では助手だった市川定夫さん（その後、埼玉大学教授）一人だったと言って良いでしょう。市川さんはムラサキツユクサを使用しての放射線影響の研究をしておられたこともあり、伊方訴訟では住民側の証人にもなって頂いたのでした。原水爆禁止に関する運動には関心があっても、反原発運動には関わらない科学者が多かったのは、「私は湯川効果の影響だろう」と推察していたのでした。

一九七〇年代には原発建設が急増加するのですが、理学部で力の強かった共産党の影響の強い「日本科学者会議」関係者が「原発建設」に批判はしていましたが、原発そのものには反対ではなかったのです。私の手元に「発行日 一九七二年四月」の「原子力発電と住民」（発行 日本科学者会議 京都支部）のパンフがあるのですが、「編集 大飯町原子力発電所調査団」「連絡先 京都大学理学部物理第2教室 気付」「日本科学者会議 京都支部 原発問題グループ TEL京都（九七五）七五一－二一一一 内線三八二三」となっていて、「物理第2教室」には湯川研究室も含まれていましたし、大飯原発の巨大原発基地化に関心が高かったのです。共産党系の科学者団体だと私は考えていた「日本科学者会議」は、一九七〇年頃は「今の原発推進派は良くないが、原発そのものは賛成であり、『自主・民主・公開』の三原則を守れば賛成だ」との立場でしたから、私たち「全原連・京大支部」とは対決していました。「日本科学者会議」京大支部の「原発問題グループ」は大飯原発計画が浮上してから活動が活発になったのですが、主に原子核物理でも理論系が中心で永田忍講師（宮崎大学名誉教授）が中心の一人だったと思います。電話番号の内線三八二三も原子核理論の小林稔・研究室だったはずです。私は物理第2教室の原子核物理の実験系でしたが、一九七二年にはすでに工学部に移動していましたから「原発問題グループの活動」には詳しくはありませんが、大飯原発反対運動では私も現地に出かけて、町が最初に主催した原発推進のための講演会に出席して、大阪大学の原子力工学科の教授の講演に対して会場から質問を投げかけたこともありました。私の質問に答えさせないように、町の主催者が講師の阪大教授を退席させたことを覚えています。

原子力の平和利用に賛成

原子核物理学を専門にしている研究者にとって、原爆と原発とは切っても切り離せない深い関係にあることは言うまでもないのですが、湯川先生は勿論のこと多くの先生方は「原爆には反対だが、原発には賛成」の立場だったと言えるでしょう。当時としては「やむを得ない」のかも知れませんが、原子核工学教室にいた私たちにとっては、そのように切り離すのではなく両者が一体の問題であることは常識でしたが、やはり「核兵器反対」は言えても「原発反対」は言いにくかったのも事実でした。

しかし、原発があれば原爆の材料であるプルトニウム239が容易に生産できますし、原爆に比べると原発で製造される放射能の方が圧倒的に多いのですから、湯川先生が「核兵器反対のみ」を声高く話されることで、逆に「原発は安全」のように宣伝しているようにすら思えたのでした。湯川先生が「原発に関してどのような見解を持っていたのか」は謎でした。多くの湯川先生の本を読んだのですが、良くわからないのです。初代の原子力委員に就任したのは「科学者の社会的責任」からであり、周辺の人達の多くの反対を押し切って就任された以上は、原発に関する考えをはっきりさせることこそが「科学者の社会的な責任」だったのではないでしょうか？　その点に不信感を持ったのが「唐木順三」の「科學者の社會的責任についての覚書」だったのではないかと思います。原子力委員を一年半余りで辞任されたのですが、その理由として「基礎研究を重視すべきだ」「急速な輸入路線に反対」「健康上の理由」などが上げられていますし、丁度、湯川先生は自宅を建設中だったことも理由だったのかもしれませんが、就任されたのは原子力路線の急先鋒であった正力松太郎や中曽根康弘などの国会議員や大企業の力に負けたと言える様に思います。そのことが、後々まで京大内での「原発反対」の動きの少なかったことの理由として私は感じ続けていたのです。

この章を書くにあたって、湯川先生の関連する本をこまめに読み直してみたのですが、本人は勿論のこと、関係者の書かれた湯川先生を偲んだ文章にも「原発に関する意見」をうかがわせる文章は全くありませんでした。湯川先生の原子力委員就任に際して、補佐役として参加されていた井上健・助教授（当時：私も講義を聞きました）が湯川先生の委員としての雰囲気を『湯川秀樹』（桑原武夫・井上健・小沼通二・編、日本放送出版協会、一九八四年）に次のように書かれています。

「『科学者が科学者であるために必要な価値判断と、その人が人間らしくあるために必要な価値判断とを、完全には分離できないことが明白になったのである』と断じて、アインシュタイン・ラッセル宣言への共同署名者として参与、世界平和アッピール七人委員会の結成等の積極的な動きをされつつあった湯川先生の口から出た科学者の社会的な責任という言葉には、有無を言わせぬ力があった」

原子力委員としての最大の責務は「日本の原発推進体制」にあるわけですから、核兵器問題に対してのみに「社会的責任」があるわけではありません。井上先生は、多忙な湯川先生の事務的な負担をカバーするために、原子力委員会の特別委員として湯川先生をお助けすることになったのですが、その井上先生も「原発に関する湯川先生の主張」に関しては一言も書いてはおられませんし、原子力委員会内でどの様な議論があり、どの様な発言を湯川先生がしていたかは全くわからないのです。

この本には五三人の著名人が湯川先生を偲んで書いておられるのですが、その中には原発推進に批判的だった藤本陽一・早稲田大学名誉教授や武谷三男氏も書いておられます。内容は「宇宙線研究と湯川先生との関係の話」だけで、原発に関することには全くふれられてはいません。湯川先生の原発に関する意見を紹介することはタブーだったのでしょうか。それとも、原子力委員を辞任する際に、「委員会での議論を口外してはいけない」為もあって、一切の発言をされなかったのでしょうか。原子核物理学に関わった研究者であれば、「原発と原爆との深い関係」は避けては通れない問題であることは自明なことであり、何らかの関係のある文章を探したのですが、「パグウォッシュ会議」や「世界平和アピール七人委員会」や「世界連邦世界協会」などに関する「核兵器廃絶」などの活動だけでした。それでも、戦後すぐに書かれたエッセイ集『原子と人間』（甲文社、一九四八年）には「発電所」

という言葉を見出すことが出来ますので、その詩の一部を紹介することにします。

…………
遂に原子爆弾が炸裂したのだ
遂に原子と人間とが直面することになったのだ
巨大な原子力が人間の手に入ったのだ
…………
人間が近よれば直ぐに死んでしまうほど多量の放射線が発生していた
石炭の代わりにウランを燃料とする発電所
もう直にそれができるであろう
錬金術は夢ではなかった
人工ラジウムは天然ラジウムを遥かに追い越してしまった
原子時代が到来した
人々は輝かしい未来を望んだ
人間は遂に原子を征服したのか
いやいやまだまだ安心はできない
…………
世界は原子と人間からなる
人間は原子を知った

そこから大きな希望が湧いてきた
そこにはしかし大きな危険もひかえていた
私どもは希望を持とう
そして皆で力をあわせて
危険を避けながら
どこまでも進んでいこう

（『ＰＨＰ』昭和二二年三・四月合併号）

ここに書かれている様に、湯川先生は「原子力エネルギーの平和利用」に関して『希望を持って、皆で協力しながら推進しよう』と考えておられたことを示しています。また、『原子と人間』には湯川先生の『新大阪新聞』昭和二三年四月一九日号への寄稿文も載っていますので、その内の「平和利用」に関連する部分を紹介しておきます。

……………

原子力は自然力です。しかもこれに打ち勝つ他種の自然力はないです。頼む所は唯一つ「原子力は自然力であるけれども、それは――少なくとも地球上では――人間の手を通じてしか発現しない」という事実です。「地震や暴風のような純粋の天災ではない」という事実です。

……………

原子力の危険性を完全に消失さすことは不可能であるにしても、人間の努力によって、原子力の平和利用を促進し、逆にそれが平和の存続に対する有力な支柱となり得るのです。ところで平和の存続とは、ある状態に停頓していることではない。停滞がかえって危険を蓄積してゆく場合が少なくない。平和とは多数の人間が絶えず協力して建設してゆかねばならぬものです。

…………

人間が相互に他の人間性を認めることによって和解し、さらに進んで自然の中に潜む最も大きな力である所の原子力を平和的目的に活用するために全面的に協力することによって、初めて二〇世紀の不安が除かれ、私どもの世紀が絶望の世紀から希望の世紀に転換されることを期待できるのです。

この二つの文章を読めば、湯川先生は「全員が希望を持って協力しながら、平和利用に邁進しよう」と考えておられたことは明らかです。その点が、「全原連」にいた私の考えたことと異なっていたと言えるでしょう。

最近になって『毎日新聞』二〇一七年一二月二一日に「湯川秀樹の終戦日記」が京大で公開されたことを報じていますが、その記事の中で、生前の湯川先生と親交があり、日記の分析にも携わった慶応大の小沼通二名誉教授は「日記に加え、著作や講演録から浮かぶのは敗戦を経た湯川が『国のすることに誤りがない』という考えを捨てたことだ。日本を代表する科学者が残した『歴史的文化財』として見てほしい」と話しています。そうであるならば、何故、戦後になって国を挙げての原発推進に湯川先生が協力したのか、私は理解することが出来ません。

湯川先生の書かれたこのような文章を読むと、結論から言えば、湯川先生は「原子力の平和利用である原発建設には賛成だった」としか思えないのであり、それが国を挙げての原発推進の基盤を作ったのではないでしょうか。

しかし、湯川先生は「日本独自に原子力の基礎研究をすることが大切だ」と思っておられたことも確かであり、京大原子炉実験所の建設計画には賛成であり、宇治の火薬庫跡に京大原子炉を設置する「関西研究用原子炉設置準備委員会」の委員長に昭和三一年（一九五六年）一一月に就任しています。しかし、地域住民の反対が強く一九五七年には辞任して、宇治案は撤回に追い込まれています。大阪などの水源地であることや事故などの危険性などが反対の最大の理由でした。

その後、予定地は舞鶴・高槻・交野・四条畷と錯綜したのですが、結局は一九六一年四月に大阪・熊取町で正式に発足したのでした。初代所長を務めた木村先生は一九七四年の講演で「象牙の塔にこもっておりましたので、人々の細かな心理状態がわからなかった。科学的に自信があればそれでいいんじゃないかという考えを、どこまでも主張していたことは事実です。肌で感じる恐怖心、これは原子爆弾を受けておりますので、反対されるのも無理とはいえないのであります」と当時を振り返って語っておられます（『京都新聞』二〇一五年八月八日号）。

私が木村先生から聞いた話では「放射能の一番強くなるような敷地に実験所の宿舎を建設したことが、住民の人たちの共感を得たように思う」と話されたこともあります。このことは「何故、東京に原発が作れないのか」という問題とも関連していることでしょう。ところが日本では「被害の甚大なことを考慮して、過疎地に建設する」方針だったことは明らかです。ここで、「事故は必ず起きる」との私たちが知っている「ベックの法則」のことを紹介することにします。福島原発事故後でもあまり紹介されることがない様に思えるからです。

ベックの法則

「ベック論文（米：一九六五年）」は、一九六四年までに発生した米国の原子炉・原発の二四六基の事故記録を解析したもので「ベックの法則」として知られています。その結論は「1：最大想定事故は起こりうると考えるべきである」「2：事故時には安全装置が働かないことがある」「3：事故は予想しない時に予想しない原因から起こり、予想し得ない結果を生じる事が多い」という法則です。

湯川先生が「核兵器反対」や「世界連邦建設」に熱中されたことは有名ですが、その契機になったのが「第5福竜丸事件」でした。米国の指定した「立ち入り禁止地域」から大幅に離れた場所で操業していた「第5福竜丸」が白い放射能の強いサンゴ礁の様な白い粉塵を浴びたのです。その粉は「京大RIセンター」に今も保管されていて、清水栄先生が「水爆である」ことを世界に先駆けて突き止められたことでも知られています。

第5福竜丸事件は、「核兵器の危険性」は勿論のこと、「放射能の危険性の証拠だ」と私には思われるのですが、日本中や世界中での「核兵器反対」の機運を高めこそすれ、大量の放射性物質を内蔵する「原発の放射能・漏洩」のことは、「平和利用で安全に管理し、人類のエネルギーの確保」の本命のように、目をそらす役割を果たしたのではないか……と私は考えているほどです。アインシュタインはビキニの水爆実験に驚いて「ラッセル・アインシュタイン声明」に署名したのですが、当時の冷戦構造下では「人類の生存に係る危機」に直面したと考えていたことは、間違いないでしょう。アインシュタインはその直後に死去していますが、長生きしていたとすれば「原子力の平和利用」に対してどの様に発言したことでしょうか。

その様に考えながら、本人は意図しなかったとしても「原発推進で核兵器に反対」という役割の中心人物こそ「湯川先生ではなかったのか」と今にして私は思うのです。広島・長崎以降の核兵器使用に関する危機は今なお続いてはいますし、アインシュタインや湯川先生などの努力もあって使用されることがなかったことはとても素晴らしいことですが、その一方で「原発の大事故」はすでに三件も発生していて、第5福竜丸事件に類似する放射能汚染事故の方が多いのです。第5福竜丸事件の最大の教訓は「原発の大事故の危険性にあったのではないか」と私は考えているわけです。二〇一九年のローマ教皇が原発にも反対とのメッセージをしたことに感激しながら、後で紹介する「被団協の森滝市郎さんの核全面否定・思想」のことをも思い出したことでした。

私が大学院生だった一九六三年頃のことですが、確か「高エネルギー論」と題する特別講義が物理教室でありました。講師は理論分野が招待していた山口嘉夫・東大教授（私たちは「YYさん」と言っていました）だったと思います。「高エネルギー分野の理論の話」を期待して出席したのですが、その話の内容は「エネルギー問題」でした。その頃は「原発の推進」を巡って物理学者の間でも大議論が闘わされていた時だったのです。

山口教授の話は「火を得た人類が、焚火から始まって今は原子力というすごいエネルギーを得ることに成功した」として「原発推進を強調する内容だった」のです。そう言えば、湯川先生も「焚火と原子力」の比較をしておられたように思いますので、湯川先生の代弁だったのかもしれませんが、「何故、この様な特別講義をするのか」と私は疑問に思ったことを覚えています。湯川先生からは「原発に対する批判的な見解」を聞いたことは全くないのですが、もし知っておられる方がおられれば、ぜひ教えて頂きたいものです。

私は一九六九年から「反原発運動」に関わるのですが、湯川先生の「原発問題」への取り組みに不信感を持ち続けていました。「核兵器反対」は多くの科学者の一致した意見ですから私も全面的に支持しますが、「原発反対」の声は、一九七〇年前後にはほとんどなかったといって良いでしょう。基礎物理学研究所などの反原発に理解のあると思われる研究者を訪ねて、協力を求めたこともあるのですが無理でした。そのような時でしたから、湯川先生の原発推進に関する意見を知りたいと調べ続けていたのですが、ノーベル賞・受賞以降では「原子力問題」の中から「原発」は抜け落ちてしまっていたといって良いでしょう。

そのころは、「原発」という言葉を使用することすら、批判を受けたほどでした。「原発」という言葉が「原爆」を想定させるということで、「正しく『原子力発電』というべきである」というのが理由でしたが、私たちは積極的に「原発」という言葉を使用したのでした。「ゲンバク」と「ゲンパツ」とは僅かな違いですが、まさに「原発」と「原爆」は一字違いというよりも、原子核物理学の研究者に取ってはより接近していることは明らかでした。ウラン235を使用した原爆は「広島原爆」だけですが、それ以外の原爆は「すべて原子炉・原発から抽出されたプルトニウム239」を使用しているからで

資料14　雑誌『使者』1980年春号の表紙と筆者の論文

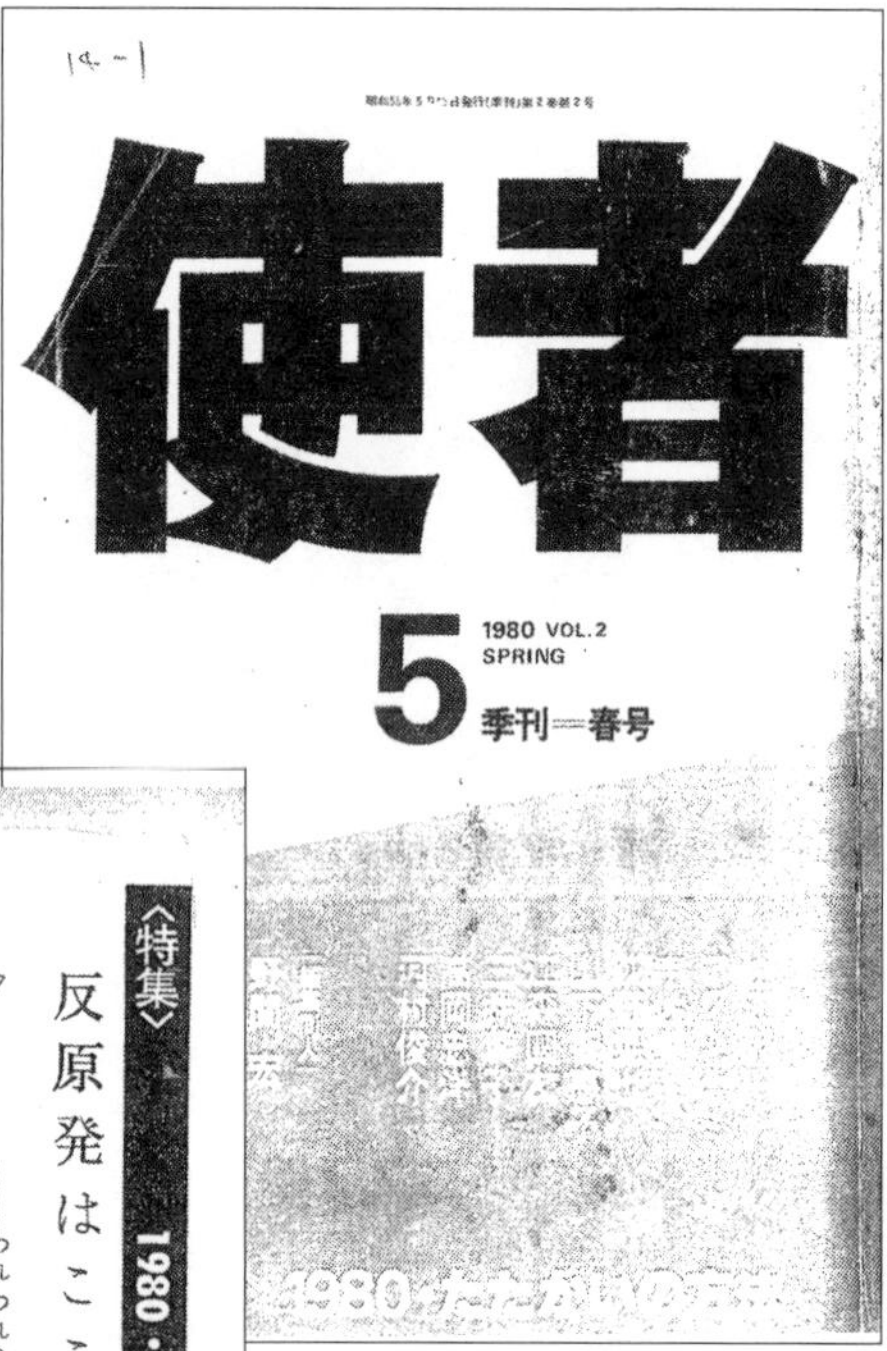

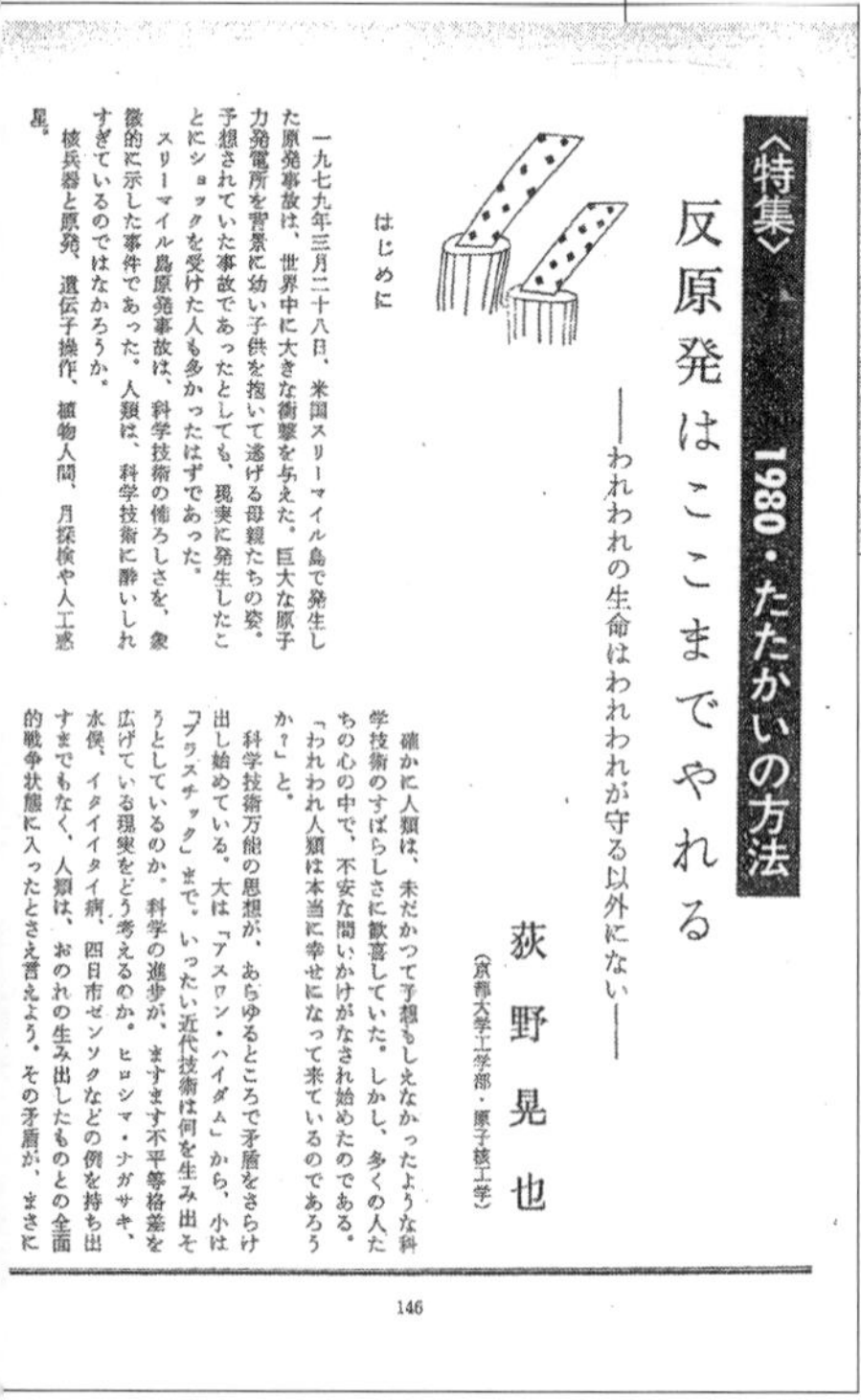

〈特集〉1980・たたかいの方法

反原発はここまでやれる

――われわれの生命はわれわれが守る以外にない――

荻野晃也

（京都大学工学部・原子核工学）

はじめに

一九七九年三月二十八日、米国スリーマイル島で発生した原発事故は、世界中に大きな衝撃を与えた。巨大な原子力発電所を背景に幼い子供を抱いて逃げる母親たちの姿。予想されていた事故であったとしても、現実に発生したことにショックを受けた人も多かったはずであった。

スリーマイル島原発事故は、科学技術の怖ろしさを、象徴的に示した事件であった。人類は、科学技術に酔いしれすぎているのではなかろうか。

核兵器と原発、遺伝子操作、植物人間、月探検や人工惑星。

確かに人類は、未だかつて予想もしえなかったような科学技術のすばらしさに歓喜していた。しかし、多くの人たちの心の中で、不安な問いかけがなされ始めたのである。「われわれ人類は本当に幸せになって来ているのであろうか？」と。

科学技術万能の思想が、あらゆるところで矛盾をさらけ出し始めている。大は「アスワン・ハイダム」から、小は「プラスチック」まで。いったい近代技術は何を生み出そうとしているのか。科学の進歩が、ますます不平等格差を広げている現実をどう考えるのか。ヒロシマ・ナガサキ、水俣、イタイイタイ病、四日市ぜんそくなどの例を持ち出すまでもなく、人類は、おのれの生み出したものとの全面的戦争状態に入ったとさえ言えよう。その矛盾が、まさに

146

「特集　たたかいの方法」（『使者』1980年Vol.2春号）、小学館）

資料15　「鳩子の海」の撮影風景

NHK朝の連続テレビ小説「鳩子の海」より

あり、当時は「プルトニウム239」を原爆の原料として米国政府が高い値段で購入していたはずです。原発推進のためもあって米国政府は少しでも経済性の改善に協力していたのでしょう。「原発と経済性」の関係は、当初からの大問題であり、全ての面で後々までに影響を及ぼしたと言えるでしょう。

原発推進とメディア

田中角栄首相が登場し、中曽根康弘衆議院議員と共に、石油ショック後の日本のエネルギー政策の中心に原発推進を掲げました。田中首相は「日本列島改造論」で、日本のエネルギー確保の中心に原発を据え、「電源三法」を法制化し、反原発運動を何としても潰したかったのでした。その様な運動潰しの一つに一九七四年のＮＨＫの朝の連続テレビ小説「鳩子の海」の利用がありましたので、それを季刊『使者』一九八〇年春号「特集　１９８０・たたかいの方法」(「資料14」)論文の中で紹介しましたし、「鳩子の海」の撮影写真も「資料15」に掲げました。ＴＶ撮影は、茨城県・大洗海岸の自衛隊・射爆場を使用して行われたのですが、秘密裏に撮影されたそうです。そのシーンが放映され、原子力研究所の原子炉を「鳩子と恋人」とが見物した後で、昭和天皇の原子力研究所の視察が行われたのですが、その効果は大きかったのではないでしょうか。このドラマは「おしん」に次ぐ驚異的な高い視聴率だったのです。

地域住民が反原発で闘っている時の一九七九年三月に、米国スリーマイル島原発で大事故が発生しました。商業用原発で「炉心が溶融する」という世界最初の大事故だったのですが、それを契機にして世界中で原発建設に対する反対が盛り上がったのですが、残念なことに日本ではそうではありませんでした。そのことに危機感を持った私は、「鳩子の海」などのことも「資料14」に書いたのです。この文章を書いた機会にもう少し詳しい経過を述べておくことにします。今になって思うと、この「鳩子の海」が重要な意味を持っている様に思えるのは、「反原発運動を潰すために、権力がどの様に動くか」を示す代表例だと思うからです。

このドラマは有名なシナリオ・ライターである林秀彦氏のシナリオなのですが、この問題に関心を持っていた私が新聞記者・週刊誌・原子力研究所・ＮＨＫ関係などで直接・間接的に調べた話をまとめたものです。

ＮＨＫは一九七四年春から始まる「朝の連続テレビ小説」のシナリオを林秀彦氏に依頼する際に「人気のあるドラマなので、出来るだけ日本中を平等に取り上げていかなければならない」「今までに取り上げていない広島県と茨城県とを中心にしたい」とのことで、一九七二年頃から密かに計画されていたのではないでしょうか。林氏は「鳩子を被曝二世とし、結婚相手を企業関係で原子力に関係する研究者で在京の男性を設定」していて、当初は東海村の原子力研究所を考慮しない様な大まかなシナリオを提出して、NHKがOKをしたそうです。ところがTV放映の始まった直後の一九七四年六月頃から「結婚相手の設定に関連して、原子力研究所を登場させて欲しい」とのNHKからの依頼が強くなり、林氏は「原子力の知識がないので、原子力研究所を含めるのは困る」などと抵抗したそうですが、正式のシナリオが遅れ始めて撮影が進まないことから、NHKは原研の登場する周辺のシナリオを林氏ではなく他のシナリオ・ライターに一週間だけ依頼することにしたらしいのです。

いずれにしろ、林氏は「原子力研究所や東海村を取材した時の歓迎のすごいのにおかしいなーと思ったほど」だったといいます。撮影は「八月七～一一日」にわたって、原研周辺でロケが行われ、九日夜には原研所長公邸でパーティーがあり、NHKから約四〇人、原研・住民が約八〇人で、東海村・村長や村松虚空蔵堂・住職や原研・理事長なども出席する異例なほどの大歓迎を受けたそうです。その費用はどこが払ったのかは不明です。八月九日に水戸の射爆場で撮影したのが「資料15」の写真ですが、撮影車の前に鉄板を並べる作業は自衛隊員約三〇人が演習を中止して協力したのでした。撮影後に、NHKのプロデューサーから「水戸の射爆場でロケをやったことは書かないで欲しい」「勝田市の阿字ケ浦でロケをしたことにして欲しい」と言われたそうで、その話を現地で取材していた人から私は直接に聞いていますから、間違いないことなのでしょう。

その後、「林氏とNHKの争い」に関して、「原発PRとの関連を取材していた週刊誌」によると、林氏は「何も言いたくはない」といい、NHK側は「この問題が大きくなると、私の首が飛ぶ」「記事にしないでくれ」と言っていたそうですから、やはり「資料14」に書いたことは確かなようです。TV放映は「九月二〜六日」であり「結婚した二人は二年間も原研の社宅に住む」ことになっていました。その後の一〇月二一日に昭和天皇が「原研を訪問」したわけであり、原発推進のために天皇まで利用したと言えるでしょう。

私が「反原発運動」を始めたことに関して、「危険性があるのなら、反対運動に参加するのではなく、中に入って問題点を指摘すべきだ」との先輩の意見もありました。私は「原発を建設する国はあるだろうが、日本では地震のリスクが大きすぎる」との意見だったのですが、その私の意見に対して密かに「英国のロイズ協会に日本の原発保険のことを頼んだのだが、地震国の日本の保険は引き受けられないと簡単に断られてしまった」と私に話して下さった教授もおられました。誰だったかは忘れてしまいましたが、湯川先生の周辺の教授さんだった可能性もあります。ロイズ協会と保険の問題は重要なことなので、後ほどに紹介することにします。湯川先生が参加された原子力委員会が発足した一九五五年時の、最初の重要課題は「原子力予算」「原子力研究所の設置」「原発の輸入」「規制方針」「原子力保険」などであり、大々的に論議されたはずです。

一九五四年一二月八日のアイゼンハウアー米・大統領の「アトム・フォア・ザ・ピース」発言を受けて、世界中で石油に代わるエネルギー源としての原発建設が話題になってきました。すでに、ソ連は「原発の発電に成功」しており、英国は「コールダーホール型原発」の完成が近く、各国への原発建設協力を呼び掛けていた時でした。それに危機感を感じた米国が、核兵器開発優先から商業用原発の提供に路線転換して「濃縮ウラン」の提供を宣言したのです。日本でそれに答えたのが、読売新聞社主の正力松太郎氏と若き国会議員の中曽根康弘氏だったと言えるでしょう。傍流の小さな派閥に属していた中曽根氏が、田中派に急接近して、ついに首相の座に就いたのも「原発推進」と関連があったと私は推察しています。この様な「戦後の電力問題」に関する「大翼賛運動だといって良い」ような原発推進を巡る動きに関しては『電源防衛戦争』（田中聡、亜紀書房、二〇一九年）が参考になります。

日本ではまず米国の研究用原子炉を、その次に英国のコールダーホール型原発を輸入したのですが、ソ連からの売り込みも激しく、米国がその様な日本に対して「沸騰水型」や「加圧水型」の原発提供をしてきたことで、最終的には米国型を導入する路線を選んだわけです。その原発が日本で急増することになったのは、一九七〇年代になっての「石油の価格上昇」と「オイル・ショック」だと言っても良いでしょう。エネルギーの確保は「国の安全の根幹である」として登場した「日本列島改造論」の田中角栄首相のもとで、建設が進められるようになったのです。自然エネルギーなどの導入などは無視されてしまったのでした。いわば、日本全体が「ソフト・エネルギー路線」ではなく、「ハード・エネルギー路線」を選択したのでした。当時、京都や大阪の「アメリカン・センター」などで、「自然エネルギーに関する講演会」などがあったのですが、講師にはソーラーや風力などの日本のメーカーの責任者が登場していて、会場には日本人の姿が少なくて欧米人ばかりだったことを記憶しています。その頃の自然エネルギー関連技術は、日本が世界のトップを走っていたのですが、残念なことに「原発推進」に力をそぎ取られてしまったのではないでしょうか。

一九六〇年代後半から一九七〇年代前半にかけて、「反原発派」はまるで国賊のように思われていた様に思いますが、それでも、建設予定地の住民たちは必死になって抵抗していました。紀伊半島には今なお一基もありませんし、浜坂（兵庫県北部）や鹿久居島（岡山県）なども住民の反対で拒否されています。しかし、推進派の圧力が強くて、あちこちに建設されてしまったのです。浜坂の住民たちは、独自に勉強して内容の豊富な四冊もの「原発の危険性」を訴えるパンフを出版したことに私は感激したほどでした。

反原発と京大学派

いずれにしろ、湯川先生の「原発に関する意見」がハッキリしないのですが、周辺におられた方々の意見がどうだったのか……という点にも、私は関心を持ち続けていました。

一九七〇年頃から一九七三年までに一五回も「貝塚茂樹・京大教授の発案で、湯川先生と桑原武夫・京大教授と松田道雄氏」との四人で「楽群社」というグループを作り、時々集まって知的談話を楽しんだのだそうですから、きっとその中で「原発問題」も話題になったのではないでしょうか。この会は記録も取らず自由に話をする会だったようですが、丁度この時は、田中角栄首相が登場し、原発推進を目玉にし始めていた時であり、反原発運動にかかわり始めた私たちにとっても重要な時期だったのです。

そんなこともあり、京大内の反原発に理解のある研究者を探し求めていた私にとっては、湯川先生周辺で、私が知った「原発に関する意見」としては、桑原武夫氏・松田道雄氏の意見を覚えているだけです。その二人ともが「京大学派」の重鎮である方ですし、「楽群社」のメンバーだったからでもあり、その頃が日本の原発問題でとても重要な時期だったからでもあります。

とにかく、「反原発運動潰し」は色々とあったのですが、ここでは私が感じた「文化人・知識人」と言われるオピニオン・リーダーたちの原発に関する態度を考えて見たいと思います。この頃の日本の思想的状況などについては、土井淑平氏が色々と書いておられますが、私は自分自身で感じたことを中心に京大周辺の方々のことを書くことにします。勿論、湯川先生の考え方の反映ではないか……と思える点が多いからです。

私に子供が生まれた時の保育書は松田道雄氏の『育児の百科』（岩波書店、一九六七年）でした。お母さんたちに絶大な人気のあったベストセラー保育書だったのではないでしょうか？　その松田氏が「原発を褒める文章」を書いておられたことを知っている人は少ないのではないでしょうか。勿論、「原発は安全だ」と直接書いているのではなく、「このような真剣な若者たちの手で建設されている原発の安全性は信頼できる」という趣旨でしたが、この文章を読んだお母さんたちの多くは「原発安全論」に加担していったといえるでしょう。湯川先生の「皆で努力して前進しよう」との意見と同じことなのでしょうが、京都地域の新聞記事でしたので、今になって探しても見つからないのが残念です。京都では松田氏の人気はとても大きかったですから、京都で「原発反対運動が少なかった」のは、この様な背景も無視できなかったと私は思っています。

また、核兵器反対運動は盛んでしたが、原発反対運動が少なかった理由として、もう一つ上げたいのが、桑原武夫氏を中心とする「京大学派」が原発を容認していたとしか思えないことでした。「京大学派の人たち」には有名人が多いのですが、その様な人たちは「湯川先生から原発のことを聞いていたのだろう」というのが、必死になって京大内で原発反対運動をしていた私の感想でした。その様な中で、桑原氏が原発に関して発言されたことがありました。

一九八〇年代のことだったと思いますが、「京大楽友会館」で三里塚にお住いの前田俊彦さんを囲む集まりがありました。京都においでになったのを機会に「激励を兼ねての集まり」が開催された際でした。その集まりに桑原氏も参加されていたのです。その集会の中で前田さんが横に座っておられた桑原氏に「原発建設に対して何故反対しないのか」と言った趣旨の質問をされたのです。私が耳を凝らしたのは当然でしたが、その際の桑原氏の答が「工業化社会においては原発には反対できない」との簡単な回答でした。私の聞いた「京大学派に関係する総帥」といって良いはずの桑原氏が原発に関しての発言を聞いたのはそれ一回でしたが、やはり京大学派は「原発には反対しないばかりか、工業社会におけるエネルギー需要の為には原発は必要だ」との考えだったことをその発言で明らかにできたのでした。湯川先生はそれ以前にお亡くなりになっていますが、そう言えば、戦前の京大学派も「戦争賛美派」だったことを思い出したのでした。その後になって、京大学派の重鎮たちが中曽根首相の「日の出山荘」に招待され「国際日本文化研究センター：日文研」（京都市西京区）が首相の「鶴の一声」で出来たのですが、私にはそれは原発推進における京大学派の協力に対する中曽根首相のお礼の様にすら感じたのでした。

梅原猛氏の最大の業績は「日文研を作ったことだ」と言われているのですが、東日本大震災の後で『人類哲学序説』（岩波新書、二〇一三年）を書かれています。「草木国土悉皆成仏」思想を中心に展開

資料16　京都新聞の中曽根首相・記事

1　2019年（令和元年）11月30日　土曜日　京都　17版　政治・行政　4

たばこ・電話も民営化

行財政改革を推進

中曽根元首相死去

中曽根康弘内閣は、米国のレーガン、英国のサッチャー両政権が採用し、1980年代に世界の潮流となっていた「新自由主義」に沿った経済政策を推し進めた。中曽根氏は「小さな政府」と「市場競争」を重視した行財政改革を展開。当時の国鉄、日本専売公社、日本電信電話公社の民営化を実現し、現在のJR各社、日本たばこ産業（JT）、NTTへの道筋を付けた。

中曽根行革の最大業績は国鉄改革だろう。鈴木善幸内閣で行政管理庁長官に就任した中曽根氏は首相の座を目指し改革に着手。故土光敏夫氏を会長に据えた第2次臨時行政調査会（土光臨調）を発足させ、3公社の民営化路線を打ち出した。

強い権限を持つ国鉄再建監理委員会を組織して自民党の運輸族議員や官僚らによる強い抵抗を封じ込めると、首相として86年の衆参同日選で圧勝し、国鉄改革関連法を成立させた。

87年4月、国鉄を六つの旅客鉄道会社と一つの貨物鉄道会社のJR7社に分割し、株式会社化した。市場原理を導入して非効率な経営を見直すのが狙いだったが、多くの赤字ローカル線が廃止された。

中曽根氏は財政規律を重視した。所得税や法人税などの直接税に依存する税収構造を是正しようと、大型の消費税である「売上税」の創設も目指した。しかし、選挙期間中に「大型間接税は導入しません」と発言していたため公約違反と批判され、導入を断念した。

経済外交では、米政権と歩調を合わせた。巨額に膨らんだ米国の貿易赤字を解消するため、85年9月、日米欧5カ国が協調してドル高を是正する「プラザ合意」を受け入れた。円相場は急上昇して日本は円高不況に陥り、景気を刺激するため日銀が金融緩和を続けたことが、バブルの温床になったと批判された。

日米農産物交渉では、米国からの市場開放圧力を踏まえ、牛肉・オレンジの輸入枠拡大で合意した。中曽根氏は米国製品の輸入を増やすため、国民に購入を呼び掛けるなど米国の要求に積極的に応えた。

原発大国　道筋描く

中曽根康弘氏は、原爆の惨禍に苦しむ戦後日本における原子力開発の黎明期を担い、原発大国への道筋を描いた。2011年の東京電力福島第1原発事故後も、活用を訴え続けた。

衆院議員として30代で関わった日本初の原子力予算2億3500万円を政府が追加計上したのは1954年3月。反対論を警戒し「事前にもれるとつぶれる」と水面下で予算獲得に奔走した。その前年には、アイゼンハワー米大統領が国連総会で「原子力の平和利用」を提唱。核兵器の技術を発電に利用する動きが世界的に広がりつつある中、「日本もつくらなければ20～30年は遅れる」との危機感を抱いた。

55年、中曽根氏らによる議員立法で原子力基本法が成立。原子力の研究や開発、利用推進の根幹を定めた。当時、衆院の特別委員会で法案の趣旨説明に立ち「日本の国際的地位は戦争に負けて以来非常に低い。地位を回復し、科学技術の水準を上げるのは、原子力や科学によって可能だ」と訴えた。広島や長崎の被害の記憶は生々しかったが「外国では原子力は家畜だ。日本国民はまだ猛獣と誤解している」と述べた。

この後、科学技術庁長官や原子力委員会委員長に就任。並走するように電力会社は相次いで原発建設に乗り出す。66年、商用では日本初の東海原発が運転を開始した。

首相として米国と蜜月関係を築いた80年代には「核燃料サイクル」全面実施を認める現行の日米原子力協定がまとまった。この技術は核兵器開発にもつながるため、日本は核兵器を持たない国としては特権的な地位を得た。2000年代に国内原発は55基に達した。

しかし11年3月、旧ソ連のチェルノブイリ原発事故と並び史上最悪とされた福島第1原発事故が起きる。国民の不信が高まり、安倍政権も原発依存度の低減を訴えざるを得なくなった。

ただ事故直後の共同通信のインタビューでは「今世紀の間くらいは原子力に頼らざるを得ない」と強調。原発推進の姿勢を貫いた。

『京都新聞』2019年11月30日

され、それだけではなく「そして敗戦後も、日本は必死に科学技術の導入に力を尽くしました。その科学技術のなかには、原発の技術もあった。その原発によって日本は豊かな国をつくった、と言えましょう」と書かれていますから、福島原発事故の後でもこのような思想だということがわかります。日文研の方々は、福島原発事故のことをどの様に思っておられるのでしょうか。福島原発事故の後で、一時的でしたが梅原氏が「脱原発」を言い出したことがあったと思うのですが、やはり「原発推進に戻ってしまった」のでしょうか。その様な目で「日文研」を批判的に見ているのは、多分、私一人かも知れませんが、福島原発事故の後でも「社会的責任とは何なのか」と考えてしまうのです。梅原氏も事故後に反省をしていたようには思えませんが、お亡くなりになったのが残念です。

日本の原発推進を田中角栄首相と共に中心になって担ってきた中曽根首相は、福島原発事故の後であっても原発推進を主張していますから、原発への思いは相変わらず強い様ですので、梅原氏もその意見に追従したのかも知れません。

朝日新聞と原発報道

中曽根元首相が二〇一九年一一月二九日に一〇一歳で亡くなられました。その追悼の記事に「原発推進」のことをどのように紹介されるのか……を私は関心を持って新聞を読んだのですが、『読売新聞』『朝日新聞』では一切触れられていなくて、『毎日新聞』『京都新聞』(共同配信か)が紹介しているだけでした。その『京都新聞』の記事を「資料16」としました。

当初から「正力松太郎」の影響の大きな『読売新聞』は一貫して「原発推進」だったのですが、「朝

資料17　核燃料：大熊由紀子の記事

核燃料
探査から廃棄物処理まで
朝日新聞科学部　大熊由紀子

朝日新聞　1976年（昭和51年）8月1日　日曜日

ウランの弁明

監視つきで壁の中

核燃料のウランを毛ぎらいする人も多い。

原子爆弾のように爆発するのではないかという恐れ、事故が起きて、放射能が原子力発電所の近くにばらまかれるのではないか、という心配……。

だが、原子力発電の実務にたずさわっている人たちは、口をそろえて「そんな心配は、絶対にありません」と強くいう。

これまで、弁明のチャンスを、ほとんど与えられたことのない核燃料ウラン君の言い分に、耳を傾けてみると……。

兄貴の原爆とは違う

──あなたは原子爆弾の弟分でしょう。だからきっと……。

「確かに兄弟だけど、兄貴の原爆ほど凶暴じゃありません。兄貴は、核分裂を起こすウラン235を一〇〇％近く含んだ高濃縮ウランでできていますが、核燃料のわたしは、二、三％の低濃縮ウランです。原爆みたいな大爆発は、起こそうったって、絶対に、起こせないんです」

──でも、原子炉のなかには〝死の灰〟がたくさんたまっているのでしょう？

「ウラン235の原子核が割れてできる破片が、みなさんのおきらいな〝死の灰〟です。それは放射能を帯びていて、原子炉の運転を続けていると、炉のなかにかなりの量がたまります」

──ほら、ごらんなさい。

「でも〝死の灰〟は、燃料ペレットの焼きもののなかにまずつかまえられ、さらに金属チューブのなかに閉じ込められています。その外には、がんじょうな原子炉容器があり、さらにその外を格納容器と、丈夫なコンクリートの建物が包み込んでいます。〝死の灰〟が、これらの障壁を突破して外に出るなんて、至難の業ですよ」

──でも、原子炉は暴走するというでしょう？

「暴走というのは、走り出して、どこかへ行くことではなく、原子炉が破損することです。何かの原因で、わたしたち燃料が熱くなりすぎ、炉のなかの蒸気や熱水の圧力が高まると、炉の容器が破裂する恐れがあります」

──やっぱり……。

「でも、炉には、さまざまな測定器があって、大勢で見張っています。ちょっとでも温度や圧力が高くなりすぎたり、火ダネの中性子が多くなりすぎたり、地震が起きたりすると、それを検知して原子炉は、機械的、自動的に止まるように作ってあるんです」

水がないと燃えない

──ほんとに止まるのかしら……。

「原子炉の火だねは中性子です。その中性子を横取りして、どんどん食べてしまう大食漢の『制御棒』が、暴走の前ぶれがちょっとでもあると、たちまち炉の中にさし込まれ、火だねの中性子を奪ってしまうんです。それに、わたしたち低濃縮ウランは、水がなければ燃えることができません。悪条件がいくつも重なって、炉が止まらず温度が上がり続けると、水が蒸発してなくなりますから、それだけで原子の火は消えてしまいます」

──でも「最大仮想事故」といって、燃料棒が高熱のためにドロドロに溶けてしまって、その熱球が原子炉容器の底を突き抜け、地球の裏側まで届くこともあると聞いたけれど……。

「地球の裏側まで届くなんて、たちの悪いユーモアですよ。最大仮想事故というのは、人間の頭のなかで考えうる最大の事故、という意味です。たとえば、新幹線の場合──。ある日の正午ごろ、静岡の近くで下り電車が脱線して、上り線に乗り上げたとします。その現場に後続の下り列車と上り列車が、あわせて四十五本も折り重なるようにぶつかり、いっせいに火を噴いて、乗客約六万人が全員焼死したとしましょう」

──そんなバカげた事故はありっこないわ。

「と思うでしょう。わたしたち核燃料の場合だって同じことです。原子炉には、新幹線以上に手のこんだ安全装置がいくつもつけてあります」

──原子炉のなかで、ウランがやたらに暴れ出さないことは、よくわかったわ。でも、炉から出たあとが……。

大熊　由紀子（朝日新聞科学部員）

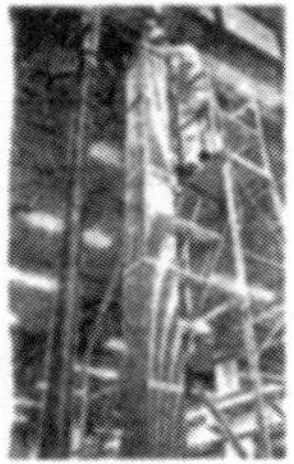

加圧水型原子炉用の核燃料集合体＝三菱原子燃料会社東海製作所で

核燃料
探査から廃棄物処理まで
▷18◁

『朝日新聞』1976年8月1日

日新聞は何故なのだろうか」と考えてしまったことでした。一九七〇年代までは『朝日新聞』も原発に慎重な立場だったのですが、岸田純之助・論説主幹や大熊由紀子・記者の活躍もあり、原発推進に方向が変わってきていたことが影響しているのかも知れません。米国・スリーマイル島（TMI）原発事故の後の一九七九年八月、全国の朝日新聞支局・通信局の原子力担当記者二一人を集めた研修会で、岸田氏は「朝日新聞から月給をもらっている限り、基本的に原発には反対という立場で原稿を書いてはいけない」などと、朝日は原発推進の立場であることを明言しています。それだけでなく、TMI事故の際の放出放射能量を「大したことがなかった」ように誤報道したりしたことをも私は「資料14」で指摘したわけです。

私は「朝日新聞の報道」をこまめに追っていたつもりですが、その典型が「朝日新聞の大熊由紀子記者」の書いた「核燃料」連載だったと思います。その中で、「原発の大事故である最大仮想事故」のことを紹介しているのですが、そのところを「資料17」としておきます。福島原発事故はまさに「その様な最大仮想事故クラス」なのですが、大熊氏の言う「新幹線事故」と比べて欲しいと思います。この連載記事と連載をまとめた本の「原発推進」に果たした役割は極めて大きかったのです。それを読んだ多くの人は「原発ではそこまで考えられているのか」と驚いたはずで、福島原発事故の後で読み返すと、複雑な気持ちになります。

勿論、このような例は最近にもあります。「ビートたけし氏」と「近藤俊介・原子力安全委員長」との「達人対談」が『新潮45』（二〇一〇年六月号）に掲載されたのですが、ビートたけし氏は「地震が起きたら、原子力発電所に逃げ込んだほうが安心かもしれないね」と発言をしているので、その部

資料18　ビートたけしの発言

達人対談

原子力発電の達人
近藤駿介 VS. ビートたけし
原子力委員会委員長
東京大学名誉教授

「新潮45」
2010年6月号

闘志いだきて原発に立つ

日本のエネルギー供給に原子力発電は欠かせないのに、これほど反対される施設もない。それなら、本当に危険なのかどうか、おいらが実際に見てこようじゃないか。

たけし　原子力発電を批判するような人たちは、すぐに「もし地震が起きて原子炉が壊れたらどうなるんだ」とか言うじゃないですか。ということは、逆に原子力発電所としては、地震が起きても大丈夫なように、他の施設以上に気を使っているはず。だから、地震が起きたら、本当はこへ逃げるのが一番安全だったりする（笑）。でも、新し

「地震が起きたら、原子力発電所に逃げ込んだほうが安心かもしれないね」

『新潮45』（2010年6月号）

分を「資料18」としました。
今なお、TVでビートたけし氏見ることが多いのですが、その姿を見るたびに私はこの記事を思い起こして、「逃げ込んだ人がいるのだろうか」と心配になるほどです。この様なことをメディアは知ったうえで、登場させているのでしょうか。それとも、関係がないと思っているのでしょうか。

湯川先生と森一久氏のこと

日本の「原発推進」を考えるときに、長年にわたり「日本原子力産業会議」（以下「原産会議」）の副会長であった「森一久氏」のことを無視することはできません。森氏は湯川先生の愛弟子であり、原子力開発に長い間にわたって中心的な役割を果たし続けてきた人物です。「原子力ムラのボス」だったと言って良い人物であり、湯川先生の原発に関する考え方を、森氏が体現していたのだろうと私は考えていたからでもあります。

森氏には『森一久元日本原子力産業会議副会長オーラルヒストリー』（森一久述、近代日本資料研究会編、二〇〇八年）や『原子力とともに半世紀：森一久論説・資料目録』（森一久資料編集会、二〇一五年）や藤原章生『湯川先生、原爆投下を知っていたのですか――"最後の弟子"森一久の被爆と原子力人生――』（新潮社、二〇一五年：以下「藤原氏の本」という）などがありますし著作も多いのですが、私の知る限りは、原発問題を巡っての湯川先生との関係を示す文章は全くありません。広島で被爆して九死に一生を得て京大物理教室湯川研究室に復学した森氏ですが、今なお遺体のわからない母親のことが気になって悲しんでいることがうかがえるし、湯川先生が「原爆投下のことを知っていたのな

資料19　中島岳志の書評（『毎日新聞』2015年9月20日）

中島　岳志　評

湯川博士、原爆投下を知っていたのですか

藤原章生著（新潮社・1512円）

戦後日本の原子力政策への問い

森一久。知る人ぞ知る戦後日本の原子力業界の実力者だ。関係者は彼を「原子力村のドン」と呼んだ。

広島で医者の家庭に生まれた森は、1944年に京都帝国大学に入学。すぐに湯川秀樹に師事し、理論物理を専攻した。

しかし、悲劇が訪れる。森は広島に帰省し、被爆した。彼自身は奇跡的に助かったものの、1㍍横で寝ていた父は即死。母は行方不明となった。

森は必死で母を捜索した。2週間にわたって被爆直後の広島をさまよったが、結局見つからなかった。自らも高熱が続き、死を覚悟したが、生き延びた。

1946年春に京大に復学すると、湯川の下で猛勉強し、「自他ともに認める愛弟子」となった。成績は優秀だったが、金銭面でも気持ちの面でも大学院に残る余裕はなく、就職を希望した。湯川のあっせんで、中央公論社に入社。科学月刊誌『自然』の編集者として原子核物理学・原子炉開発などを特集し、原子力ジャーナリズムの牽引車として活躍した。

森は、原子力の平和利用を進めようとする政治家・産業界に懐疑的だった。彼らのアメリカ追随を厳しく批判し、その態度を「拙速だ」と諫めた。

しかし、運命は思いがけない方向へと旋回する。彼は推進派の政治家・財界人と接触するうちに、被爆した自分こそが原子力を安全にコントロールしなければならないと考えるようになった。湯川も原子力の平和利用の監視役を森に期待した。結果、彼は原子力業界のインサイダーとなり、努力の結果、「ドン」といわれる立場に上り詰めた。

森は業界内部にいながら、常に原子力関係者の慢心に厳しい言葉を投げかけた。情報公開を原則とし、「事故なんて起きない」という空気に抗い続けた。動燃の不祥事・事故が相次ぐと、その隠蔽体質を「関東軍」に例え、批判した。

しかし、実際の原子力業界は森の理想からかけ離れ、暴走をくり返す。99年に東海村でJCO臨界事故が起こると、森は真相究明と情報公開、責任追及を徹底しようと奔走するが、次第に煙たがられ、辞職に追い込まれた。

第一線から退き、老年に達した森は、ある手記を目にする。そこには京大で湯川の同僚だった西村秀雄教授が、広島出身の学生だった手記の筆者に対して「広島に新型爆弾が落とされるから、家族を疎開させた方がいい」と進言したとするエピソードが記載されていた。森は手記の筆者と会い、衝撃的な「事実」を知らされる。西村教授から疎開を進言された時、湯川も同席していたというのだ。

森は苦悩する。湯川は広島への原爆投下を知っていたのか。なぜ湯川は、広島出身の自分に危険を知らせてくれなかったのか。

湯川が自分を大切にした理由。就職をあっせんした理由。そして、原子力の監視役を託した理由。湯川秀樹の本音が知りたかった。それは彼の人生そのものに関わる重大事だった。

しかし、なかなか一人では真相に辿りつくことができない。湯川も西村もすでに他界している。直接、話を聞くことはできない。そんな時に、「湯川の本音」に関心を抱くジャーナリストと出会う。それが本書の著者だ。森は真相に迫ろうとするが、残された時間は限られていた。

湯川に導かれた森の人生とは、何だったのか。その問いは、戦後日本の原子力政策への問いと重なる。そして、私たちはまだその問いの中に生きている。

原子力の未来を考えるための必読書だ。

'15/09/20 M

ら、何故、自分にも知らせてくれなかったのか」という疑問に悩んでいたようです。晩年になって知ったことのようですが、湯川先生の冷たさをも感じていたのかも知れません。

京大物理教室での被爆経験者は「森氏と柳父先生だけだ」と私には思われるのですが、森氏は学生時代に帰省先の広島で被爆し、柳父先生は森氏より七歳ほど上で、海軍技術中尉として広島に赴任中に爆心地近くの自宅で被曝しています。柳父先生は引っ越ししたばかりで、下駄などの配給がされていなくて自宅にいたのだそうですが、配給に並んでいた町内の方々は殆どお亡くなりになったそうです。京大物理教室の卒業生での被爆者同士として、柳父先生から森氏のことを私も聞かされたことがあるのですが、森氏が原発推進派の中でも良識派であったことは間違いないでしょう。しかし、原子力の平和利用に積極的な賛成派だったこともあり、原産会議内での要職を占め、原発推進の中心人物であり、そのことを含めて『藤原氏の本』の書評を中島岳志氏が『毎日新聞』(二〇一五年九月二〇日)に書いておられるので、それを「資料19」として紹介しておきます。

藤原氏は森氏の日記も読んでいる様で、私も取材を受けたのですが、脱原発・反原発派で日記に登場するのは高木仁三郎氏と小生だけで、小生のことは、短い文で「荻野のDVDを見る」という文章だけだそうです。多分、私の講演のDVDを見たのでしょうが、原発関連でDVDになったのは、小生の「地震に関する講演のみ」のはずですから、森氏も地震問題に関心が深かったのでしょうか。この中島氏の書評を読んだことも、私がこの様な文章を書くつもりになった理由でもあります。

私が湯川先生の原発への意見を気にしていたことはすでに書きましたが、当初は「原発」と発言をする人は「反原発派」であるとの意見が強く、湯川先生も「原発」という言葉は一切使用されてはおらず「原子力」という言葉で「核兵器と原発」とを含めていたのかも曖昧でした。

森氏の『オーラルヒストリー』を読むと、湯川先生は東京駅近くにあった森氏の事務所へ良く来ておられるし、森氏自身が「湯川先生に頼みごとをして、ことわられたことはない」と話しておられることから考えると、湯川先生の考え方を森氏が代弁していたといっても良いでしょう。湯川先生は第5福竜丸の「ビキニ事件」を受けて核兵器反対運動に積極的になったことは知られていますが、「第5福竜丸」は、遠方での放射能被曝が問題なのであり、水爆による爆発力の恐ろしさよりも「放射能汚染の恐ろしさ」にこそ重要性を感じるべきであり、そのことは「原発の大事故による放射能汚染」にこそ気付くべきだったのではないでしょうか。

勿論、アイゼンハウワー米国大統領の国連での演説が一九五三年一二月八日の真珠湾攻撃の記念日に行われたのですが、その後に世界中で原発推進が異常な増加をし始めてきていますから、湯川先生が原発問題に沈黙して核兵器問題にのみ発言している態度は、科学者の責任として不十分だったのではないでしょうか。そのことを考えているうちに、私は森氏の存在が重要なキーポイントだと思うようになってきたのです。

森氏の最大の業績は、「原子力の平和利用を進める」ことにあり、そのことはまさに湯川先生と同じ考えだったはずです。米国の石油禁輸政策に対抗したことが、日本が太平洋戦争に突入した理由の一つであったこともあり、エネルギー源の確保は日本の最重要課題だったことは言うまでもなく、当時の多くの人は「原爆反対・原発賛成」だったのかも知れません。しかし、核兵器以上に原発に内蔵する放射能量は巨大なのであり、大事故が起これば周辺が異常な汚染に悩まされることになります。

単に「エネルギー確保」のみに酔いしれるわけにはいかないことは明白なのでした。当初は左翼系と思われていた森氏が、なぜ右翼系と思われていた湯川先生と一緒になって、原発の平和利用に邁進することになったのでしょう。最近になって、米国の情報開示が進み、日本の科学者に対する日本の首脳陣と米国の判断が漏れてきていますが、それを「資料20」としました。湯川先生が「表面は中立、内心は右」とされていて、この調査結果は、米国情報機関ＣＩＡと深いつながりのあったと言われる正力氏も知っていたことでしょう。

森氏は雑誌『自然』の記者をしていたこともあり、左翼系や社会党や革新派科学者などと幅広い人脈があり、それをうまく使用しながら「原子力の平和利用」を進めたことはまず間違いありません。一九六九年に「原産会議」の事務局長に就任した森氏は、一九七三年に社会党推薦の原子力委員だった有沢広巳氏を「原産会議」の会長にして、有沢・森の二人が協力しながら田中角栄首相の「日本列島改造論」の目玉である「原発推進」の旗振り役を担ってきたと言えるでしょう。いわば、この二人が「福島原発事故」を誘因することになった「日本の原発推進」の中心グループだったのではないでしょうか。石油ショックを背景に、代替エネルギーとして「自然エネルギーか原発か」の選択は重要な問題だったのですが、政官財学メディアそして司法などの強力な力の前に、反原発派は負けてしまったわけです。

一九七九年の米国・スリーマイル島（ＴＭＩ）原発事故の際には、米国のように日本も原発の見直しに走ることを私は期待したのですが、残念なことに「推進路線」の継続になってしまったのでした。森氏は「ＴＭＩ事故は大した事故ではなかった」と言っていますが「ジルコニウム・水反応によ

資料20　湯川先生は右

思想により「色分け」された主な研究者

所属	氏名	思想	経歴・業績
東京大	嵯峨根遼吉	右	「二号研究」に参加
	茅　誠司	中立	日本学術会議会長
東京教育大	藤岡　由夫	中立	学術会議第39委員長
	朝永振一郎	中立	1965年ノーベル物理学賞
科学研究所（旧理研）	山崎　文男	中立	「二号研究」に参加
	玉木　英彦	極左	「二号研究」に参加
横浜国立大	竹内　柾	中立	「二号研究」に参加
無所属	武谷　三男	極左	「二号研究」に参加
名古屋大	坂田　昌一	極左	2008年ノーベル物理学賞の益川敏英氏らの恩師
京都大	湯川　秀樹	表面は中立、内心は右	1949年ノーベル物理学賞
大阪大	菊池　正士	原子力に熱心、やや右	「二号研究」に参加
	伏見　康治	原子力に熱心、左	原子力研究再開を提唱
大阪市立大	南部陽一郎	記述なし	2008年ノーベル物理学賞

所属は1954年当時。経歴・業績は本紙が追加。
出典：『日米同盟と原発――隠された核の戦後史』中日新聞社会部（東京新聞、2013年）

る炉心溶融が起きた」という炉心設計上の驚くべき大事故だったのであり、私自身、その事実に大ショックを受けたのでした。この事故のことは、後ほどに「伊方原発訴訟」との関連でも述べることにします。

いずれにしろ、このＴＭＩ事故の後でも、欧米の場合と異なり、日本では政官財学は勿論のこと、文化人・知識人やメディアが「原発に疑問を持たなかった」と言って良いのではないか。その様な危機感を感じたからこそ、「資料14」の様な文章を「編集者」の方に批判されながら、私は一九八〇年に書いたのでした。

ＴＭＩ事故の後では、米国では規制が強化され、コストが高騰して原発の建設は一切ストップしてしまったのですが、日本では逆に建設が進められてしまいました。それでも、京大工学部では学生の人気の高い教室だった「原子核工学科」を希望する高校生の入試の成績がガタ落ちしたほどでした。その様な中で、住民の必死の抵抗がなければ、どこまで原発建設が進むかわからないような状況だったのです。その様な「原発推進の中心にいたのが森氏だった」といえるでしょう。本人は「良心的に振舞っていた」のかも知れませんが、果たした役割は「福島原発事故の誘因」に結びついた方向だったのであり、そのことを森氏の『オーラルヒストリー』を読みながら、私なりに推察してみることにしました。

私は「資料14」の中で、一九七三年に就任した有沢・原産会議会長が「国民に愛される原産会議」「中立的立場の原産会議」「原発批判派も原産会議に参加を」と、反対派の切りくずしにかかったのだった……と書いたのですが、この会長の言う「中立的立場」は森氏と共に言っているわけで、どんな意味なのかを森氏の『オーラルヒストリー』を読みながら私なりに考えて見ました。「原発批判派」の範囲が曖昧なのですが、「国民的立場」を強調していることから考えて、地元住民を含む「原発反対派」のことを言っているのかな……と推測していたのですが、森氏は「電力会社・メーカー・政党・官僚・自治体」などからの「中立的・国民的」立場を重視していて、反対派を批判しているのでした。森氏の言う「批判派」とは共産党系を言っている様で、『オーラルヒストリー』には「電力会社の臨界事故隠しなど」に関して、「マスコミも駄目だし、反対派も駄目ですね。だいたい今の日本の反対派は全部だめですね」「反対派だってもっともっと騒いでいいはずなんですね。全然騒ぎもしない。ひどいと言っているだけです」と言っています。それを読んで、私は「伊方原発訴訟のことを知らないのだろうか」と疑問に思ったのでした。原産会議は「伊方原発訴訟のことをこまめに報告していたはず」なのに、この『オーラルヒストリー』は「伊方原発訴訟」のことには一言も触れていないことにも驚いたのでした。その訴訟のことも後ほどに紹介しますが、森氏はあれほど真剣に議論された「伊方原発訴訟」を完全に無視しているのです。

福島原発事故の後で、伊方原発訴訟のことが良く話題になるのですが、森氏は「原発は安全である」との裁判所のお墨付きを得たのだから、「心配する必要がない」との立場だったのでしょうか。

森氏が「反対派」と対談したり、シンポジュウムに招待したりしたのは、私の知る限りは槌田敦・高木仁三郎・小林圭二の各氏だけだと思うのですが、その中で不思議に思ったのが「もんじゅ訴訟で中心的な役割」を果たした小林氏でした。「ナトリウム漏洩事故」の後のことで、友人である小林氏に私は「何故、参加を引き受けたのか」と聞いたことがあります。森氏たちは、自分たちの都合が悪くなると「反対派や批判派」を招待して、いかにも中立的なポーズを取って乗り切ることをしていたからです。私もシンポジュウムなどに呼ばれることがありましたが、参加しませんでした。「住民団体・学会・中立的マスコミ（?）・自治体」などの主催するものにしか参加しなかったからです。私の質問に対して、小林氏は「あの森氏が直接に京大原子炉実験所まで来て依頼したものだから、断われなかった」との返事でした。電話であれば簡単に断ったでしょうが、それを見越して直接に依頼しに行ったのでした。この点に関しても、森氏の感覚の鋭いことが分かるのですが、その背景には森氏に「原発の平和利用を貫徹したい」との強い思いがあったことは間違いないでしょう。どれだけ個人的に「事故が起きないように、平和利用を進めたい」と願っていても、大事故を防ぐことは出来ないのであり、問題なのは大事故が「どの様な規模におさまるのか」と言うことだったはずなのです。『オーラルヒストリー』で森氏は、批判勢力ではありましたが原発推進の共産党のことは褒めていますが、「社会党は、原子力は人類と共存し得ない技術だという観念的なことを言って反対していた」と批判しています。福島原発事故の後でも、同じようなことを言ったのでしょうか。

「原発推進のドン」と言われた森氏の果たした役割の大きさを、私なりに思いつくままに、推定を含めて箇条書きにして指摘しておきます。

二人の役割分担

湯川先生と森氏との関係は、核兵器反対を湯川先生が中心になり、原発の平和利用を森氏が中心になるとの役割分担だったように思えます。湯川先生の初代の「原子力委員」就任に、周辺の物理学者が反対だったのに対して、森氏が「監視役」として就任することを主張したことは良く知られており、最初の会合の後で「辞任したい」との湯川先生に「子供じゃあるまいし」と継続を主張したのも森氏でした。戦前の戦争の背景に、エネルギー問題が大きな要因だったことから、戦後のエネルギー問題の解決に「原子力は欠かせない」との思いが二人に共通していたことは間違いないでしょう。

悲惨な原爆の強大なエネルギーを「平和利用に使用したい」との考えは、国民全体に広くあったことは確かでしょうが、それが建設予定地の住民の反対で足踏みし始めたのが、一九六〇年代の中頃からでした。特に温排水を心配する漁民の反対が強かったといえるでしょう。一九六六年九月、中曽根・団長が率いる各党の国会議員が「三重県・芦浜」の視察で、漁民から水をかけられた話は有名です。漁民の反対が強いことを懸念して、森氏が「温廃水」を利用しての「温水養魚開発協会」の常務理事をし、それを積極的に推進したことも漁協などの反対派崩しに有効だったはずです。そこには、大量の温排水による生態系の長期的な変化などは考慮されておらず、温排水には放射能は含まれてはいないことを示すという宣伝が重要だった様で、「資料1」で示した様な汚染調査をシッカリと継続していた様には思えませんでした。

森氏の初期の労作として知られているのが、「シュアー・マーシャック監修：森一久訳」の『原子力発電の経済的影響』（東洋経済新報社、一九五四年）で、それの「序文」を湯川先生が書いています。この頃は、米ソの冷戦構造の初期であり、プルトニウム製造用原子炉と商業用原子炉との建設があり、一九五四年にはソ連が世界最初の五〇〇〇kWの発電用原子炉を稼働させ「平和利用重視のソ連」の宣伝をしていました。「序文」で湯川先生は、

……エネルギー資源としての原子力の重要性は、かくしてもはや誰の目にも明らかになってきたのである。原子力発電が、今後十年二十年の間に、人間社会に革命的な影響力を及ぼすかも知れないという情勢を何人も無視できなくなってきたのである。……至るところ人口稠密なわが国において、原子力の発現に附随する放射能の危険をいかにして完全に防止するかという問題が、とくに重要になってくるのである。しかし、これらの問題に対する態度がどうであるにせよ、原子力発電の経済的意義についての知識と見通しを持つことの必要性には、変わりはないのである。この意味において、今回森一久君が多大の労力を払って本書の翻訳を完成されたことに敬意を表

したいと思う。

と書かれています。この本は、その後に森氏が「原子力ムラのドン」と言われるようになった契機にもなった重要な本であり、「原発推進と経済的側面」とを問題にした重要な文献であることは言うまでもありません。この延長上で、「経済的な利益」を考えることを最優先にしながら、森氏が日本の原発推進路線を取ってきたと言えましょう。

森氏を中心に原産会議は、一九五七年に発表された米国・原子力委員会の「WASH740」という大事故時の周辺影響に関する報告書を参考に、日本に適応した場合の「影響調査」報告を作成し、一九六〇年に科学技術庁へ提出しました。その内容が公開されたのは後のことですが、真面目に取り組んだことが分かります。米国は「WASH740」の改訂版を一九六五年に発表し、当然のことですが、次の継続作業は「リスク評価」でした。その「確率的安全評価」は一九七五年の「ラスムッセン報告：RSS」になるのですが、一方、日本ではその様な研究作業が継続されることがありませんでした。その最大の理由は「地震問題にあった」と私は考えています。それをしないことにしたのも、森氏などの原発推進グループだったのではないでしょうか。「RSS報告」で初めて、人的被害の想定がなされたのですが、その影響の大きさに私も驚いたのです。森氏は「原発に関する全てのことを国民に知らせるべきだ」が持論だったはずなのですが、地震の危険性に直面して、そのことを隠して、まさに原発推進派の言いなりになってしまったとしか私には思えなかったのです。

「RSS報告」は、日本と同じような地震地帯である「カリフォルニア州」を調査対象から外し

資料21　地震による炉心溶融事故の発生確率

SSEを0.2gとして設計された原子炉の場合

地盤加速度（加速度区分の平均値）	炉心溶解に至る故障の確率		炉心溶融事故の確率		
	単一システムの故障（本評価で使用）	2システムの同時故障（RSSで使用）	日本	米国東部（RSSより）	
			（有被害地震記録より）	平均的地盤	堅固な地盤
0.2g	0.001	3×10^{-5}	6×10^{-5}	2×10^{-8}	6×10^{-9}
0.5g	0.02	3×10^{-3}	4×10^{-4}	2×10^{-7}	3×10^{-8}
1.0g	0.1	3×10^{-2}	1×10^{-3}	3×10^{-7}	2×10^{-8}
合計			1×10^{-3}	5×10^{-7}	6×10^{-8}

ＳＳＥ（Safe Shutdown Earthquake=安全停止地震）。１ｇ（重力加速度）＝981Gal

出典：小林圭二・小出裕章・海老沢徹「2.原子炉事故の発生確率について」（『原発の安全上欠陥』第三書館、1979年）

ています。その上で、それ以外の地域での「確率的安全評価」を行ったのですが、立地条件以外に関しても幾つもの点で批判が相次いだこともあり、一九七九年早々に、その報告を撤回したのでした。米国ＴＭＩ事故の発生する直前のことでした。

しかし、日本では「ＲＳＳ報告」の「大事故の危険性は隕石の危険性と同じ程度」との結論を推進派は大々的に利用・宣伝したのでした。森氏の『オーラルヒストリー』でも「ＴＭＩ事故での放出放射能が僅かなのに騒ぎすぎている」との趣旨を述べていますが、米国ＮＲＣ（米国原子力規制委員会）の放出推定値に疑問があり、更に、一番問題だったのは、「現実に炉心溶融が起きた」ことだったのであり、それだからこそ、米国では規制の強化による経済性の問題があって、それ以降の原発建設がストップしたままになったのです。

「ＲＳＳ報告」の手法による「炉心溶融・確率」を地震国・日本に適応すると、どの様な値になるかを『原発の安全上欠陥』（第三書館、一九七九年）から引用したものを

「資料21」としましたが、カリフォルニア州を除外した米国の場合と比べて大きな確率になることがわかります。この『原発の安全上欠陥』は、伊方原発訴訟の住民側の証言資料になる様に作成された『原子力発電における安全上の諸問題』（原子力情報センター、一九七六～一九七七年）に「米国TMI原発事故」のことを追加して出版された本です。

湯川先生と森氏との関係に注目していた私なのですが、この文章を書くにあたって、色々と不思議に思うことがありました。湯川先生は「核兵器・廃絶」運動を中心にされ、森氏は「原発が危険路線を取らないようにする監視役」を任じていたことは間違いないでしょう。湯川先生が原子力委員に就任するかどうかの相談も、森氏は受けたのであり、その際に森氏は「監視役としての重要性」を湯川先生に進言したこととも関連があるはずです。そのことは、逆に、湯川先生が原子力委員を辞任した後は、自分が「原産会議」を中心として「湯川先生に替わって監視役を務める」という気持ちを強く持ったのだと思われます。

しかし、結果として監視役の役割よりも原発推進の役割の方が強く働いていたのではないでしょうか。森氏夫人は、「藤原氏の本」で、「震災の一年前に死んだのは、運命としか言えないですね。あれだけ一生懸命やってきたから、生きていたら、憤死したのではないかと思います」と述べています。「憤死の意味」が良くわからないのですが、自分の取ってきた路線が、晩年になって、東電を中心とする原発推進派との間でズレが生じ始めていたようで、いずれにしろ嘆き悲しんだことだけは確かでしょう。その様な意味でも、森氏が福島原発事故を見ずにお亡くなりになったのは幸せだったと私は思うのです。

晩年の森氏は、湯川先生が「広島に米軍の新兵器が落ちることを知っていたのかどうか」「そうであれば、何故、自分にも教えてくれなかったのか」という疑問を持たれたようであり、そのことは『藤原氏の本』に書かれています。その話は『オーラルヒストリー』の「付録2」として添付されていて、友人である京大工学部冶金の学生だった「水田泰次氏の資料」なのですが、水田氏の先生である西村英雄教授が「広島市出身の水田氏に早々に広島から逃げる様に」教えてくれた時に、湯川先生もその席にいたらしいとの話を森氏が知ったからでした。

この西村教授は「超々ジュラルミンの製造で世界的に有名」だったはずで、米国の科学者から内々に事前連絡を受けていたらしいのです。この「超々ジュラルミン」のことは広島の被曝調査とも関係しているので、ここで少し紹介しておきます。「超々ジュラルミン」は軽くて硬く、ゼロ戦の主翼に使用されていることでも知られていますが、荒勝研究室では「ガイガーカウンター」の筒に使用されていました。旋盤技術のベテランが僅か○・一ミリメーター厚にまで薄くすることが出来たことで、β放射線をも検出できたのです。それを使用して、広島から採集したサンプルを測定するのに役立ったことを、学生の時に測定をなさった石割隆太郎・奈良女子大教授からうかがい、そのノートを私も見せて頂いたことがあります。広島の被曝評価の見直し問題が起きた際ですが、その「超々ジュラルミン」が残っておれば、「再評価」が可能になるので、私はあちこちで探し回ったことがあるのですが、残念なことに見つかりませんでした。理研は「ローリッツエン検電計」を使用していたのですが、京大は最新鋭の「ガイガーカウンター」を使用していたことを、先輩たちが自慢していたことを思い出します。

湯川先生の「湯川記念館史料室の史料目録」や森氏の「森一久論説・資料目録」を読んで、私は色々と考えることがありました。その一つが「二人の間での手紙」や「資料」が全くないことです。森氏の目録には「湯川メモ」が一つあるだけなのです。私自身が全ての史料（資料）を精査したわけではないので、どこかに含まれているのかもしれませんが、「湯川先生と森氏」との関係は「原発問題」に関係することが多いはずですから、必ず、その様なやり取りが在ったはずです。これらの史料（資料）を整理した人たちの文章を読んでも、二人の間のことに関する記載が全くないのも不思議であり、二人の間のことは、福島原発事故を経験した私たちにとっても極めて重要な問題点でしょう。私は必ずどこかに保管されていると思っているのですが、破棄されることなく全面公開して欲しいものです。それこそが、「社会的な責任」のはずではないでしょうか。

二〇一九年九月一六日、江戸東京博物館で「今なぜ武谷三男なのか——その思想と現代の諸問題——」と題する講演会が開催されました。湯川秀樹、坂田昌一などと原子核・素粒子、特に中間子論を研究した理論物理学者・武谷三男氏（一九一一～二〇〇〇）が亡くなって来年で二〇年を迎えるのを記念しての開催でした。講演会の最初の講師は小沼通二・慶応大学名誉教授（元物理学会会長）で、湯川先生とも武谷氏とも古い付き合いのあった方です。小沼氏の話では、武谷家から段ボール三一箱にのぼる史料の寄贈を受け、「武谷三男史料研究会」として「リスト化、デジタル化を進めている」とのことだそうです。武谷氏は原発に批判的であり、湯川先生とも議論されていたはずなのですから、この史料の中に「どの様な議論がなされていたのか」「森氏との間でのやりとり」などが明らかになることを、私は期待しています。武谷氏の原発を巡る方針と、私たち全原連との方針とにずれがあっ

資料21　ローマ教皇の新聞記事

1　7版　2019年(令和元年)11月27日　水曜日　京

教皇「原発 利用すべきでない」

完全な安全の保証 訴え

帰路の機内、立場明確に

ローマ教皇記者会見での発言ポイント

※長崎、広島の被爆地訪問は深く胸に刻まれる体験だった
※世界で核兵器の保有が続けば、政治指導者の愚行によって人類が滅びかねない
※東京電力福島第1原発のように、原発事故はいつでも起こり得る
※原発事故の被害は重大。完全に安全が保証されるまでは利用すべきではない

【ローマ共同】ローマ教皇フランシスコは26日、原発はひとたび事故となれば重大な被害を引き起こすとして「完全に安全が保証されるまでは利用すべきではない」と警告した。教皇庁（バチカン）は原発の是非について立場を明確にしておらず踏み込んだ発言。東京からローマに戻る特別機の中で、記者会見し述べた。

訪日を終え、ローマに戻る特別機内で記者会見する教皇フランシスコ＝26日（共同）

日本滞在中は、核廃絶への強いメッセージと比べ、原発を巡っては遠回しに反対の立場を示すにとどまっていたが、東日本大震災被災者や東京電力福島第1原発事故からの避難者と交流し、被害実態を直接聞いたことが教皇に影響を与えた可能性がある。

訪日を振り返り、24日の被爆地訪問は「深く胸に刻まれる体験だった」と表明。被爆者の体験を聞くなどしたことにより「とても強く心を動かされた」と語った。広島と長崎の「両方を訪れたかった」とし、自らの希望で両被爆地を訪問したことを明かした。

原発事故に関し、東京電力福島第1や1986年のチェルノブイリの例を挙げながら、いつでも起こり得ると指摘。「甚大な災害が発生しない保証はない」と強調。訪日中は、東日本大震災被災者や福島原発事故避難者を前にした25日の演説で「日本の司教は原発の廃止を求めた」と述べるにとどまり、自らの言葉で原発に対する明確な姿勢は示さなかった。

教皇は会見で核兵器にも言及。使用だけでなく保有についても「倫理に反する」と改めて非難し、信者に対する教理の手引「カテキズム」に盛り込む意向を表明した。

『京都新聞』2019年11月27日

たのですが、それに関しても「どの様に考えておられたのか」などが明らかになることを私は期待しています。

二〇一九年一一月、ローマ教皇が来日し、長崎・広島・東京でミサを行い、東京からローマへ戻る特別機の中で記者会見しました。その中で「原発を利用すべきではない」と述べたそうです。その新聞記事を「資料21」としました。

その記事を読んで、長い間の私の関心ごとである「核兵器と原発」問題も、ようやくこの様な地点にたどり着いてきていることに私は感激した

のでした。

原発推進路線を取らなかった地震国・イタリアで、「被爆国であり、地震国でもある日本が、何故、多数の原発を持つことになったのか」と言われることもあるそうですが、我々日本人は「核兵器と原発」のことを真剣に考えてきたのでしょうか。私も『原発の安全上欠陥』（第三書館、一九七九年）で《原子力技術を選択することこそ、人類の最大の「ヒューマンエラー」なのではないか》と書いたからでもあります。やはり、核兵器も原発も、この地球から消え去るべき運命に直面していると言えるでしょう。

第2章　京大工学部原子核工学教室に就職して

はじめに

京大や東北大などには「原子核工学科」が設置されましたが、東大などの他の大学の多くでは「原子力工学科」が設置されました。日本で最初に設置された原発推進の教育機関である「京都大学・工学部・原子核工学」教室は、「原子力」そのものよりも、基礎研究である原子核研究の方を重視していたからだと言えるでしょう。京大工学部には六講座があったのですが、「原子核・素粒子理論、量子力学」「原子核実験・加速器工学」「放射線計測・放射線遮蔽」の三講座に、「炉物理」「炉工学」「核燃料」の三講座を加えた六講座で、前者の教授は物理系出身で後者は工学系の出身でした。理学部と工学部に加えて化学研究所などの研究者も設立の中心になっていて、それらの研究所の教官も教育に協力していました。

当初は大学院のみだったのですが、私が理学部に入学した時と同じ一九五八年から学部学生も募集されていました。募集人員は二〇人で、大学院の定員も二〇人と、他の学科と構成が異なっているのが特徴ですが、原発推進という目的を考えて、多くの知識の獲得が必要だと思われた為の少人数教育を重視した様です。

私が京大原子炉実験所ではなく、工学部・原子核工学教室の向坂正勝・教授の研究室へ就職したのは「重イオン加速器を建設して、核物理実験の研究を行う」との計画があったからでした。私は先に述べた様に「αクラスター模型」に関する研究がしたかったのですが、重イオン加速器でリチウム・

イオンを加速することが出来れば、αクラスター模型に関する研究の成果を上げることが出来ると思ったからでした。そんな私ですから、重イオン源の開発などを行いながら、「重イオン加速器」が出来ることを期待したのですが、残念なことですが、工学部・原子核工学教室に設置されることになったのは「バンデ型加速器」でした。この加速器では「陽子・アルファ粒子」の加速は可能ですが、リチウムなどの重イオン加速は出来ないのでした。そのこともありますし、バンデ加速器での加速エネルギーが低いこともあり、研究室としては「核物理実験ではなく、核物性実験」に移行したのですが、私は相変わらず「原子核実験」を志し、東大原子核研究所のサイクロトロンなどでの実験を柳父先生たちと行っていたのです。

そのこともあり、向坂先生たちにも嫌われたのだと思いますが、そのような時に大学紛争が始まったのです。そして、向坂研究室の教授・助教授は「核物性研究室」を、私を含めて助手だった二人は「核物理研究室」を作ることになったのです。その様な大学紛争のお陰で今までの講座制が見直されることになり、原子核工学教室でも「研究分野」に基づく「研究室」が出来ることになったのでした。当然のことですが、私は「核物理研究室」で「αクラスター模型」に関する研究をし続けたのでした。

「核物理研究室」は正式な研究室ですから、学生や院生も受け入れることが出来ます。しかし、文部省令では「助教授・講師」であれば「学生の受け入れは可能」なのだそうですが、大学の判断で「助手のみでも受け入れ可能」の余地があったらしくて、京大理学部でもその様な研究室が認められていたはずです。しかし、他の大学では不可能だったらしく、私の話を聞いた東大の宇井純さんが「うらやましい」と言ったこともありました。

宇井さんは「学生の教育にたずさわりたい」との思いがとても強かったのですが、東大工学部の都市工学科には、助手だけでの「研究室」は容認されておらず、宇井さんの下で研究したい学生は「教授の講座に入ってから宇井さんのもとに配属される」ことになっていたのです。そのことが宇井さんにとっては屈辱的だったのだと思います。その様な現実が宇井さんの「自主講座」が行われた理由の一つでもあり、宇井さんが沖縄へ移った理由でもあったと私は思っています。宇井さんと色々と話をしたことから推察するのですが、私の場合と異なり、東大には宇井さんのその様な苦しい思いがわかって、その様に支援する人々が少なかったのだと私は勝手に推測していたのですが、どうもそれだけではないようにも思いますので、ついでに触れておくことにします。

熊本学園大学の原田正純さんが「京都文化殿堂入りされる」というので、京都へ来られた時に原田さんを知っている友人たちと歓迎会をしたことがあります。その際に、私は「宇井さんが沖縄に行った本当の理由は何だと思われますか」とお聞きしたのです。私自身は原田さんのお宅に泊ったこともありますし、私が宇井さんと仲の良かったこともご存知だったようでした。その質問に対して、少し考えておられた後で言われたのが「宇井さんは博士号を持っていなかったからだろう」との予想外のご返事だったのに驚いたのでした。文科系と異なり理科系では「博士号」がなければ、助手から学生を指導できる講師・助教授・教授には採用されることは稀だったのですが、博士号を持たない宇井さんであっても採用して頂けるとのことが、「沖縄へ移った理由だったのだろう」というのが原田さんの回答だったのです。この後でも触れますが「博士号・問題」に関しては私も悩んだことだったからでした。

資料1　万年助手問題を伝える『朝日ジャーナル』1987年10月23日号

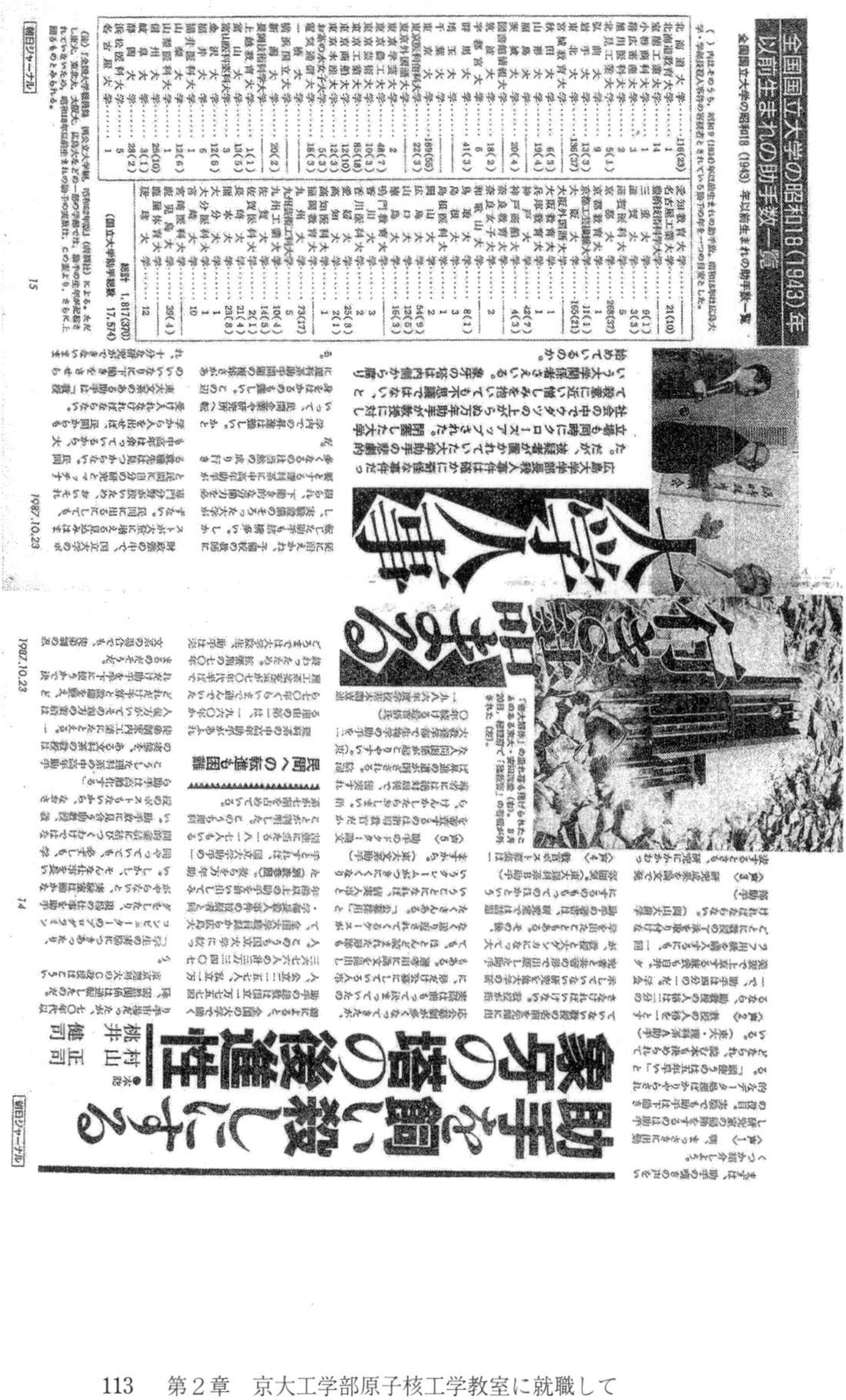

全国国立大学の昭和18(1943)年以前生まれの助手数一覧

助手を飼い殺しにする家父長的後進性

一九七〇年前後の大学などで「公害」や「社会の不正義」などの問題に積極的に関わったのは、私の見るところでは、やはり「若い助手クラス」が多かったのではないでしょうか。その様な問題に行動する若い研究者に対して、権威ある「象牙の塔」の教授層はどの様に対処したのかも重要な問題だと思います。一言でいえば、「万年助手」が増えたのでした。勿論、大学内の講座の状況や助手個々人の研究状況なども反映しますから、「助手を飼い殺しにする：万年助手」の定義は簡単ではありませんが、私は、その様な傾向は、文科系よりも理科系で強かった様に思っています。文科系・助手の場合は「地方でも研究が出来る」のですが、理科系では研究に金のかかる実験装置が必要な場合が多いですから、特に万年助手を生み出す構造が強かったと思います。「助手の高齢化問題」は一九八〇年頃から問題になってきたのですが、特に一九八七年の「広島大学・学部長殺人事件」との関係で、少しは知られるようになりました。その一例として『朝日ジャーナル』一九八七年一〇月二三日号の記事を「資料1」としました。全文を読みたい方は、図書館で読んで頂きたいと思います。「反原発運動」を大学で行うことがいかに大変だったかを、福島原発事故の後で読み返しながら考えたことでした。

この「助手の高齢化問題」は、特に理科系でも、原子力などの国の重要課題に対する場合などで顕著だったのではないでしょうか。「反原発運動をしないこと」を条件に、昇格や斡旋を受けた複数の助手の人から相談を受けたこともあります。それに対して、「反原発は私が頑張るから……」と私が言ったのでした。

いずれにしろ、ようやく原子核工学教室内に「核物理研究室」は出来たのですが、やはり今まで通りの講座制に基づく教授たちの力が強く、もう一人の助手の方も「核物性研究室」に移動され、小生一人が「核物理研究室」を運営することになったのです。

何故か「核物理研究室」は人気があり、優秀な学生・院生が希望していましたから、教授さん達も潰せなかったのだと思いますが、講座制に基づいて文部省から配分される研究費（校費といいます）は、教授の配当分が多くて助手の分は僅かです。原子核工学教室では教室全体に配分されてくる研究費を「研究室」を構成する「大学院生＋職員」の数に比例して配分されることになっていましたから、院生に人気のあった「核物理研究室」への配分も多く、また研究者の中でも私が良く「文部省の科学研究費」を獲得していたこともあり、研究費でも優遇されていたのでした。工学部には色々と機器購入費もありましたから、「ゲルマニウム検出器」という高価な測定器を購入できたのもそのおかげだったのです。原子力関連予算の配分も多かったのかもしれませんが、小生に対して「原子力推進のお陰で研究しながら、反原発運動をするなんて、ヒルのような人間だ」と原発推進派の助教授から罵倒されたこともあったくらいでした。

研究室の運営で、私が一番困ったのは「博士課程」の問題でした。修士課程までは教室内の運営で独自に行うことが出来ますが、「博士論文」のことになるとそんなわけにはいきません。いくら「博士号などは足の裏の飯粒だ」と言われていても、現実に「博士」になるには指導教授の言うことを聞かねばならないわけです。つまり、教授に頭を下げる必要があると言えましょう。私の様に修士課程から工学部に移った助手の場合は、移った先の教授に頼むことになるわけですが、その様なことは出来なくなってしまっていました。私が修士課程の時に知っていた物理教室の教授さん達は全員が定年になっておられますから、私自身にとっても「博士号」を取るのは難しかったのです。「その様な博士号を持たない助手が博士課程の院生を指導することが出来るのか」ということも問題になってきたのでした。その様な問題は、理学部系でも問題になっていて、「査読のある有名な欧文雑誌」にトップネームで採用された場合は、博士号の申請資格がある……と言うことになってきていたのでした。

そのような時ですが、それまで、出来る限り「修士課程」で就職してもらうように院生を指導していた私でしたが、「どうしても博士課程に行きたい」と言う院生が登場したのでした。「博士号」の決定は教授会の権限ですから、主査として教授に頼むしか方法がありません。原子核工学教室で「核物理・分野を担当する教授」は「核物性研究室」ですが、そこの教授の専門分野として「核物理」が明記されている以上は、その教授に頼むしか方法がありません。そこで、その教授に頼みに行ったのですが、「私は核物理のことは知らないので、引き受けることはできません」「大体、博士号を持たない研究者が博士課程の院生指導をするのがオカシイ」との冷たい返事だったのです。

困ったのは私で、良い研究をしている博士課程の院生を「どうすれば博士号を取得させることが出来るか」という難問に直面したのでした。その後の色々な経過は書きませんが、最終的に「博士号を申請する時の、教室主任（勿論、教授です）が責任を持って申請する」と言うことになり、申請した院生が無事に博士号を取得することが出来たのでした。その様な経過もあり、私も博士号を得ておく必要を実感したのですが、私自身がグループ研究で忙しく、その合間には学生・院生を指導する責任もあり、更に一九七〇年頃からは伊方原発反対運動にかかわることになり、一九七三年に始まった「伊方原発訴訟」では住民側の特別弁護補佐人になって、証人団の組織作りの責任者にまでなったのでした。更に一九七六年には「地震の危険性に関する住民側の証人」にまでなったのですが、そのことに関しての背景については第3章第1節以降に書くことにします。

第1節　「全国原子力科学技術者連合（全原連）」の誕生

大学紛争を契機として京大内でも、若い学生・院生を中心にして「研究を問い直す」動きが強まったことは言うまでもありません。私が所属していた「京大工学部・原子核工学科」でも院生を中心にして真剣に議論されたのでした。「原子核工学教室」ですから、まさに「核兵器と原発」が対象になることは言うまでもありません。

その様な状況下で、一九六八年秋からの東大や日大での学園紛争が過激な様相を見せ始め、その余波が京大にまで波及・拡大し始めて来たのでした。「大学解体」「自己否定」などを議論している時のことですが、一九六九年春の原子力学会で「ウラン濃縮に関する講演」があった際、その「濃縮方法」に関しての会場からの質問に、発表者が「企業秘密ですから答えることはできません」と言ったことが、出席していた院生から問題提起されたのでした。原子核工学教室の院生ですから、「濃縮技術や原発からのプルトニウムの入手」などのことは良く知っていますから、「企業秘密で技術が秘匿される現状」に極めて深刻になったことは言うまでもありません。「自主・民主・公開」の「原子力三原則」すら原子力学会では無視されていることに危機感を持ったのでした。

京都大学・基礎物理学研究所に内地留学して素粒子論の研究をしていた東大の院生だった山本義隆

さんが、東大紛争に身を投じて中心的な役割を果たしていることも、基礎物理学研究所の人から連絡がありました。その様な背景の中で、「原子力問題にどのように対応するのか」は原子核工学の院生・学生・職員にとっても重要な問題でした。基礎物理学研究所の所長は有名な湯川秀樹先生でしたが、何故か「核兵器には反対だが、原子力問題、特に最も緊急で重要なはずの原発問題」には全く発言がないのでした。すでに原発建設予定地では住民の反対運動がありましたし、その様な問題にどのように対応するかも議論の的でした。東海原発もありましたし、商業用の原発として関西電力の美浜1号機や東京電力の福島1号機の建設が最終段階になっていましたから、その様な段階で原発にどのような態度で望むかは我々にとっても大問題でした。その点では、核兵器開発反対に関しては意見が一致し、このままでは企業秘密を盾にして核兵器開発に進む可能性もあり、危機感を持ったのでした。

しかし、学生・院生は原子核工学科へ入学していたことも原因だろうと思われ、私のように理学部出身者と異なり、原発に関しては「色々と問題はあるが、全面的に反対する」という意見は少なかったようでした。

一九六九年一月の東大時計台の攻防もあり、若い人たちを中心にして、自分の関係する原子力に関わる問題点を問う意識は高まりを見せ始めました。いずれにしろ、この様な問題意識もあり、全国の原子力に関わる若手研究者を統一して相談するような「全国組織が必要だろう」と言うことになったのです。それを呼びかけるために、「京大から相談を持ち掛ける」ことになり、東大の原子力工学科へ私（荻野）が出かけることにさせられたのです。ノンポリだった私ですが、研究のために東京へ行くことも多かったからでしょうか、私が適任だということになったのです。一九六九年の春の事だったと思いますが、この様な運動体を作るメッセンジャー役として行くことはとても勇気のいる行動でした。「暇がなければ、またの機会にしよう」とのことではあったのですが、東大側に連絡もしてあったようですから、私は複雑な思いで上京したのでした。

当時の東大原子力工学科は本郷キャンパスではなく、弥生キャンパスにありました。一九六九年一月の時計台バリケード解除の際には本郷構内のバリケードは解除されたのですが、弥生のバリケードは残ったままでした。そのバリケードの中に入るかどうかに私も悩みました。その建物の前を何度も行き来しながら「入って良いのかどうか」「誰か人が来れば一緒に入ろう」などと考えたのですが、静まり返っていました。そこで決心をして中に入りましたが、教室の中のバリケードに囲まれた場所に数人の人がいて、私を迎えてくれました。

「京大原子核工学科から来た」ことを言うと、しばらく待たされましたが、他の人も呼んでくれて五人ほどで相談をしたのです。その中には東工大の学生か院生の人も一人ですがいたように記憶しています。本郷構内でのバリケード撤去の際に、バリケードの中にいた原子力工学科の学生一人が逮捕されたこともあって、原子力工学科のバリケードの中にいる院生・学生も「今後どう対処するか」に悩んでいたようでした。私は「助手」という職員でしたが、東大側には職員はおらず、学生・院生のみでした。そこでの相談結果として「大学の原子力関係の学生・院生に声をかけて、全国的な組織を作ろう」「その為の最初の合宿を夏に開催しよう」「秋の原子力学会で組織を立ち上げよう」と言うことが決まったのでした。

私は相談が始まるまでの時間帯に、すぐ近くにあった向坊隆教授の居室で色々な本を調べたのですが、その中には今なお記憶に残っている一冊のファイルがありました。向坊教授はその時の工学部長で、また日本での原発研究の第一人者ですし、原発の審査にあたる「原子炉安全専門審査会の会長」でもあったからで、その人の蔵書に関心があったのです。

しかし、私が驚いたのは蔵書ではなく、コピーされた一冊のファイルでした。その頃のコピーは、今の様にゼロックスではなく、「青焼き」という青色のコピーだったのですが、その様なコピー機械も当時ではほとんどなかったようなときでした。そのコピーは「福島第一原発」の審査に際する議事録なのですが、それを読んで驚いたのでした。向坊会長を始めとして、委員の多くは申請者である電力会社に初歩的な質問をしているばかりで、原発のことを全く知らないで審査をしていることが明らかだと言える様な内容だったからです。この様な「委員会の議事録」は必ず作成されているのだとは思うのですが、それ以来、今に至るまで私は見たことがありません。会議の簡単な要約は発表されてはいるのですが、委員と電力会社との具体的なやり取りが委員一人一人の発言も含めて全て詳細に書かれている様なファイルは公開されてはいないのではないでしょうか。一体、どこに保管されているのでしょうか。廃棄されてしまっているのでしょうか。いずれにしろ、安全審査の実態がいい加減であることをこのファイルを読んで実感したのでした。向坊教授は一九七七年には東大総長に就任し、その後には「日本原子力産業会議の会長」も務めています。福島原発事故の後で、私はその議事録のことを思い出したのですが、その中で「地震や津波や非常用電源」のことなどが「どのように議論されていたのか」をぜひ知りたいものです。

東大原子力工学教室での打ち合わせの結果、東大の方から「全国原子力科学技術者連合（略称「全原連」）という名前を使用しよう」との連絡があり、京大も賛成してさっそく一九六九年夏に合宿をして秋の原子力学会での旗揚げの相談をすることになったのでした。合宿は京大・東大を中心に二〇人ほどが参加しましたが、天気も良くて近くの青木湖から見る鹿島槍の姿を今も良く思い出します。色々なことが相談されましたが、参加者名や議事録などは秘密保持を優先することなどから一切取らないことになりました。「全原連」という言葉もあまり使用しないように気を付けることにしましたから、それ以降は「全原連」という言葉は合宿でも使用しない様に注意していたのでした。どのような討論がなされていたのか、今では忘れてしまっていることが多いのですが、それでも重要なことは覚えています。

「全原連」としての危機意識の最大の点は、まず「核兵器保有問題」でした。一九六九年春の原子力学会での講演者の「濃縮技術に関する回答拒否」問題もあり、このままでは「日本の核保有の可能性もありうる」ように思えたからでした。また、原子力発電所の建設が進んでいて、まもなく完成する直前でしたから、原発問題も議論されたことは言うまでもありません。特に、原発のプルトニウム問題や廃棄物が焦点でしたし、原発の安全性が重要な課題だったのです。勿論、参加者全てが原発に反対だったわけではありませんが、現行の原発推進に批判的であったことは間違いありませんでした。私の記憶では「核兵器の問題をどのように考えるか」「原発事故をどうすれば防げるのか」「原発の危険性をどのように宣伝すべきか」「新たな原発建設は阻止すべきではないか」「現地住民との共闘をどうすれば実現することができるのか」「今後、全原連としてどの様に運動するのか」などがテーマでした。メモなどが残っていませんので詳しい内容は覚えてはいませんが、とても真剣に議論されたのでした。

まず「一九六九年秋の原子力学会でどのような具体的な行動をするのか」が最大の議題でした。その内容に対して議論がなされ、最終的には京大支部が中心になって「全原連の結成と参加呼びかけ」を行うことになったのです。その際にまかれた「青焼きのビラ」がありますので、それを新聞記事と共に「資料2」にしました。「青焼きのビラ」は変色していて読みにくいので、わかりやすく書き直ししてあります。内容が「企業秘密の優先を批判」「原子力をめぐる問題提起」などに真剣に立ち向かうべきことを主張し、「全国原子力科学技術者連合を結成」を提起したのでした。

この原子力学会での呼びかけに答えて、東北大学で女川原発に反対していた東北大学・原子核工学教室の学生・院生たちと連絡が付くようになったのでした。その後、一九七〇年以降になり夏の合宿が柏崎や水戸などで行われたのですが、その理由は「現地の闘いを支援することで原発建設を阻止する」ことも重要だと考えたからでした。

水戸では再処理工場問題を学ぶためもあり、水戸で活動されている方々からの話をお聞きしたり、今後の運動の方針が議論されたのでした。また今後に予想される住民の行政訴訟などに対する対応も議論されました。全原連は原発問題に関する専門の科学技術者・集団として自らを意識していましたから、裁判が起きた時に「どの様に協力するのか」は重要な課題でした。その結果「各地での個別の原発訴訟に協力する」のではなく、専門的な科学技術に関する問題点に関して、「関東は東海第2原発訴訟を、関西は伊方原発訴訟を支援する」ことを決めたのでした。今後の日本の原発は「沸騰水型」と「加圧水型」になるはずであり、その二つの裁判で「原発の危険性」を徹底的に追及することに意

資料2　全原連の配布ビラ

既成の学会秩序を再検討せよ！

原子力をめぐる人類社会の現在の状況は、エレルギー革命に内在する矛盾の止揚及び核の脅威からの人類の解放を切実にせまられている段階にある。

この時期にあり、我々原子力科学技術者は、現社会秩序内にあって、人類のあらゆる可能性の解放を探求しつつ、「原子力」そのものの機能を徹底的に捉え直し、顕在化されている問題点を告発しなければならない。即ち矛盾を隠蔽した現社会へのエネルギー還元、公害（核拡散、放射線汚染・・）等の疎外現象を克服し、同時にこれらの矛盾を支える管理支配体制を打破し、新たな創造的地平を切り拓くべく前進する必要があるのではないだろうか。

本年４月にはこの原子力学会にて、かかる矛盾が「企業秘密」ということに集約された典型として、公然とまかり通っていることを見逃し得るであろうか。このような学会秩序を中心に現在の原子力開発体制を根底的に粉砕し尽くし、変革の志向性を欠除した科学技術者に自己改革をせまり、我々は新たな自己権力を確立すべく科学技術者運動を構築し、自らの加害者的存在を目的意識的に対象化しなければならないであろう。

ここに我々は全国の斗う原子力科学技術者と連帯し、共に全国原子力科学技術者連合を結成することを提起する。

原子力開発は誰のためにするのか！

11月１日　　全国原子力科学技術者連合

原子力学会でも〝造反〟
企業秘密で追及

【仙台】日本原子力学会は一日仙台市のプラザー会館で開かれたが、同学会化学・化学工学分科会（座長、大石純京大教授）の研究発表会で理研研究員、中根良平氏らが共同研究「気体拡散法によるウラン同位体の分離」の発表を行なおうとしたところ、若手の原子力科学研究者たちが〝この春の学会の責任を取れ〟と激しく追及をはじめた。

このため、発表後に公開討論会を開くということで、いったん騒ぎをおさめ、発表を終わった同日午後、大石座長、中根氏と同学会理事、中村康治動力炉核燃料開発事業団冶金部長らをまじえ、約百人が出席、公開討論会が開かれた。

この討論会は同学会若手研究者たち〝造反グループ〟の〝幹部糾弾集会〟というべきもので、中根氏に対し「企業秘密を学会で適用させたことと公開をモットーとする原子力三原則の関連についてどう思うか」とただした。これに対し同氏は「公開が原則だが、発表当時まだ特許をとっていなかった。学会で一度発表すれば特許はとれないので当時は発表できず、今回特許をとったので発表した」と釈明したが結論が出ぬまま切上げた。

出典：『毎日新聞』1969年11月2日

義があるということになったのです。我々の様な若輩には「原子力政策に寄与」するような力が全くないので、せめて裁判の場で「問題点を指摘することの方が有効だろう」「そのことによって、かろうじて原発の大事故を防ぐことも出来るのではないか」などとも考えたのでした。すでに、女川原発の反対闘争で「東北大学の学生が逮捕された」ことに関連しての「安全論争」が、伊方原発では土地裁判を巡っての訴訟での「安全論争」もありましたが限定的だったのです。

一九七三年から始まった「伊方原発1号炉」と「東海原発2号炉」の裁判は、内閣総理大臣を被告とする初めての「行政訴訟」であり、原発の認可を巡る裁判ですから、本格的な「安全論争」が展開されることになったのです。その「伊方訴訟」に関しては原告側弁護団長であった藤田一良弁護士の『弁護士・藤田一良——法廷の闘い』（緑風出版、二〇一七年）に書かれていますし、裁判資料に関しても『伊方原発設置反対運動裁判資料：第一～第七巻』（澤正宏編集、クロスカルチャー出版、二〇一三年）として出版されています。また、裁判資料の原本の全ては「立教大学・共生教育センター」に保管され公開されています。

第2節　全原連の活動について

一九六九年一一月に旗揚げした「全原連」ですが、その後の一九七〇年から各地で活動を開始したと言って良いでしょう。丁度、大学紛争の後でもあり、三里塚での闘いが話題になっていた様に、各地で大きくなっていた「地域の闘い」と共に闘うことが、若い人たちを中心に盛り上がって来ていた

資料3

撃　1969年12月17日(水)　第17号

70年代闘争へ向け
東大全共闘の
拠点からの
闘争報告

原子力の帝国主義的再編粉砕
柏崎原子力発電所を粉砕せ

全原連東大支部

学園闘争から全原連結成へ

《原子力学会告発闘争》

《柏崎原子力発電所設置阻止闘争》

出典：『進撃』1969年12月17日号

時でした。

各支部の闘い

「全原連」としては、原発反対の地域住民と共に活動することも重要な課題でした。東北大学支部は「女川原発」を、東大支部は「柏崎原発」を、京大支部は「伊方原発」を重要視していたと言えるでしょう。それぞれの支部ごとに活動に相違があったことは言うまでもありませんが、東大支部などの活動に関して、小生の知っていることを中心に紹介することにします。

東大支部は一九六九年から活動を開始していて、最初の文章は、小生の知っているのでは東大全共闘機関紙『進撃』の一九六九年一二月一七日号の寄稿だと思いますので、それを「資料3」としました。それ以降も、地域の公害運動との関連もあり、一九七〇年七月三日に開催された「第1回　工学シンポジウム——公害・技術・運動——」で「柏崎原発問題」を報告していますので、それを「資料4」としました。この「表紙」の主催団体名に「原子力共闘会議」がありますが、シンポジウムでは「全国原子力科学技術者連合東大支部」のみが報告しています。東大支部が支部として登場したのはこれが最後なのではなかったか……と思いますが、私の思い違いかもしれません。新潟県出身者の多い在京の学生を中心に、柏崎原発反対の運動に協力する人も多かったので、それらのグループと共に「原子力共闘会議」を結成して、それ以降は柏崎の住民運動との連携を重視したのだと思います。東大支部は「全原連」の機関誌『海ツバメ』の発刊と、「原発問題資料」パンフレットの作成などに精力的だったのは、「大学紛争」の余波が強かったからだと思います。

資料4　第1回工学シンポジウム資料

第１回　工学シンポジウム

―― 公害・技術・運動 ――

＊技術自身の内在的矛盾の批判

＊公害の構造的把握

＊技術者の規定性をいかに突破するか

於　東京大学工学部大講堂

１９７０年7月3日

主　　催

東大工学部助手会・加鉛ガソリンを告発する会

応化公害を告発する会・原子力共闘会議

冶金学科・都市工闘争委員会・建築共闘会議

「柏崎原発阻止斗争」

全国原子力科学技術者連合東大支部

○　は　じ　め　に

原子力発電所（原発）問題には原発自体の安全性の問題と阻止斗争，運動の２つの側面があるが，ここでは柏崎での地域斗争の面に重点を置く。安全性については全原連の東大，東工大，京大支部の出しているパンフレット等を参考にして欲しい。

しかし安全性の問題に何も触れないでは地域運動が何故起こるのか皆目見当のつかない人がいると困るので大雑把に述べる。１つは平常運転中放射能が大気や海水中に放出され，生体濃縮等で人体が被曝する点。第２点は，冷却水として海水が取られ５℃～１０℃位温度が上昇して放出される上，パイプに貝類等が付着しない様塩素が混ぜられ，その近海の漁場の変化や荒廃が予想される。

柏崎に予定されている８００万KWの場合，温排水の水量は信濃川と同程度と考えられ既存の火力発電所の類推は危険である。

第３に暴走事故の場合の危険性，等がある。

Ｉ　柏崎とは。

佐渡ヶ島から真南に直線をひき，本州とぶつかつた海岸に柏崎市がある。新潟県の人口７万の都市で，信越線から越後線が分れる分岐点で，普通高校，女子高，農，商，工業と５つの高校と短大がある。教育熱心な地方都市である。隣りの刈羽村（人口７千）には油田があり，精油とその関連産業と，又近くから出る鋳物用の砂を利用しての中小部品産業が柏崎の工業の発端であつた。今は油田は涸れ古いヤグラは残つているが，刈羽村と柏

－１４－

一九六九年一一月に「全原連の旗上げ」をしたのですが、その際に会場にいた東北大学の学生・院生と連絡が取れて、東北大支部も出来たのでした。丁度、女川原発に反対する学生・院生がいたこともあり、それ以降は各支部とも連絡を取り合うようになったのでした。東北大では、原発推進を叫んでいる江草龍男・東北大教授の追及が行われていて、丁度、江草教授と都甲康正・東大教授の柏崎市での講演（一九七〇年一〇月二六日）をテープで起こしたのを全原連のパンフレット「原発問題資料1」として紹介していますので、その表紙を「資料5」としました。

あまり知られてはいないのですが大阪大学支部もありました。阪大支部は対外的にはあまり活動はしていなかったのですが「資料6」の様な冊子を作成したりして、学内では活発な活動をしていたようです。

一九七二年の原子力学会は阪大で行われたのですが、全原連として学会会場入り口でビラ撒きをしたのです。そのビラを「資料7」としました。当時の学生・院生を中心とした全原連の雰囲気がわかると思います。ビラ撒きに参加したのは京大支部のみだったのですが、そのビラ撒きをしたのが阪大支部の学生だと勘違いされた様で、その後の阪大原子力工学科の教授たちの弾圧が強く、阪大支部は壊滅的な打撃を受けました。それでも中心メンバーの方たちは色々な形で「反原発的な活動」を続けておられました。

東北大・東工大・九州大にも支部が出来たそうですが、他の環境運動団体と一緒に行動することになったためか、具体的に「全原連支部」を名乗ることは無かったのかも知れません。少なくとも、私はそれらの「支部」が作成した冊子やビラなどを見たことがありません。

資料5　全原連のパンフレット

原発問題資料1

原子力の開発とその現状

東大教授　都甲泰正

原子力と地域開発

東北大教授　江草龍男

一九七〇年十月二六日（月）〈原子力の日〉
柏崎市民会館大ホールにて
柏崎市、日本原子力文化振興財団主催の講演会より

全国原子力科学技術者連合

資料6

RADIX NO.8

我々の論理

▶ 原子力問題特集

全国原子力科学技術者連合

大阪大学支部

国立大学以外に、立教大学や近畿大学などにも原子力工学科があったので、その様な私立大学との提携も議論されたのですが、国立大学と私立大学とでは雰囲気が異なるとの理由で、「全原連への参加呼びかけ」をしないことになったのです。京大支部には職員がいましたから、近畿大学などとの関係もあったので「呼びかけをしたかった」のですが、今から思うと残念に思います。運動が広がらなかった要因の一つかもしれません。

京大支部は、当初はどちらかというと「核兵器問題」に関心を持つ学生・院生が中心だったように思います。先にも書きましたが、「被爆者団体協議会（被団協）」が原発推進だったこともあり、核兵器開発に反対だった人々は、反原発運動を避けていたようでした。その様な状況もあり、全原連の運動方針が「住民運動との連携」が強くなるとともに京大支部のメンバーも少なくなって行ったようで、最終的には「反原発派」のみが残ったように思います。それでも大学内での公害運動に色々と関わりましたから、「全原連・京大支部」は結構知られ始めて来たのでした。

日本特有の地震の危険性に着目

「被爆者青年同盟（被青同）」という被爆（曝）二世の方々が集団で私（荻野）の研究室へ抗議に来られて、追及をされるのを経験したこともあります。「平和利用にまで反対するとは何事か」というわけですが、私は「原子力推進教室にいて、色々と考えて反原発を決心したこと」「地震国・日本はリスクが大きい」「プルトニウムが容易に入手できるのだから、原爆製造にもつながる」「廃棄物をどうするのか」などと、必死になって一人で反論したのでした。あの強大なエネルギーを「平和利用に

資料7

原子力学会よ何処へ逝く？

全日原子力科学者連合

■晩秋色の街に映え流れつつ全国各地から集ってきた研究者の皆さん！

全国原子力科学者連合(全原連)より心からのアピールをお送り致します。1969年大学闘争の中より生まれた我々全国原子力科学者連合は全国各地で色々な闘いを闘って来ました。その中で多くの事を学び、日々「研究者とは何か」を自らに問い返しつつ、自立した主体的研究者たらんとする決意を新たにしています。ここ数年、全国で設置され様とする原子力発電所は多くの住民の反対を無視し、官憲等一体となった権力の為のまさに進められております。田中内閣の「日本列島改造論」は、まさに原子力開発をその目玉商品としているにも拘ず、改めに最もくし、中曽根をオールマイティにすることにより必死になって推進しようとしており、更にその中曽根を国防会議に入れることまでやっています。核燃ウランの輸入問題にみられるように、権力は原子力の全ての面で開発優先の思想に貫かれています。

■この様な情況の中で、我々は「研究者とは一体何なのか」を厳しく問い直す姿勢なしに、どうして総会に参加することができるのでしょうか？ 西欧色の濃い時に権力の強さをもたらすのであり、多くの住民の不安・不信・苦しみに我々研究者はどうして目をそらすことが出来るのか？「関係ない」と言い切る人、「原子力は無公害だ」と言い切る人の多い原子力学会とは一体何なのか？ 時には形だけの環境問題に関するシンポジウムを開き、それで役目は終ったかのような顔をし、権力のオコボレ研究費に目の色を変え、開発・賛成派の看板は喜んで受けるが、反対派の意見に耳を貸さずる研究者の集団。体に良心的な人がいて反対派に呼ばれても「これ以上は言えませんのだ」「帰って内容を上役に報告せねばなりませんのだ」と言い「お前は賛成派の回し者か！」と住民から罵倒される。反対派の集会で来ればく賛成派すらないのことを誇ってもう？まず排除されることの明らかな策謀の様に、まさに原子力界は中曽根ファシズムであると言っても良い状態である。前文部・科学技術庁長官・原子力委員会委員長、国防会議メンバーであるということは何を意味するのか？ 原子力三原則すら幻のように消え去りアメリカ原子力行政の方向にすら追って推し進められつつある日本の原子力界。この様なファシズム体制の中でこの原子力学会は何をしようとするのか？ 中曽根ヒットラーの誕生を喜んでいる学会ボスはともかくとして、多くの研究者は何を考えているのか？「もの言えば…」の寒さりにくれを覚え、住民側に立とうとする研究者が、この学会にこんなに少ないのは何故なのか？ 原子力推進形で生まれた学会でありすぎドップリつかってもう抜け切れなくなっているのか？ 16日付各日に報道された様に住民は、学会に不信と怒りをたぎらせている。

まさに今こそ原子力学会は、総力をあげて、自らの姿勢を問い直すべきである。

この様なビラをまくこと自身、無意味であろう。皆様ではある研究者（特に若手）の皆さんに、全原連に結集し、ともに闘われることを要望致します。

☆ ☆ ☆'72 11月20日 ☆

全原連

使いたい」との思いは良くわかりますが、両者の間での議論はまとまらなかったのでした。

しかし、この追及を受けて、私は「日本特有の地震の危険性」を真剣に調べ始めることになりました。丁度、その頃は「地震の原因」を「活断層を原因とするかどうか」を巡って論争が行われていたのでしたが、米国は「活断層説」に立って規制を行う方向になり始めていたのです。日本は「活断層説」からは距離を置いていたことは間違いありません。特に日本の地震研究の総本山ともいえる「東大地震研究所」や地震学会の主流派は「活断層説」に反対していたのです。背景に「原発推進」があったのかも知れません。原子力推進を期待されていた一九七〇年には「大阪・万博」があり、原子力の火が広場で誇らしげに灯されていましたから、原発に反対する人は極めて少なかったのです。「大阪万博に反対のデモ」にも参加したのですが、私一人は「原発反対」を叫んでいたのでした。

丁度、一九七〇年には京都で「ロシナンテ社」が誕生し、『月刊地域闘争』という月刊誌を出版し、全原連もその企画に賛同して、色々な面で協力しました。伊方原発闘争などの記事も良く掲載されたりしていました。その「ロシナンテ社の設立趣意書」を「資料8」としました。当時の雰囲気がわかると思います。また、『技術と人間』という雑誌も創刊され、「一九七三年夏号」に全原連は「原子力発電と住民：ネーダー声明の波紋とその背景」という寄稿もしていますし、以前に紹介した「敦賀原発のコバルト60の測定」も京大支部が協力した結果でした。

色々と思い出すことがあるのですが、「トリチウムの人体実験」問題もその一つです。京大医学部のある研究室が、「トリチウムを注射して、人体への拡散状況を調査する」という計画を立てて、寮の学生を募集したことがあります。それを知った京大支部は「幾ら法律（の規制値＝編集部）以下で

資料8　ロシナンテ社の設立趣意書

株式会社「ロシナンテ社」設立趣意書

現在，全国各地で，住民が自分の住む地域をとり巻く環境の破壊や，権力による様々の差別に対して，いろいろな型の運動が起っています。基地，公害，農民問題，自然破壊，部落問題，在日外国人問題などがそうであり，それに対する住民運動のあり方，各住民組織の情報交換，経験交流，組織・技術面での理論・技術の深化を通して，各運動の強化に役立つものを吸収してゆく場をつくる必要があります。そのために，「地域斗争シンポジューム」を定期的に開催し，また，地域の側からの，住民の生々しい声を反映した雑誌月刊「地域斗争」によって，地域の刻々の流動と住民の決意を全国的にまきちらし，地域斗争が持つ共通の問題を全国化する作業を開始したいと思います。そのために，月刊「地域斗争」の永続的発行と全国化を保障する強固な団体として，株式会社組織を設立します。

地域斗争は，それぞれの地域に住む住民の意志を無視し，圧殺するような方向で進行しつつある「地域開発」「地域振興」「工場誘致」や既存企業の自然破壊＝生活破壊，ときには人殺しすら平然とやって責任を感じない態度に対する反対運動，または「住民差別」，「民族差別」に対する反対運動という型で起っています。それは，住民に対する生活破壊から，生活環境を奪還する運動です。そして，運動を押しすすめるなかで，住民は，政治の実態を知り，自治体という名の「住民不在」の役人団体に不信の声を発し，自然を独占し，地域を独占し，地元住民を植民地支配しようとする企業の存在に，あらためて反対運動の決意を強くせざるを得ない状態にあります。そして，住民（運動）を分断し，植民地支配しようとする企業の行動を，「公共性」と「中立性」の仮面をかぶって正当化する学識経験者の発言にとまどいつつも，真実は，言葉ではなく行動によって表現されるものであることを学んでいます。

かかる状況にあって，地域斗争は，多様性と多面性を持った生活環境に支えられた自生的形態を運動面における基本的性格として持っています。運動の共斗と連帯は，相互の住民組織にとって役立つ事のみに限定すべきであり，まとまって行動する事が得になる組織のみが，そのつど共斗し，共斗すると損になる組織は，それぞれの観点から運動を行なう自由を保障する原則を確立すべきです。

8月8・9日に東京都立川市で行なわれる第1回「地域斗争全国シンポジューム」は，各地域で住民運動を進めてゆく場合に直面する様々な技術的・理論的諸問題に対して，具体的に参考になる討論を行ない，合わせて，月刊「地域斗争」発行の体制を確立したいと思います。一方，この雑誌の販売と資金面を担うものとして，株式会社「ロシナンテ社」を設立します。月刊「地域斗争」を，真に住民運動を担う住民のものとし，長期的かつ継続的に刊行するために，出来るだけ広範に大衆投資家による株主を募集したいと考えています。

一部株主による独占を排し，大衆的基盤の上に立つ株式会社「ロシナンテ社」設立の趣旨に御賛同いただき，株主になってくださる事をお願いします。

1970年8月1日

株式会社　「ロシナンテ社」
設立発起人

榎　　幹雄
菊沢　喜八郎
近藤　康男
中川　芳一
雑元　昌弘
平野　敏彦
本野　一郎

資料9　タンプリン講演会のビラ

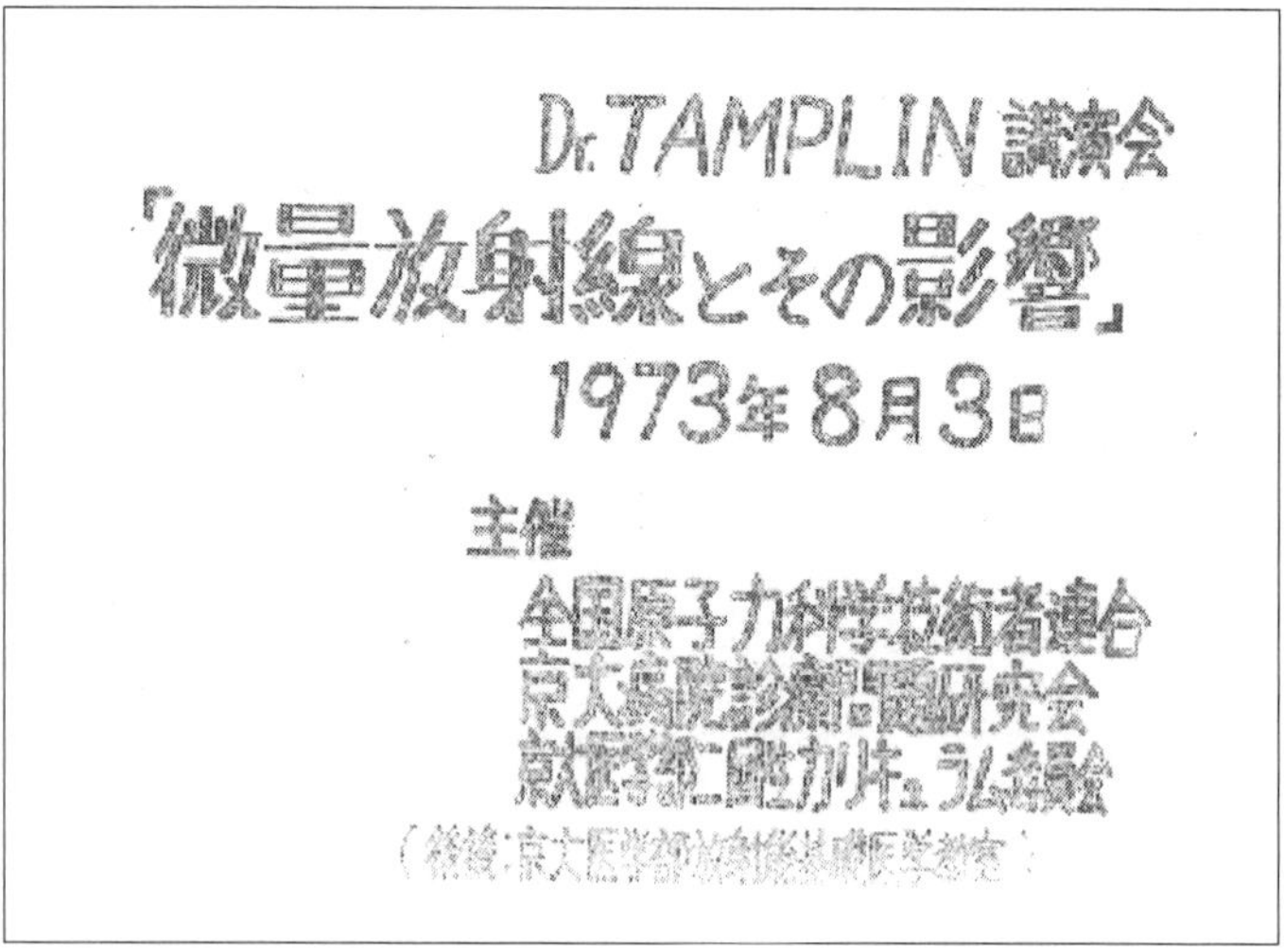

Dr. TAMPLIN 講演会
「微量放射線とその影響」
1973年8月3日
主催
全国原子力科学技術者連合
京大病院診療問題研究会
京大医学部二回生カリキュラム委員会
（後援：京大医学部放射線基礎医学教室）

あろうとも、これは人体実験ではないか」と反対して、医学部の学生たちと協力して撤回させたこともあります。満州の「七三一部隊」は京大医学部の出身者が中心だったことは有名ですが、その様な系譜が今なお続いている様で悲しくなったことでした。

一九七三年八月には、米国の放射線影響研究者として良く知られているタンプリン博士の講演会を企画したこともありますので、その案内ビラを「資料9」としました。「原水禁」が世界大会に講師として博士を招待した機会に、途中の京都で講演をして頂いたのです。この様に京大支部は、「全原連」として学生・職員が表立った存在として色々な原発問題に関連する場所に登場していたのですが、この様な点でも他の支部とは異なった行動をしていたのではないでしょうか。

この「タンプリン講演」は、当時、京大支

部が取り組んでいた「レントゲン撮影の低減化」問題とも関連があり、医学部の学生たちとも一緒に行動したのでした。一般に集団検診でのレントゲン撮影は「間接撮影」ですが、その方が「直接撮影」に比べて被曝量が強かったこともあり、毎年のように行われる集団検診での危険性が、結核の発見よりも大きくなっていることに危機感を持ったからでした。京大保険診療所のレントゲン撮影の責任者の卓上に、「工学部の荻野が来たら用心すること」とのメモのあることを教えてくれた人もいました。担当者も気になっていたのでしょうか。小学一年生から毎年の様に間接撮影を受けるわけですが、「何とかして間接撮影を減らすべきだ」と考えて、「原水禁」の紹介で社会党の看護婦出身の国会議員に陳情に行ったこともあります。残念なことでしたが「学生の健康管理はレントゲン撮影が目玉なのだから……」とその国会議員に相手にしてもらえずに帰ったことを思いだします。「学生の健康を守るために、年に二回のレントゲン撮影を行う」ことを宣伝する女子大も当時はあったほどだったのです。その陳情から五～六カ月後だったと思いますが、厚生省が「毎年行っている集団検診でのレントゲン撮影を中止する」ことを発表したのですが、我々の運動が少しは役に立ったのかも知れません。

この様な京大内での多方面の環境問題にかかわってきた京大支部ですが、伊方原発訴訟での一審の敗北以降は、米国スリーマイル島（ＴＭＩ）原発事故が発生したことや高松高裁での第二審の準備などに忙しく、学生・院生の参加も少なくなってきていましたから、京大支部独自の活動は少なくなってきました。それでも「資料10」の様な運動をホソボソと続けていたのですが、一九八〇年からは京大原子炉実験所のいわゆる「熊取六人組」（海老澤徹・小林圭二・瀬尾健・川野眞治・小出裕章・今中哲二の各氏）が、「原子力安全ゼミ」を積極的に開催するようになってからは、京大支部としての具体

資料10　京大支部発行のビラ

原子炉実験所をめぐる諸問題に関する総長見解に対する批判と質問

10月15日付京大広報において，岡本総長は原子炉実験所をめぐる諸問題について“総長見解”を発表した。我々は7月20日に総長および原子炉実験所長に，“すべての問題提起者に対して真摯に対応するように”との文章を提出したが，“総長見解”と“所長見解を発表するので，今は回答しないという総長からの伝言があったのみである。柴田所長にいたっては，一切の回答を寄せていない。その結果，示された回答が10月15日付の“総長見解”である。我々は，この文章に多くの重要な問題点が含まれているので，ここに質問したい。

総長は，①安全管理には十全な努力を傾注してきた，②周囲の住民に対して……その理解と納得が得られるように努めてきた．と述べている。それでは今回の事態をめぐって問いたい。安全管理に十全の努力をしてきたというのならば，何故，^{60}Co や ^{137}Cs が所外に排出されたのか。まして，大学外から指摘されるまで，その実態を京大が把握していなかった原因はどこにあるのか。さらに，周囲の住民の理解と納得が得られるように努めてきたと言い放つならば，先日地元住民が総長に面会を申し入れた際，部屋に居ながら会おうとさえしなかったのは何故か。

総長は，原子炉実験所を“信じている”，“信頼しつつも注意深く見守り”，“期待する”などと，自らの責任を放棄した言葉を連ねている．しかし，この問題は，単に実験所だけの問題ではなく，大学の問題であり，総長自からが責任を負い，対処すべき問題ではなかろうか．

振り返ってみるに，1972年の水銀をはじめとする重金属の“タレ流し”の件，1973年の比叡平への放射性容器不法投棄等の事件に際して，当時の前田総長は，関係住民に対して，京大としてまず陳謝し，反省し，対策を明示してきた。ところが，今回の総長見解は，このいづれをも明確にすることなく，ひたすら“見守っている”にすぎない。まさに責任回避である。

我々は，先に提出した要望書にも述べたように，1972年の前田総長が確認した“関係住民の要求があれば話し合うという総長確認事項を岡本総長がすみやかに履行されるように要望するものである。それとも岡本総長は京大が対外的に行った“総長確認”を破棄されるのであろうか。

1979年11月6日

京大災害研グループ，全国原子力科学技術者連合京大支部，京大安全センター
（石田（6133））（荻野（17-458））（松久（5795））

的な活動も少なくなってしまったのでした。

東大支部は「柏崎原発の住民運動」の支援を中心に活動したり、東京の反原発運動に関係したりしていましたが、「原子力共闘会議」と「全原連・東大支部」との関係もあり、その内に「東大支部」を掲げることは無くなって、その後は「全原連」としての運動を続けることになったようです。関西からは、その前後の詳しい経過は良くわからないのですが、多分、「全原連・京大支部」のみが「支部」として独自に運動を続けていたのではないでしょうか。長年にわたり東大支部が編集していた『機関誌：海つばめ』も、一九七七年頃に京大支部が責任発刊したのですが、それが最終号になりました。

第3節　反原発住民運動とのかかわり

京大支部と住民運動との関係も複雑でした。一九七〇年代から始まった地域闘争の内の環境問題の一つに原発問題があったのですが、関西では「瀬戸内海の環境問題」「道路公害問題」などと共に闘われましたし、伊方では「労働者・学生」からなる現地専従者もいましたから、全原連としては「裁判支援」と「住民運動支援」とに忙しい日々を送っていたことになります。私自身は、現地としては鹿久居島（岡山県）に出かけていましたが、その後が「伊方訴訟」で忙しくなったのでした。その様な中での「原発問題」に関して私の記憶をたどりながら述べることにします。

京大支部が程度の差がありますが取り組んだといえる反原発の住民運動は、鹿久居島（かくいじま）（岡山県）・

伊方〈愛媛県〉・阿南市（徳島県）・浜坂（兵庫県）・久美浜（京都府）・日高（和歌山県）・日置川（和歌山県）・古座（和歌山県）・熊野（和歌山県）・大飯（福井県）などがあります。大阪大学の久米三四郎・講師が積極的に活動しておられたのですが、京大支部としては限定的だったと思います。東大支部が作成したスライドを持って、各地で勉強会を開催しましたが、面白いエピソードもありますので、その様な話を簡単にしておくことにします。

鹿久居島

京大支部が最初に住民運動と交流したのは、岡山県・鹿久居島原発の問題でした。閉鎖海域だといって良い瀬戸内海に原発を建設するという無謀な計画を、反対住民と共に止める必要を感じたからでした。労働組合などが熱心だったのは「原水禁」との関係が深い組合だったからだと思います。私も東大支部が作成したスライドを持って学習会の講師をしたこともありました。当時の共産党系の「原水協」は、森一久氏も褒めている様に「原子力三原則を守っておれば大丈夫」「住民無視での推進に反対」ではありましたが、原発そのものには反対してはいなかったと言って良かったのでした。この場所は近くに赤穂市なども あり、本土側の日生（ひなせ）は良い漁場であることもあって漁民の反対も強くて建設計画はまもなく頓挫してしまいました。

伊方

伊方に関しては裁判などで詳しく書きますが、現地の反対住民の方々を支援する組織としては、関

資料11

伊方通信

創刊号
1972・2・5

原発粉砕斗争勝利！

発行者
南西労学共斗
伊方斗争支援の会

≪我々の依拠する人民・大衆とは何か？≫

我々をとりまく現在の状況、管理され、統制され、[illegible]集団として囲い込まれていく……これこそ今日の我々の生命と生活を[illegible]に破滅へと追い込んでいく日本全土公害化への道にほかならないのだが……この囲い込みの状況をなんとしてでも食い止め、自分の生きる道を自分自身の手で築き上げていこうとする諸志に、我々は[illegible]の問題を提出する。なぜなら、それに答えることこそ、我々のこれからの[illegible]に、生き生きと正しい方向、内容を与えてくれるだろうと確信するに他ならないからである。'67～'69に至る[illegible]の全国学園斗争は我々に重大な教訓をもたらした。[illegible]その[illegible]として、この「人民・大衆とは何[illegible]」という[illegible]。三里塚を頂点とする日本全国の地域住民の戦斗的・持続的かつ自立した斗いこそ、我々にそれを示しているのではないだろうか？

≪地域住民の様々な斗いは我々に何を示しているのか≫

'67頃から全国的に拡大したベ平連運動、第一次安保・日韓そして羽田・佐世保を経て東大・日大の全国学園斗争の激烈な斗いの中で展開された全共斗運動は、既成のものとは全く異質のものを生み出した。それは萌芽であり、未完成なるものであった。だが今我々は、地域住民の「住民運動」の中にそれを見ることができる。もちろんその形態、内容は様々であり、一つの型に定型し得ないし、評価し得ないが、その中に、「確かな手ざわり」を感じることができるのだ。既成左翼、党派の介入により種々の分化、分解をしつつも、その基幹部分は、既成のもの（物・者

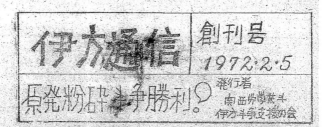

（1）

西の学生・院生を中心とする「関西労学共斗：伊方斗争支援の会」がありました。その「伊方通信」創刊号を「資料11」にしました。一九七三年には愛媛大学で「伊方闘争支援の関西労学大会」を約一五〇名の参加で開催し、その後で建設予定地にまで足を延ばしてデモをしたはずです。一九七一年夏には技術評論家の星野芳郎さんを団長とする「瀬戸内海調査団」の船も伊方現地に接近して、磯津の若い漁民の方々と交流したことをも思い出します。

阿南市

四国電力の最初の原発予定地は津島町（愛媛県）だったのですが、早々に失敗して、次の候補地が阿南市の蒲生田岬でした。例のごとく豪華な慰安バス旅行をして住民を若狭の原発見学に連れて行きました。そのバスが美浜原発の近くを通ったときのことですが、放水口近くで「釣りをしている人がいる」ことに気付いた漁民の方が、バスをストップさせて「何が釣れているのか」を見に行ったのです。ところが、釣り人は釣り糸もなくて釣りの真似をしていただけでした。釣り具などを準備する時間がなかったのでしょう。この阿南市では、公害反対運動の中心人物が四電から賄賂をもらっていたことも明らかになり、四電側の立地部次長が国鉄に飛び込み自殺をしていますが、「原発誘致がらみ」だと言われています。ＴＭＩ事故の衝撃もあって、七九年に市長が白紙撤回しました。

浜坂

京大支部が浜坂の反対運動に直接に関係したことはありませんが、記憶に残っていることがあります。

住民の方々が京大の研究室に来られて、色々と質問を受けたのですが、「資料をコピーしたい」とのことで、研究室にある多数の資料を徹夜でコピーして帰られました。それを学習されて「四分冊のパンフレット」を作成されたのですが、内容がとても良くて感心しました。私が良く「地元の住民の方々の自主性を大切にすべきだ」と言っているのは、住民の方々には学校の先生もおられますし、魚に詳しい方々もおいでですから、その様な方々が集まって勉強なさることはとてもすばらしいことだからです。勿論、科学者・技術者の支援は大切ですが、地元住民の主体性・自主性をまず第一に考えての協力であるべきだということを浜坂で学んだように思います。一九七九年に計画は中止になりました。

和歌山県

北は若狭、南は紀伊半島に原発を建設するのが関西電力の計画でした。和歌山市の汐見文隆医師や女性たちを中心とする反対運動が強く、京大でも原子炉実験所の方々や京大支部も色々と支援をしました。面白い「デマビラ」も配布されたりしたのですが、私の知っていることでは「不動産屋から協力を求められたことがある」ことです。私が反原発の研究者であることを知らなかったのでしょうが、「古座」の予定地近くの土地を購入して、湾に偽の筏を設置しているので、「協力して欲しい」とのことでした。本当に設置されていたのかどうかは確かめてはいませんが、この様な補償金目当ての話はアチコチで聞いたことがあります。

大飯

若狭湾の原発で、京大支部がかかわったことがあるのは、大飯原発の初期の頃だけです。大飯町が最初に主催した一九七一年の講演会では阪大・原子力工学科の教授が安全宣言の話をしたのですが、参加した京大支部メンバーが会場から質問をしたのです。町長はその質問に答えさせないように講師を退席させました。また、京大支部が若狭の原発に関わらないようにしたのには理由があります。若狭の原発に関しては、共産党系の住民が中心になっていて、すでに述べていますように、日本科学者会議系の科学者の支援もあり、原発に反対だった全原連を若狭から追い出すことが重要だった様です。その様な流れの中で、中心的になっておられた住民の方に対して、色々ないきさつもあるのですが、「今後は全原連（京大支部）としては若狭には関わらない」との約束をしたのでした。そのことも、京大支部が若狭地方の原発ではなく、瀬戸内海に面する伊方原発を中心に支援することになった大きな要因です。

第4節　全原連とその他の反（脱）原発運動との関係

一九七〇年代になり、多くの公害問題が話題になり始めたのですが、反（脱）原発運動に関しても各地で運動が広がり始めました。ここでは全原連・京大支部と関連する主な「反（脱）原発運動」との関係に関して私が重要だと思うことに限って述べることにします。

岩佐訴訟と全原連

色々な問題があるのですが、まず「労働者被曝」のことを取り上げることにします。加圧水型原発に比べると、沸騰水型原発の方が「原子炉内の汚染が多い」と言われてはいたのですが、具体的な汚染状況は全く公表はされていませんでした。下請けの労働者の被曝が急増化し、いわば使い捨ての様に扱われていたと言えるでしょう。その様な状況下の一九七四年に「岩佐訴訟」は提起されたのでした。

敦賀原発での作業で被曝した岩佐嘉寿幸さんが日本で最初に訴訟を起こした「岩佐訴訟」は全原連とも関連がありました。一九七四年四月一五日に大阪地裁に提訴されたのですが、その訴訟を担当されたのも藤田一良弁護士であり、藤田事務所で最初に岩佐さんの膝の状況を二人で拝見したのです。残念なことなのですが、その後の岩佐さん支援を「京大支部としてはしないことにした」のには理由があります。京大支部から岩佐さんに送られる資料や手紙が、電力側に渡っている可能性があったからでした。岩佐さんは仕事が出来なくなり困窮されていたようでしたが、岩佐さんは電力会社と密かに取引されていたのかも知れませんし、電力会社が秘密に入手していたのかも知れません。このことは、私も初めてここで明らかにすることなのですが、「嘘であって欲しい」とは思いましたが、「万が一」を考えて、それ以降は岩佐さんとの交流には用心したのでした。岩佐訴訟の支援は「岩佐訴訟を支援する会」が中心になって行われ、阪大の久米三四郎講師などの人たちが全面的に協力されていました。それでも京大支部として無関係でいたわけではありません。

岩佐さんは一九七一年五月二七日、日本原電・敦賀発電所の建屋内で「不断水穿孔作業」中に被曝したのでした。その作業以降「身体がだるいし、熱も高く、特に右足に痛みがあり」ましたが、病院でも原因がわからず、「仕事も出来ず家で休む」状態が続いていました。一九七三年に阪大病院・皮膚科を受診して「放射線皮膚炎の疑い」と診断され、一九七四年三月二日に「放射線皮膚炎（右膝二次性リンパ浮腫、右下腿足）」と決定されて、訴訟に踏み切ったのでした。私も藤田事務所で岩佐さんの右膝を見させて頂きましたが、配管を押さえていた部分が黒く変色しているのに驚きました。

「岩佐訴訟」の申請前日には「支援する会」が中心になって、若狭地方の周辺で「明日、訴訟を提起すること」を知らせる「ビラ撒き」をすることになり、「京大支部としても若狭地方での協力は出来なくても、滋賀県での協力は出来るだろう」と考えて、当初予定になかった滋賀県側の国鉄駅周辺の寒村でのビラ撒きに協力したのでした。その結果ですが、何と若狭地方からではなく我々が協力した滋賀県側から「私も原発ブラブラ病らしい」という人が現れたのでした。藤田事務所でお会いして、色々と詳しくお聞きした上で次回にお会いする約束日も話し合ったのでした。ところがその約束日には来られなくて、藤田弁護士に電話があったのでした。その際の話では「県会議員の方と相談をしましたが、裁判になると費用もかかるし、勝つ見込みも低い」ので「電力会社と相談する方が良い」ということを話されて、「五〇〇万円で和解する」ことになったのだそうです。他にもこの様な人がいるらしい……との情報をキャッチして若狭地方を探し回ったこともあったのですが、足取りが取れなくて諦めたこともあります。国会でも質疑が行われて話題になったこともあり、電力会社は「岩佐訴訟に続くような訴訟を何としてもストップしたかった」のでしょう。確実な証拠を示すことが出来な

資料12①　反原発全国集会の案内ビラ

反　原　発　全　国　集　会

―生存をおびやかす原子力―

8月 24日(日) ～ 26日(火)

目　的　いまや神話と化した原子力発電の「安全性」と「経済性」の実態をあばき、電力の「必要性」のごまかしを明らかにし、それぞれの闘いの経験を交流して、そこから反原発闘争の教訓を引き出し、すべての原発の運転・建設・計画を停止させる意志を統一するとともに、これを全国民の運動にすべくアピールする。

日　程

日	時	内　容
24日	9:00～9:30	受付
	9:30～12:30	講演 原子力発電の危険性について　武谷三男氏　高木仁三郎氏 原子力発電の「経済性」と「必要性」について　星野芳郎氏
	1:30～6:00	公開討論会　（テーマ）原子力は救いか破滅か 推進側・反対側それぞれ3名の代表と参加者による討論 （司会）清水誠氏（推進側）未定（反対側）久米三四郎・市川定夫・芳川広一の各氏
25日	9:00～12:00	国内外の反原発運動の報告
	1:00～6:00	分科会　（テーマ）運転中・建設中・計画中の原発をどう止めるか 8分科会に分け、島根・玄海・伊方・女川・柏崎・川内・熊野・東海の主報告をもとに討論
	8:00～	交流会（自由参加）　具体的な活動の経験交流 政治・経済・社会と原発
26日	9:00～12:00	総括集会　分科会の報告と討論 総括報告（集会の成果と運動の展望） 集会決議

（注）原子力産業会議は最近になってから、公開討論会に推進側の代表を出すことを断ってきたが、原子力産業会議に限らず推進側の出席を最後まで求める。最終的に推進側が出席しない場合は、推進側の論点を一つ一つ論破する。

個人会費　2,000円。一般市民は1,000円（一般市民で資料集を希望する人は2,000円）。

会　場　（24日）京都産業会館内　京都染織会館シルクホール（京都市下京区四条通室町東入）
電話連絡先：シルクホール事務所　075－211－8341
交　　通：（市バス）京都駅烏丸口バス乗場より系統多数、四条烏丸下車
（阪急）烏丸下車　（タクシー）京都駅より約400円
（25～26日）京都大学農学部各講義室（京都市左京区北白川追分町）
電話連絡先：農学部遺伝学研究室　075－751－2111　内線6138
交　　通：（市電）京都駅烏丸口東側市電乗場より②番に乗車、農学部前下車
（タクシー）京都駅より　約800円

宿泊申込　宿泊希望者は、予約金1人あたり1,000円を添えて、宿泊申込書を8月15日必着で下記に送付してください。
（宿泊申込書送付先）945 新潟県柏崎市幸町 7－15－202 幸荘No.3 宮川真
宿舎は京大医学部正門前「さわや本店」（電話075－761－4141）。宿泊料は1泊2食で3,500円、2泊の場合は7,000円。

資料12②

原発の"即時停止"訴え
京都で初の反対全国集会

【京都】原子力発電所の即時停止を訴える「反原発全国集会」が二十四日から三日間の日程で京都市で始まった。運転中、建設中だけでなく、計画中のものも合わせると全国で数十基にものぼるといわれる原発に反対して、運動を続けている住民たちの呼びかけで開かれたもので、初の全国集会。

二十四日午前十時前から、京都市下京区のシルクホールで始まった集会には、兵庫・浜坂町、愛媛・伊方町、宮城・女川町、新潟・柏崎市、鹿児島・川内市など北海道から九州まで全国各地で反対運動をしている住民や支援の科学者グループ、一般市民ら約五百人が参加。集会の冒頭、わが国で初めて原子力平和利用を提唱した物理学者、武谷三男氏のメッセージが読み上げられたが、同博士は「分裂核エネルギーの最大の困難は、その強烈な放射性廃棄物処理にある。これはいかんともしがたいもので、何らの解決方法もいまだにない。全く絶望的である」とエネルギー問題解決には太陽エネルギーなど別の道を進めるべきだと強調した。

続いて科学評論家の星野芳郎氏が「油やガス漏れが工場の常識であるように、原発の事故発生率の放射能漏れなども現状の科学では、減らせても防ぐことは出来ない」と原発技術の限界を明らかにした。

午後からは「原子力は救いか、破滅か」をテーマに公開討論会に入ったが、出席を依頼しておいた原発推進側専門家は「つるし上げ集会になる」などの理由で欠席した。参加者たちは「推進側は原発の国民的合意や対話を口にしながら逃げるとは」と怒っていた。

二日目から分科会や交流会を開く。

（写真は二十四日、京都市で開かれた反原発全国集会。討論では推進側席は空席のままだった）

出典：『毎日新聞』1975年８月25日

いのが残念なのですが、日本中でこの様なことが行われていたのではないでしょうか。

反原発全国集会と全原連

一九七五年夏ですが、京都で「反原発全国集会」が開催されました。田中内閣の原発推進路線に遭遇して、日本各地で原発を巡る反対運動も激しくなってきていたのです。浜坂・熊野・柏崎の反対運動グループが中心になって呼び掛けて、最初の「全国レベル」での「反対運動の集会」が開催されたのでした。当初は「京大構内」で開催する予定でしたが、「推進派との公開討論も行いたい」との希望もあり、交渉相手である「原産会議」(日本原子力産業会議)との相談の結果、その公開討論の会場のみを京都の中心にある貸し切り費用の高い「シルクホール」に決めて、原産会議も了解したのでした。その際の「案内ビラ」を「資料12」にしました。

浜坂・熊野・柏崎の三団体で方針を決めて、それに従って現地・実行委員会が準備を行うのですが、実行委員会には市川定夫さんや全原連・京大支部を中心に、原水禁・関西の市民団体などが全面的に協力したのでした。「資料12①」でもわかりますが、公開討論の推進側のメンバーは「直前にならないとはっきりしない」とのことで書かれてはいませんが、「必ず送ります」との約束だったのでした。ところが、直前になっても「メンバーの知らせがない」ことに困ったのは担当交渉役の浜坂の方々でした。そこで「原産会議」に問い合わせをしたのですが、「参加しない」との回答だったことに驚いたのでした。

「全国集会の参加者の多い」ことに驚いた原産会議としては、その様な集会に協力することになるのは「得策ではない」と判断したのでしょうか。原産会議の副会長は「原発推進のドンと言われた森一久氏」ですから、原発推進の為には「反対派と冷静に議論するつもり」は最初から持っていなかったのでしょう。

いずれにしろ、担当していた浜坂の方々は、困り果てて、原産会議の会長である「有沢広巳氏」の自宅へ夜間に電話を入れて懇願したのでした。浜坂の方からの連絡では「会長は自宅で医者の往診中だった」のですが「そんなことに答えることはできない」と、すぐに電話を切ってしまったそうです。確か、残り数日しかない時でしたが、今から「推進派と交渉する」ことは不可能です。そこで、私は「会場では最後まで原産会議からの参加を待つことにして、来なかった場合は事情を説明して、模擬討論会に変更する」ことを提案したのでした。その場合の「模擬討論での推進派役は全原連が責任を持つ」ことにしたのです。

当日の会場は八〇〇人の座席がぎっしりで、日本中から反原発の方々が集まったようでした。その模擬討論の直前には、反対派側の久米さんに「負けないように頑張ってくださいよ」と言ったことを覚えています。推進派役だった全原連メンバーの迫力があったのだと思いますが、終了後も「推進派役に詰め寄る住民の方々の多いのに困った」ほどでした。残念なことですが、これ以来、本当の意味での「公開討論」は行われてはいないように思います。原産会議は困った時になると「反対派（脱原発派）を呼んで討論会」を開催するのですが、この時の事を忘れてしまっているようです。森氏などは「うまく乗り切った」と喜んでいたことでしょう。森氏の日記にはどの様に書かれているのか、知りたいものです。

原子力資料情報室と全原連

「全国住民集会」の成功を受けて、「原水禁」では、今までの「原発・再処理工場反対運動情報・連絡センター」を発展させて、新たに「情報室」を「原水禁」の五階の空き部屋を使用して設置する計画が浮上しました。七五年六月二〇日に武谷三男・久米三四郎・原水禁の連名で呼びかけられ、それが「原子力資料情報室」になるのですが、専任のスタッフを置くことが必要になり議論されることになりました。「原水禁」の事務局の方が担当となり、久米さん・市川さん・小生と事務局の四人が東京へ集まり相談会を持ったのでした。

久米さんは「全原連」のことを知っていたこともあり、「荻野君が良い」と言われたのですが、私は研究に関心がありましたから、「久米さんが最適だ」と言ったことを覚えています。市川さんは「私でも良いのだが、やはり東京に基盤のある人が良いのではないか」との意見でした。三人ともが関西勢ですから東京にいる専門家が望ましいのです。そこで、久米さんは研究仲間でもある高木仁三郎さんの名前を始めて挙げられたのです。日本の放射化学の分野ではすでに久米さんは有名でしたし、「反原発ばかりに熱中するのではなく、核化学の研究分野へも協力してくれるように頼んで欲しい」とまで小生に依頼する研究者もいたほどでした。核化学では加速器で照射生成された放射性物質を手早く短時間に分離することが重要なのですが、その一秒を争うようなスピードで化学処理を行うことに関しては久米さんにかなう人がいなかったのだそうです。半減期の短い放射能の研究では、その様な技術が重要なのです。丁度、高木さんは大学を退職して三里塚の住民運動に関係しておられたのですが、その運動団体との関係も良くない時でしたし、久米さんとしては好都合だと判断されたのでしょう。その相談会で「高木さんに依頼しよう」と言うことになり、久米さんが交渉されることになったのです。

久米さんの交渉は、スムースに進んだわけではありませんでした。当時の原子核関係の研究者として、高木さんは森瀧さんの様に「核全面否定は難しかった」のだと思いますが、反原発とまでは言えなかった様でした。しかし「プルトニウムの使用には反対」とのことで、私は久米さんに「プルトニウムの使用に反対なら、必ず原発にも反対になるはずだから、良いのではないか」と答えたことを覚えています。全原連が核兵器・プルトニウム反対から始まって、原発反対運動に至ったからでもあります。当時としては「プルトニウム価格の方が異常に高価だ」「再処理リサイクルの要はプルトニウムであり、その利用が核兵器と高速増殖炉につながる」「原発とプルトニウム利用とは一体である」ことは常識になりつつあったからでした。

この様な全原連・東京支部の東京での活動に関しては私は詳しくはないのですが、その様な経過もあり、高木さんは「プルトニウム研究会」を主宰して、原子力資料情報室に関わることになり、原子力資料情報室の世話人として高木さん・武谷三男さんなどがなられて、全原連も協力したのでした。高木さんとしては核化学の専門家として、プルトニウムの測定を重要課題とされていたので、久米さんを始めとしてその研究に協力することにされたのでした。しかし、市井の研究者がプルトニウムを取り扱うことは容易ではありません。米国の「シエラクラブ」のような大きな市民団体であれば可能でしょうが、原子力資料情報室では不可能です。そこで、研究室の使用は早稲田大学の藤本研究室を使用することが出来そうだったのですが、難題に直面することになりました。

プルトニウム239を測定しようとすると、どうしても原発・原爆では出来ないような同位体であるプルトニウム236が必要になります。そのプルトニウム236を試料に入れて化学処理をして、定量化することが必要だからです。プルトニウム236は日本原子力研究所のみが、米国から微量ですが譲ってもらっていたのですが、極微量であれ外部に渡すことは出来ないのです。困った久米さんたちは、日本で作ることを企画されたのでした。その場合に作成・入手することができるのは、大阪大学の核物理研究センターにある加速器のみでした。その加速器は全国共同利用ですから、テーマを申請して説明会で承認されて初めて利用できるのですが、久米さんからその計画実施を小生に依頼されたのです。その加速器で実験していた私ですが、やはり「プルトニウム236の入手」は「核化学の研究分野」であり、核化学の専門家である久米さん自身が申請するべきで、久米さんが申請して頂ければ、「私も全面協力しましょう」と答えたのです。結局、その実験計画は実現しなかったのですが、大学の研究者と市井の研究者との相違を考える問題として、今なお、私が色々と考えている問題の一つです。少なくとも、私は大学で研究・教育を行いながら「反原発の道」を選択したのですが、日本の様に市井の人の研究をバックアップする思想のない国では、高価な施設・装置の利用も困難なのであり、そのことを「市民の科学者」としての限界も高木さんは実感したのではないでしょうか。

労学共闘会議と全原連

一九六八年〜一九六九年の大学闘争に関連して、大学生を中心に現地闘争が盛んになり、その一環

資料13

東電柏崎原発

公聴会阻止を通告

地元の反対派

東京電力・柏崎刈羽原発（新潟県柏崎市）の建設に反対している地元の柏崎・刈羽守る会連合、同原発反対同盟、社会党新潟県本部の代表ら約二十五人は二十五日、科学技術庁で山田太三郎原子力委員に対し「現在の無責任な安全審査体制のもとでは、原発新設を許すべきでない」などと抗議し①柏崎原発公聴会の開催を阻止する②同原発の安全審査の無効を宣言する――などを内容とする佐々木科技庁長官（原子力委員長）あての申し入れ書を手渡した。

柏崎原発の公聴会について科技庁は、現地と中央の二本立てで行い、現地公聴会には対話方式を取り入れ、中央公聴会は専門家ベースの公開討論会とするなどの改善策を示しているが、地元側の安全審査そのものに対する不信感は根強く、一昨年の東電福島原発問題、公聴会の混乱も予想される。

代表らはさらに「柏崎原発に対する電源開発調整審議会の認可（昨年七月）のあと、建設予定地の地盤劣悪がいっそう明らかになった。原子力委が設置認可した全国各地の原発は事故続きで、ろくに動いておらず、原発の安全性、経済性は破たんした」などと迫ったが、山田委員は「柏崎原発の安全審査にあたっては地盤、原子炉の耐震性に重点を置いている。原子力委の安全審査は大事故や人体への放射線障害の防止を主眼にしており、小さな故障は重視とは考えていない」などと答え、原発の安全性を強調した。

「原発批判取り消せ」

科技庁、電力社長しかる

原子力発電所の建設を進めている電力会社社長が経済雑誌上で、国の原子力行政を批判したことに佐々木科学技術庁長官ら同庁幹部が激怒、しかりつけていたことが二十五日の衆院科学技術特別委員会で明るみに出た。

これは、住民との訴訟問題に発展している四国電力の伊方原子力発電所（愛媛県・伊方町）について湯山勇氏（社会）の質疑で出たもの。湯山氏が四国電力（本社・高松市）の山口恒則社長が月刊「国際経済」という経済専門誌の六月号で、インタビューに答え①わが国の原発の建設は相対的に早過ぎた②安全審査も問題がある――と語っていることを取り上げた。

これに対し、生田局長は「あの記事を見て怒りを覚えた。四国電力には原発を建設する資格がないと思った」と答え「ただちに山口社長を呼んで真偽をただし、しかりつけた」と語った。

湯山氏はこの答弁に、「政府の欠点を正しく批判したのにしかるとは筋違いだ」と再答弁を求めた。しかし、生田局長は「山口社長の釈明を一応は了解した。私だけがわかっても活字になったものを読んだ多くの人の理解は得られないのでマスコミを通じて取り消すよう求めた」と強気で、同局長は、これは、原発の監督官庁とそれを受ける立場の電力会社という公的な関係での発言訂正要求であり、この要求が入れられなければ行政上の措置を取ることを明らかにした。また佐々木同庁長官も「山口社長は通産省から四国電力に出た官僚出身で、よく知っているので呼んだうえ"山口君の失言だ"ときつくしかった」と答えた。

出典：『読売新聞』1975年6月26日

として環境問題に取り組む人たちが増えたのでした。高度経済成長の陰で、日本各地で環境劣化が大きな問題になったのですが、そのシンボルが「水俣病・新潟水俣病・イタイイタイ病・四日市ぜんそく」の四大公害事件だったと言えるでしょう。いずれの事件も一九六〇年代後半に裁判が提訴され、一九七一年九月には「新潟水俣病」、一九七二年七月には「イタイイタイ病」、一九七二年八月には「四日市ぜんそく」、一九七三年三月には「水俣病」で患者側の全面勝訴になりました。このような運動もあり、各地での環境保護運動が激しくなり、政府も「環境庁」を設置して環境重視の立場を鮮明にせざるを得なくなったのです。特に、関西の大阪市大・関西大・京大・奈良女子大などの学生たちを中心に伊方闘争支援の「労学共闘会議」が結成され、現地との連携が進むことになったのでした。

その様な中で、瀬戸内海の環境問題も大きな話題になり、関西の大学の若手研究者や学生・院生を中心にして「瀬戸内海総合調査団（団長：星野芳郎）」が一九七一年に結成され、瀬戸内海に建設が予定されていた愛媛県・伊方町の伊方原発や岡山県日生町の鹿久居島原発に対する反対運動を支援する動きが関西でも出来たのでした。勿論、現地では激しい反対運動が闘われていたのですが、それに関西の大学関係者も協力することになったのです。京大でも若手研究者や学生・院生を中心に協力・支援が行われ、私は鹿久居島の住民の為に「スライド」を持って原発の危険性を説明に行ったこともありました。

鹿久居島原発の計画は早くに撤回されましたが、伊方原発の方は四国電力が強引に建設を強行していました。四国電力社長が「わが国の原発の建設は相対的に早過ぎた」「安全審査も問題がある」と雑誌のインタービューで語ったことに関して、佐々木・科学技術庁長官らに謝りに行ったことも明らかになっています。衆院科学技術特別委員会で明るみに出たのですが、それを報じた『読売新聞』昭和五〇年（一九七五）六月二六日号を「資料13」としました。

この後でのことですが、「伊方斗争支援の会」が解散することになり、現地に残っていた二人の専従者の内の一人は「地元の新聞社の記者」となりましたが、もう一人はどうなったのでしょうか。その方は私の居た「原子核工学教室・放射実験室」に来られて、階段の白壁に「全原連を批判する」大きな落書きを書いたのでした。全原連を「伊方闘争の上部団体（司令塔?）だ」と思っていたようです。当人は実験室の横の木から落ちて怪我をし、近くの病院へ入院したのですが、私は伊方現地の運動支援ではなく裁判支援を中心に行動していて、現地の運動のことは良く知らなかったので、お見舞いに行って色々と話しながら、現地での運動支援に関わることの難しさを考えたことでした。

現地の反対運動と京大支部

環境問題が大きな話題となり、一九七一年には「環境庁」が作られて、政府も環境問題に取り組まざるを得なくなったのでした。その様な状況の中に「原発問題」もあったことは言うまでもなく、全原連もそのような動きと深い関係があったのでした。ところが、伊方での「土地裁判」も負けてしまい、住民の反対運動が窮地に立たされていた時に、浮上してきたのが「認可を取り消す行政訴訟」でした。その様な行政訴訟を提起するとすれば、原発の危険性を中心に戦う必要があります。地元の方々の相談を受けて、労学共闘会議のメンバーが大阪の弁護士さんや関西の科学技術者との連携を模索したのです。その結果として、「自分でマイクを組み立てたりする科学に強い?弁護士」である藤田一良・弁護士さんに白羽の矢がたち、科学者として久米三四郎・阪大講師や全原連メンバーが協力することになったのでした。

関西では、各大学の学生を中心にして「伊方原発反対・労学共闘会議」が結成され、全原連・京大支部も色々な形で協力しました。一九七一年に初代の「大石・環境庁長官」の奈良市での講演会では、会場から「閉鎖海域である瀬戸内海に原発を建設することに反対して欲しい」との声を上げたことを記憶しています。今にして思うのですが、福島原発事故ではなく伊方原発での事故だった場合には、どの様な影響になったことでしょうか。

一九七一年夏に「瀬戸内海総合調査団」の調査船が、伊方原発建設予定地にまで近づき、周辺の住民や漁民の方々と交流したのですが、その頃には原発敷地内土地や里道などの「土地裁判」が行われていました。予定地は四電に売る契約をしているが、「契約が違法であり里道などは売っていない」としての裁判でした。「土地裁判」は松山の弁護士さんが担当しておられたのですが、原発の危険性には触れないようにしておられたことから、現地の人たちから「大阪の弁護士さんや関西の研究者」との連携を望む希望もあり、大阪の藤田弁護士さんや阪大の久米三四郎さんや全原連メンバーにも連絡があったのでした。「原発の危険性には触れない」との松山の弁護士さんの考えは、共産党系の弁護士さんだったからのようで、「土地裁判に加わるのなら、大阪の共産党系の弁護士集団の了解を得て欲しい」とのことに反発して藤田弁護士は参加を断られたのですが、そのことは『弁護士・藤田一良――法廷の闘い』（緑風出版、二〇一四年）に書かれています。

しかし、「原発の危険性」に関する主張も必要であったことから、結局は久米三四郎さんが証言さ

資料14　伊方原発の異議申立書に添付された過去の地震分布図
（1973年1月27日）

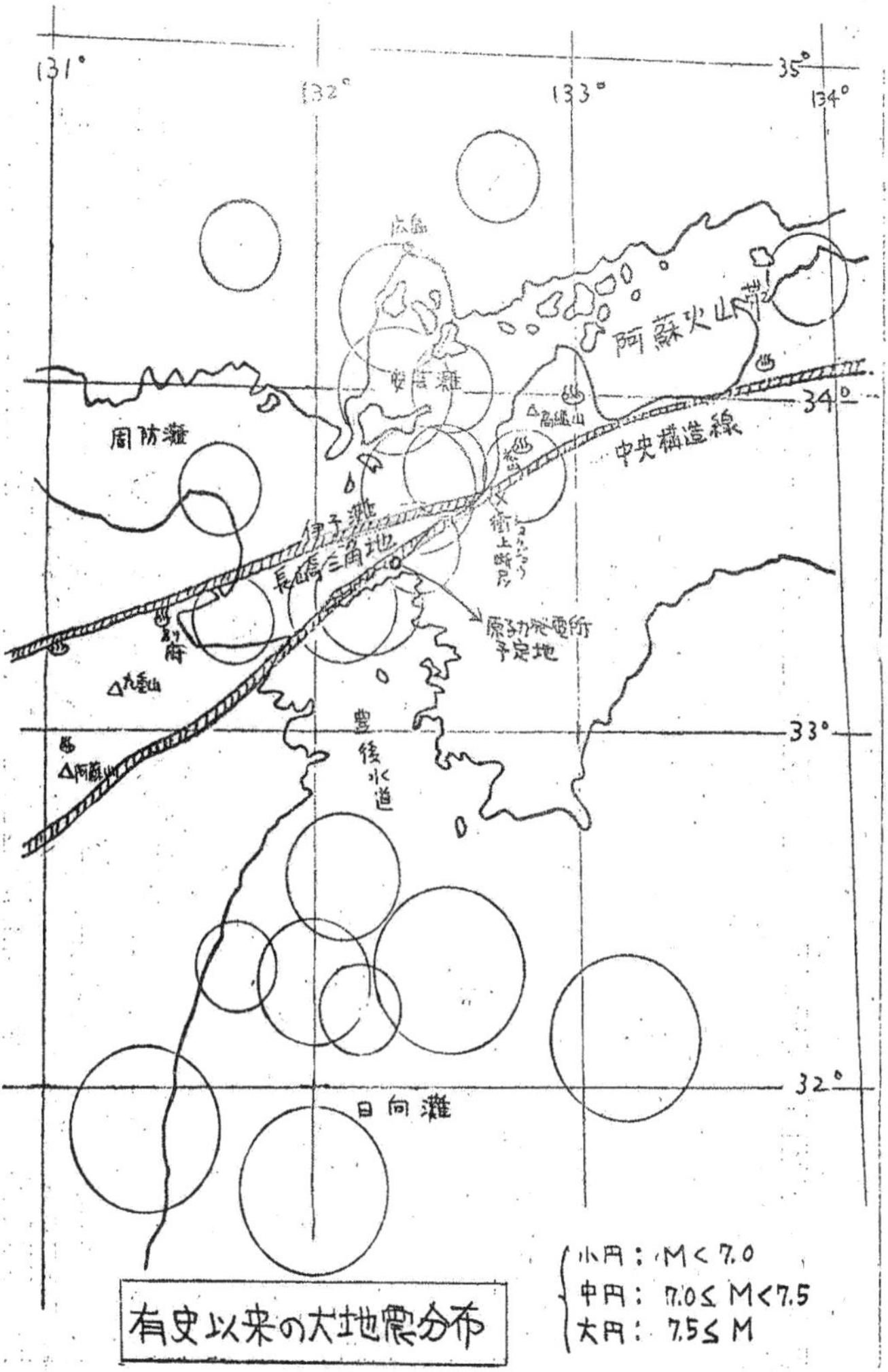

れたのではないでしょうか。その証言内容を私は知らないのですが、地震の危険性では「近くにある世界最大の活断層である中央構造線」の事は話されなかったのではないか……と思います。私は「中央構造線の危険性を主張」したのですが、久米さんは「活断層説には反対」であり、私を「何度も批判しておられた」からで、久米さんが「活断層説を認める」ようになったのは一九七八年頃からだろうと思います。私が「地震に関する証人」になったのは一九七六年なのですが、その私の証言のことは「伊方訴訟ニュース」には全く触れられてはいませんでした。「伊方1号炉訴訟の後で行われた伊方2号炉訴訟は「地震の危険性」を中心に、弁護士のつかない本人訴訟で行われたのですが、その頃には「久米さんも活断層説に賛成」されていて、私にも2号炉裁判への協力を求められました。しかし、私は「1号炉訴訟にのみ協力する」ことにしていましたし、「地震の問題点は私が執筆した本に全て詳しく書いています」と言って協力を断ったのでした。

異議申し立て

伊方原発1号炉訴訟は、一九七二年一一月に内閣総理大臣名で建設認可が下ろされたのに対する、日本で初めての「原発認可の取り消し訴訟」ですから手続きも複雑なのです。原発を建設しようとする会社は、内閣総理大臣に許可を求めるのですが、その場合には原子力委員会に諮問することになります。諮問された原子力委員会は「原子炉安全審査会」に対して安全審査をすることを命じますが、伊方原発の場合は「第八六部会」の専門家が審査にあたりました。その結果を受けて原子力委員会が内閣総理大臣に報告し、建設認可がなされるのです。その認可に不服の場合は、まず三カ月以内に

「異議申し立て」を行う必要があります。それが却下されて初めて行政訴訟を提起できるのでした。

行政訴訟は行われることが少なく、弁護士さんたちも良く知らなかった様で、三カ月以内に「異議申し立て」を行う必要があるということで、慌てて「異議申し立ての書面」を作成したのでした。簡単な書面でしたが、伊方原発の立地条件の悪さを示す為もあって、中央構造線とその周辺に発生する過去の地震分布を示す図面を、私が手書きで作成して「異議申し立て書」に添付したのでした。その図を「資料14」としました。最初から、中央構造線が活断層であることを裁判の焦点の一つにしたのです。

確か、その後に提起された玄海原発の住民訴訟は「異議申し立て」をしなかったばかりに、訴訟が認められなかったように思います。一九七三年二月に「異議申し立て」を「内閣総理大臣」に提出するために東京へ出かけたのでしたが、その結果が「棄却」でしたので、一九七三年八月二七日に内閣総理大臣・田中角栄を被告として、松山地方裁判所に提訴されたのでした。正式の訴訟名は「四国電力伊方発電所原子炉設置許可処分取消請求事件」です。

当時の日本の地震学会は「地震の原因としては活断層説ではなかった」のですが、伊方訴訟では住民側は最初から「活断層説」で闘ったのでした。この図は当時の研究結果を調べたものなのですが、二〇一六年の熊本地震では、阿蘇山の西側で活断層が二つに分かれているのに対応して、四月一四日と一六日とに別々の活断層が相次いで地震源になったことを知って驚いたことでした。

第3章　伊方原発訴訟のこと

第1節　裁判の開始まで

伊方原発訴訟の提訴は一九七三年八月二七日ですが、それ以前から訴訟に関する動きがあったことは言うまでもありません。ここでは、内閣総理大臣を被告とする「行政訴訟」に踏み切るに至った、伊方反対運動の流れの中で、私が重要な出来事だと考えていることを中心に、紹介することにします。

伊方原発の建設予定が新聞で明らかになったのは、一九六九年七月八日の『新愛媛新聞』でした。四国電力が最初に予定していたのは、愛媛県津島町だったのですが、激しい反対運動に合い、ボーリング調査も出来ないで一九六八年一月に断念しており、それ以来、密かに計画を進めていたのが明らかになったのでした。すでにボーリング調査も終了しており、予定地の土地の多くを契約していたのです。一方で、第2章で紹介しましたが、反原発の活動を開始させたばかりの私たち京大の関係者も動き始めたのは言うまでもありませんでした。

伊方原発に反対する運動はとても激しいものでしたが、それに対する四国電力・愛媛県・伊方町・警察などの連携した反対運動潰しの動きを「原発の来た町：原発はこうして建てられた（伊方原発の三〇年）」（南海日日新聞社、二〇〇二年）に斉間満さんが詳しく紹介されていますので、それを参考にして頂きたいと思います。その中で、私も書いておきたいと思うことは、反対住民を襲った不幸のことです。その一つが「多発した自殺者」のことであり、原発推進の圧力が地元の方々に多くの被害をもたらした典型例だと思うからです。余りにも悲惨なことなので、伊方原発の反対運動の関係者も紹介したいことではなかったのではないでしょうか。私自身はこの問題に触れなければ、何故「大変な困難が待ち受けている行政訴訟をしたのか」が理解できないのではないか……と思い続けていましたので、行政訴訟をせざるを得なかった背景の一つとして紹介することにしたわけです。

最初の自殺者は「井田キクノさん」でした。最初の頃は原発推進派だった元町長の井田与之平さん(当時八三歳)が、勉強して危険性に目覚めたのですが、四国電力は賛成派だからと井田さんとの土地契約を失念していて慌てたのでした。井田さんは原発予定地へ行く小道に小さな小屋を建てて座り込みまでされていたのでした。ところが、旦那の不在時に、四国電力は奥さんをだますようにして売買するハンコを押させたのでした。それに怒った旦那と喧嘩して、娘さんの所へ逃げていたのですが、その内に帰宅して自殺されたのでした。その件に関しては、井田さんが「皆さん〓聞いてください〓妻が自殺した真相はこうなのだ〓」とのビラを配布しておられますから、それを「資料1」としました。井田さんの怒りが良くわかると思います。井田さんの弟さんも元町長で、行政訴訟の原告団長であった川口寛之さんでした。

次の自殺者は警察官です。その自殺に関しては斎間さんの本に紹介されている話と私が聞いた話とは異なっているのですが、私の聞いた話を紹介することにします。「土地裁判」で敗訴した住民側に対して、裁判所から「立木伐採の執行命令」が出されました。裁判所の執行官や四電側の業者たちが執行しようとするのに対して、住民側は木などに抱きついたりして抵抗するのです。その時に、地元の駐在所の警察官がマイクで「XX君、妨害してはいけません。後から多額の請求が来ますよ」「++さん、木から離れて下さい」などと脅したのだそうです。多額の費用請求が来る……と言うことに

資料1　井田さんのビラ

皆さん!! 聞いて下さい!!
妻が自殺した真相はこうなのだ!!

テレビ、新聞は井田キクノの自殺を報道しました。しかし、その原因については余り詳細ではなかつた。キクノ自殺の原因は、昭和四十六年四月私の旅行中其留守をねらつて四国電力と某町会議員、九町の某商店主婦等相結託してキクノをそそのかし、原発関係地域の井田キクノ名儀土地を売却せしめたからである。

四国電力は「土地代は反当七万五千円、其れ以上の金額は協力費で井田さんのように原発反対では結局収用法の適用になるでしょう、そうなつたら反二十二万円は貰へない。土地代七万五千円以上会社は出さないから今の中に印を押して二十二万円貰つたが得で今日の規則では各人の名義の財産は主人の承諾を得ずとも処分出来るのであるから主人の帰らぬ間に」と執拗に売却を強要され其気になつて責められるままに主人に無断売却したのが離別に迄発展したのであります。キクノが家を出る時荷物の運搬車の世話など一切、二宮頼志がしたとの事である。そして四国電力はキクノを指定旅館清風荘にかくまつたのである。四国電力は私の家庭を破壊しても自己の目的さへ達せば人はどうでもよいと云うその我利的悪辣さ大企業の態度とも思へぬ卑劣さである。高等の学府を出た人は高い道義心と且つ人の師表たる義務があると私は考へて居た。

昭和四十五年四月不本意ながら一度調印しました。其際井田キクノ、井田平八郎名義の土地は私が代理調印して居るのは、町長も福田貞吉君も従つて会社も承知して居るに拘らず、キクノに対しても又、平八郎に対しても私を棚上げして秘密に交渉した事は如何も非人格の所為である。井田キクノ、井田平八郎の土地は私が一切管理して居る事は承知して居ながら、四電の片岡某は愛知県東海市高横須賀の平八郎住宅を突然襲び、二時間以上にも渡り座り込み、契約書に捺印を強要して居る。又、二宮頼志も道路問題等に関し、高横須賀の平八郎住宅を私に秘密に訪ね調印を強要して居るが、二宮頼志は誰に依頼されて愛知県迄出向いたか、その旅費は何処から出ているか糾明に値する問題である。私の家庭でありながら私を除外するようしむけ、家族間に水を差し家庭を敢て混乱せしめようとの企図からで、彼の陰怪卑劣、町民の代表たるの資格はない。

町長身辺は以上の如き非人格者、儲けの土建業者にとりかこまれ人事は情実腐敗堕落、これが町長周辺の空気。昔より其人を識らんとすれば其友を見よと。町長用ゆる人物を一瞥すれば今日の伊方町政ば瞭然である。

井田キクノや井田平八郎に対する土地買収行為、私の家庭を意図的に破壊せんとする悩むべき所為!!　之で町長たり議員たる人格的資格はない。真に伊方町政を思ふなればキクノを死に追ひ込んだ責任を明にすべきである。

孟子は人を殺すに兵を以てすると政を以てすると其殺すは一であると言つて居る、自ら手を下さすとも死に追ひ込んだ者は其者を殺しているのである。現象のみを見ればキクノは自殺である。而し何故の自殺かと云へば主人を裏切つて四国電力に土地を売つたが故である。そして之を敢てせしめたのは四国電力であり、其手先である。

近時四国電方が残存地主に対し如何に悪辣に金力権力を以て切崩買収にかゝつているか　学校長さへ利用して捺印を強要しでいると云ふ噂さへ飛んで居る。キクノ、平八郎に対しても今日と同様であつただろう。

井田キクノは自殺した而しこれは四国電力と其走狗共に殺されたのであると私は断ずるのである。主人の不在に欺いて土地の買売を家族の者になさしめたら其家庭が如何なるかと云ふ事を考えなんだか。実に低劣非常識反社会的な四国電力と其手先の愚さ。汝等の愚さはそれで済むであろう。しかし、私の家の破壊悲劇を沿遠は他人事と傍観して居るのか。私は萬斛の涙を呑んで生涯、否、七生忘るゝ事の出来ない恨事である。

四国電力の繁栄と人間の生命と、どちらが大切なのか?

人の生命は地球より重いと言われて居る。　町長さんよ、あなたは原発誘致が政治生命賭けての仕事と云う事だが、住民は生命と生活の直接の問題ですよ。百害あつて九町住民には一利もありませぬ。原発はあなたの政治生命、土建屋さんの儲けである。住民の命とドチラが重く貴いか、コレが解りませんか。

キクノは自分の主人の意に反した行動に悔恨煩悩遂に死を以て私に詫びたのであります。死を以てせずともよきものを。一年有余他郷にあり望郷の念に堪へなんだとのこと。七十余才の老令他郷に孤独の生活誰がこんな生活に追ひ込んだか。今日亡きあと不びんに堪へない。私も八十余才独居の詫しさ不自由さを忍んで居た。帰つたら余生を楽しくと思つて居た而しキクノは十七日は帰り二十日に私を遺して不帰の旅に旅立ちました。死なくともよいものをと追憶の情に堪へませぬ。金や土地は一度失つても又、手に入ります。而し生命一度失へば再び帰つて来ませぬ。キクノは最早私が千年待つても帰つて来ませぬ。

妻は、四電と、町長とその手先きによつて殺されたのだ。

四国電力よ又町長及び其手先共よ、あなた達は「死んだ者は自分が勝手に死んだのだ。俺達に何の責任もない」と空嘯いて居られますが、勿論刑事上の責任はありますまい。而しです私は亡妻に対し憐びんの情に堪へませぬ。この一文も亡妻に対する追善と考へ其死因の経緯を明らかにしたいと思つてであります。キクノは四国電力と町長と其猿下に殺されたのだと言つても妥当を欠く事はないと考へます。如斯住民の生活、家庭を破壊してまで敢えて原発誘致を強行せんとする姿は、全く許し難いものであり、原発の放射能公害は住民の生命健康を犯し環境を破壊し、子々孫々に致るまで災いを残すものであります。

四国電力、町長等の暴政、自治破壊並びに原子力発電所は諸悪の根源である。

住民よ団結して立て、失うものは放射能被爆の危険のみ、獲るものは村の安全と平和と美しき郷土である。

昭和四十八年五月三日

伊方町九町　井田与之平

各位

驚いて、久米さんを始めとして住民の方々は「泣きながら木を切った」のだそうです。その晩に、その駐在さんが「ピストル自殺をした」という話を久米さんから聞いて驚いたのを覚えています。藤田弁護士も「木を切らなければ、執行官も諦めて帰ったはずなのに」と嘆いていたことも覚えています。私もお会いしたことがあるのですが、とても人の好い駐在さんだったと思います。自分のした行為に悩んだのだろうと悲しい思いになったのでした。本当の話だったのかどうか……は私も「久米さんから聞いた」ことなので自信がありませんが、紹介しておくことにしました。

三人目の自殺者は、地元の「町見農協」の理事長だった人だと思います。斉間さんの本には書かれてはいないのですが、四電の協力下で「農協を原発推進派」にまとめ上げた責任者であり、しばらくして「自殺された」と反対運動の中心だった理事の広野房一さんの奥さんから密かに伺ったことがあります。農協で理事長を追及したのが、広野さんだったと思いますが、理事長の自殺に衝撃を受けて「とことんまで闘う」ことを決心されたのだと私は推察していました。とにかく、反対集会の帰り道で交通事故でお亡くなりになったり、些細なことで逮捕起訴されたりという事件も多く、「なんとまあ、ひどいところか」とハラハラしていたのでした。斉間さんの本には、その様な驚くべき出来事が幾つも紹介されているのですが、すべての闘う方法が無くなってしまい、最後に残ったのが「伊方原発の認可を取り消すことを求める行政訴訟」のみになったのでした。その斉間さんの本には「伊方原発訴訟」のことは殆ど書かれてはいません。私はその訴訟のことを関西にいて関係しましたので、そこで経験したことなどを中心に紹介することにしたわけです。伝聞の話が多いのですが、良くご存知の方はぜひ訂正して欲しいと思います。

関西での伊方訴訟の中心は、藤田弁護士と久米さんでしたから、小生は補助的な役割ではあったのですが、技術的な問題点に関しては私が中心でしたので、どうしても深く付き合うことになってしまったのでした。

第一審が始まるまで

色々な反対運動が負けてしまった後で、最後に残った道が「行政訴訟」の選択でした。一九七二年二月には「電源開発調整審議会」で伊方原発1号機の設置が決定され、一九七二年一一月には内閣総理大臣・田中角栄による原子炉設置の許可がでたのでした。「土地裁判」で中心的な役割を果たした松山の弁護士さんも「伊方原発の認可に反対する行政訴訟を担う」には困難があったのだと思います。今までにない初めての国（田中角栄・内閣総理大臣）を相手とする大型の行政訴訟ですから、多くの困難が予想されますし、資金面での援助や科学者の協力も必要でしたから、住民の方々も躊躇されたのではないでしょうか。

反対運動の中心におられた川口寛之さんは一九七二年には行政裁判に関して久米さんに相談されていたようですし、住民の方々も関西の支援学生とも相談しながら、関西、つまり大阪の弁護士さんを頼ることにされたのだと思います。川口寛之さんの家には、共産党系の学生なども寝泊まりしていたと思いますが、行政訴訟という大々的な裁判をするには、大型の弁護団と科学者グループが必要ですから、住民の方々も「大阪グループ」に期待を持たれたのではないでしょうか。この裁判では、弁護士や科学者はほとんど手弁当で協力されたのでしたが、それでも、川口さんや久米さんの費用に関す

資料2

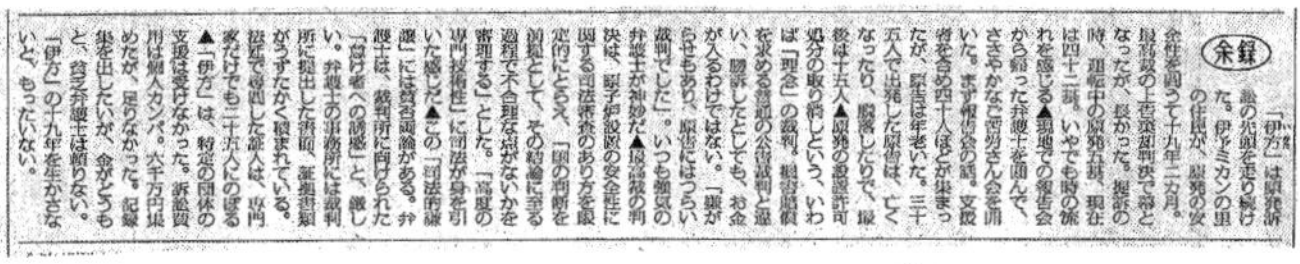
余録

「伊方」は原発訴訟の先頭を走り続けた。伊予ミカンの里の住民が、原発の安全性を問うて十九年二カ月。最高裁の上告棄却判決で幕となったが、長かった。提訴の時、運転中の原発五基、現在は四十二基。いやでも時の流れを感じる▲現地での報告会から帰った弁護士を囲んで、ささやかなご苦労さん会を開いた。まず報告会の話。支援者を含め四十人ほどが集まったが、原告は年老いた。三十五人で出発した原告は、亡くなったり、脱落したりで、最後は十五人▲原発の設置許可処分の取り消しという、いわば「理念」の裁判。損害賠償を求める普通の公害裁判と違い、勝訴したとしても、お金が入るわけではない。「嫌がらせもあり、原告にはつらい裁判でした」。いつも強気の弁護士が神妙だ▲最高裁の判決は、原子炉設置の安全性に関する司法審査のあり方を限定的にとらえ、「国の判断を前提として、その結論に至る過程で不合理な点がないかを審理する」とした。「高度の専門技術性」に司法が身を引いた感じだ▲この「司法消極論」には賛否両論がある。弁護士は、裁判所に向けられた「[illegible]」と、厳しい。弁護士の事務所には裁判所に提出した書類、証拠書類がうずたかく積まれている。訴訟で[illegible]した証人は、専門家だけでも三十六人にのぼる▲「伊方」は、特定の団体の支援は受けなかった。訴訟費用は個人カンパ。六千万円集めたが、足りなかった。記録集を出したいが、金がどうも、と、貧乏弁護士は頼りない。「伊方」の十九年を生かさないと、もったいない。

出典：『毎日新聞』1992年12月7日

る努力がなければ、大裁判を闘うことは、とても困難だったと思います。そのあたりの苦労話は藤田弁護士が書いておられますので、それを参考にして欲しいものです。裁判に関しては六〇〇〇万円近くかかったということです。本当のことはわかりませんが、それを報じた新聞記事を「資料2」としました。

一九六九年に結成された「全国原子力科学技術者連合（以下「全原連」という）」の最初の合宿でも「今後、裁判になった時に、全原連として、どの様に対処するのか」ということが良く議論されたのでした。「各地の反対運動を支援する」との現地闘争には、協力するのは当然ですが、その延長上で行われる「裁判に専門家集団としてどのように協力するのか」ということが重要な問題でした。裁判への協力形態にも色々な側面がありますが、表立って支援にまわることは、原発大歓迎の世論もあり、特に原発推進の為の教室の関係者として苦しい選択であったことは言うまでもありません。

その様な議論の中で、すでに完成しようとしている関西電力・美浜原発や東京電力・福島原発のことも議論されたのでした。最初の頃は「核兵器・開発反対」の声が中心だった全原連としては「原発開発＝プルトニウム製造（再処理施設）＝核兵器」は密接に繋がっていましたから、原発に対してどのように対応するかは重要な課題でした。勿論、原発の大事故による放射能汚染の危険性も高いからでしたが、今後、各地に建設されるであろう原発を各地の反対運動と協力しながら闘うことも重要なだけでなく、「今後、稼働するはずの原発の安全性をどのように守るのか」という点も重要であることは言うまでもありません。その討論の結果として、「裁判の支援を行うことは意義があるが、今後建設される日本の原発は加圧水型と沸騰水型だけだろうから、それぞれの型の原発に反対する訴訟に協力することは意義がある」という結論になったのでした。

裁判の過程で、それらの原発の問題点を指摘することで「原発の安全性を、かろうじて守ることが可能かもしれない」と考えたのでした。そこで、関西は伊方原発の加圧水型炉を、関東は東海第2原発の沸騰水型炉を対象にして裁判を支援することにしたのでした。その様な経過もあり、その後に行われるであろう他の各地での裁判への支援要求には全原連としては応えなかったはずです。「現地闘争が重要であり、裁判はナンセンスだ」との意見が強くなったことも背景にあります。が、私としては「伊方原発反対」は「現地運動支援」とその延長上での「裁判闘争」と一体だったのです。その様な経過もあり、私は伊方原発訴訟の最初から関わることになったのでした。

第2節 「異議申し立て」の提出

一九七二年一一月に内閣総理大臣名で建設認可が下ろされたのに対する、日本で初めての「原発認可の取り消し訴訟」ですから手続きも複雑なのです。

「異議申し立て」を巡っては、弁護士さんたちの間で、「原告適格」を巡って色々と議論されたのです。訴訟では「訴訟を提起する住民側・原告」と「訴訟を受ける被告」とがいますが、例えば伊方原発の「異議申し立て」を行う原告に「北海道の住民が加わっていて良いのか」という問題もあるわけです。原発事故による被害が「広範囲に及ぶ」ことは明らかであっても、本当にそうなのかどうかは不明です。「原子炉等規制法」や「安全審査指針」などによると、炉心が溶融するような重大事故が発生しても、二重三重の安全装置があるので敷地境界での放射線レベルも低く、周辺住民は「逃げる必要がない」と言うことになっている。それが本当であれば、周辺住民は影響を受けないのであるから「原告適格はない」ことになる。その結果として、内閣総理大臣が建設認可を四国電力に認めるのですが、その建設認可に対して「異議申し立て」が出来るのは、認可を申し立てた四国電力であって、住民には「異議申し立ては出来ないのではないか」とも考えられており、それでは「反対住民が建設認可」への異議を申し出るのはどの段階なのかが良くわからなかったのです。この問題は、裁判の中でも継続して密かな問題点として存在していたのでした。私には法律的な知識がありませんから、弁護士さんたちの話を聞いていただけでしたが、結論として「異議申し立て」を行うことになったのでした。

「申し立て理由」の最初には、

申立人らはいずれも本件許可にかかる伊方原子力発電所設置場所の周辺に居住する者が結成した伊方原発建設反対八西連絡協議会の中心的構成員であり、上記発電所設置場所である西宇和郡内に住居を有し、原子力発電所の事故発生の際はもちろん、平常運転時においても大気や海水中に放出される放射能や海水の温排水等によって、現在および将来にわたる生活および健康に重大な影響を受けることを免れない者達であり、したがって本件許可処分に対し異議申立の権利とその適格性を有するものです。

と書かれています。〆切の期日が迫っていたこともあり、簡単な書面でしたが、「異議申し立て」を行ったのでした。その中では、伊方原発の立地条件の悪さを示す為もあって、中央構造線とその周辺に発生する過去の地震分布を示す図面を、私が手書きで作成して「異議申し立て」書に添付したのでした（第2章資料14）。

前にも述べましたが（一五六頁）、当時の日本の地震学会は「地震の原因としては活断層説ではなかった」のですが、伊方訴訟では住民側は最初から「活断層説」で闘ったのでした。この図は当時の研究結果を調べたものなのですが、二〇一六年の熊本地震では、阿蘇山の西側で活断層が二つに分かれているのに対応して、四月一四日と一六日とに別々の活断層が相次いで地震源になったことを知って驚いたことでした。

その最初の私の仕事が「異議申し立て」に関する「活断層」の取り扱いでした。「中央構造線」と呼ばれる世界最大級の活断層が、伊方原発のすぐ近くにあることを巡っての、久米さんと私との間の論争が、最大の焦点でした。私はそれ以前から「地震の原因は活断層らしい」と考え始めていましたから、久米さんとは対立していたのです。久米さんも友人の地質学者や地震学者と相談されていたようで、それらの方々は、いずれも「活断層否定派」の日本の主流派だったようでしたが、私はカリフォルニア大学・地震研究所などの報告書なども読んでいましたから、「活断層説」の方が正しいと考えていたのでした。その結果ですが、「異議申し立て」は「活断層説」で闘うことにしたのです。「原告適格」の問題は、「異議申し立て」を行う原告や弁護士・代理人をどうするのかとも関係がありますが、住民原告は伊方町一二人、保内町二六人、三崎町五人の総勢四三人であり、「異議申し立て代理人」になったのは弁護士五人（藤田一良・新谷勇人・浦功・菅充行・仲田隆明）と星野芳郎さんと久米三四郎さんでした。

伊方原発反対運動には一九六九年一〇月一三日に結成された「伊方原発誘致反対共闘会議」（委員長は川口寛之・元伊方町長）があり、その後の一九七〇年一〇月二〇日には「西宇和原発対策期成同盟」（会長は日村亀一さん）が、一〇月二二日には「保内町水を守る会」（会長は矢野浜吉さん）が結成されました。更に一九七二年末には「西宇和郡」と「八幡浜市」とを含めた「伊方原発反対八西連絡協議会」が作られて広範囲での裁判支援にあたることとなりました。「原告適格の住民の住居範囲」をどの様に決めるのかは重要な問題だったのですが、人口の多い八幡浜市までを含めると一〇kmを越えることになります。そこで、「それとなく一〇km以内」とし、一方で三崎町の住民を加えることで「それとなく三〇km以内」のニュアンスを含めたのだと私は理解しています。三崎町は瀬戸内海漁業の中心地でもあったので、温排水の影響をも考慮したと言えるでしょう。

四国電力は「近くに河川がない」ことから、「保内町の二本の河川（喜木川・宮内川）からの地下水からの分水」をすることを申請していたのですが、住民の反対で困難になりそうなことから、「保内町からの取水」を諦めて「海水淡水化」の変更申請を行い、それを受けて五月三一日に「異議申し立て」が棄却されて、六月一日には建設が開始されたのでした。四電と国とが建設を急ぐことによって、住民に圧力をかけたというわけです。

この様な段階になり、関西を中心とする科学者グループも「原子力技術研究会」を発足させ、研究会を重ねて、『原子力発電の安全上の諸問題』全四巻を一九七六年には完成させて、研究会の会員の多くが証人になった場合に対応する資料としたのでした。原発の問題点を網羅した本であり、自費出版本としては高価にもかかわらず良く売れたようです。ある日のことですが、関西電力から一〇冊もの購入希望があり、出版元が喜んで持参したところが、内容を見て「何だ！これは反原発の本ではないか!!」と言われて断られてしまったそうです。この本は、一九七九年三月の米国・スルーマイル島（TMI）原発事故の後で、新たに「TMI事故の経過」を追加して『原発の安全上欠陥』（第三書館、一九七九年）として出版されています。

「異議申し立て」を一九七三年一月二七日に提出したのですが、棄却されることは間違いないので、いよいよ「行政訴訟」の準備に取り掛かる必要があります。その場合には「伊方原発の安全性」が焦点になりますから、どの様な問題点があるのかを、思いついたことを「どんなことでも良いから指摘しておく」ことが必要です。安全性に関する出版物は勿論のこと、安全性に関して「伊方原発を考える会」を作り、「伊方ノート（週刊）」を作成することになりました。その「第1号」は一九七三年三月三一日に発刊されたのですが、京大を中心とする院生・職員に呼び掛けて、「どんなことでも良いので気楽に書いて欲しい」と依頼したのでした。その「第1号」は「伊方ノートを出すにあたって」「中央構造線は動いている」との見出しでした。今後の「論争を示唆する」内容になるかも知れませんし、証人団の形成とも関連しますので、無記名で弁護団や協力関係者にのみ配布することにしたのです。その文章を以下に紹介しておきます。

「伊方ノート」を出すにあたって

最近、日本各地で原発設置反対の住民運動が起きていることは、良くご存知のことと思います。原子力に関心のある多くの研究者・学生等にとって、異常とも言える原発計画に対して、内心では「本当に大丈夫だろうか？」とつぶやいているのが現状だろうと思います。昨年末には、学会や学術会議で原発反対派住民が必死になって研究者を追及するという出来事もありました。それに全くといっていい程、答えることが出来ない研究者の多いことに驚くとともに、良心的に考え様としている人達も多くなっていると思います。

四国電力伊方原子力発電所の設置許可に対して、今年一月二七日に住民から「異議申し立て」がなされました。それによれば、「原子力委員会—科学技術庁—通産省—地方自治体—四国電力」とが全く一体となって原発設置に奔走していることが良くわかります。最近、伊方と全く同じ様なことが石川県志賀町でも起きている（三月二五日・朝刊）ことを示しています。伊方原発の問題は、個別、「伊方」ではなく、広く日本全体の問題であり、原子力に関心のある人にとって（勿論、役人、業界を含めて）避けて通ることの出来ない重要性を持っています。この「伊方ノート」は、おそらく行政裁判に持ち込まれるであろう「伊方原発問題」を色々な側面から討論し、かつ原発の危険性その他の多くの問題点を、素朴な問題をも含めて、提起し合うお互いのノートにしたいと思います。原発問題を表面的に流すことはせず、根底から問い直す必要があると思います。

例えば「原発の上に流れ星が落ちることはないだろうか?」といった素朴な疑問が、根底にかかわる重要性を持つかもしれないのです。週刊としたのは「原発問題を真剣に考えることは我々の義務である」といった決意のあらわれとしてであり、逆に、「どんなつまらないことでも書き合おう」といったリラックスしたコミニュケーション紙としてでもあります。関心のある人の間でまわり持ちして発行して行きたいと思います。新聞の記事のことでも良いですし、本にチョットのっていた様なことでもよろしいですので、受け持っても良いと思われる方はご連絡下さい。（なお文献を引用しておられる方は、文献名を出来るだけ詳しく書いていただきたいと思います。このノートに参加していただく人の間では、すべての情報は共有しあえる様にしたいと思うからです)。自分の知っていることは、皆んなに知らせること、自分の疑問は皆んなの疑問でもあるということを忘れずに発行しつづけたいものです。情報を独占し、かつ都合の悪いことをすぐかくすのは御用学者・役人・四電のすることであって、このノート上では一切ない様にしたいものです。（とは言うものの、四電etcの手に渡ると、こちらの手の内をよまれることになりますし、困る人もあるかもしれませんので、出来るだけ、このノートの存在は秘密にしておきませんか?!）

この様にして始まった「伊方ノート」は、「週刊」で出すということはとても苦しいことだったのですが、一九七四年五月二七日の「第61号」まで続き、その後は「準備書面」の作成が中心になったのでした。その「伊方ノート（週刊)」のリストを「資料3」としました。

リストを見ればわかりますが、原発関連の本には書かれていないような「伊方地方・特有な問題

資料3 「伊方ノート」バックナンバー・リスト

「伊方ノート（週刊）」

「伊方原発を考える会」

「伊方ノート」は、伊方原発訴訟が始まるにあたって、支援科学者があらゆる問題を気楽に指摘し、考える場として出す事にしたノートです。「週刊」にこだわったのは、この裁判を裏面から支えきる決意として準備が必要だと思ったからです。

（1号：73.3.31）「伊方ノート」を出すにあたって。「中央構造線は動いている！」

（2号：73.4. 6）「原研　動力試験炉（ＪＰＤＲ）の放射能水漏洩に関して」

（3号：73.4.16）「美浜１号機　蒸気発生器事故について（Ｉ）」

（4号：73.4.23）「事故の災害評価について（その１）」・・・菊池提案批判・・・

（5号：73.4.30）「お先まっくらな燃料再処理」

（6号：73.5.11）「地震が怖い！！　サンフェルナンド地震について」

（7号：73.5.14）「原研材料試験炉（ＪＭＴＲ）の問題点・・・原子炉入口温度について

（8号：73.5.23）「発電所からの温排水による養殖は不可！」

（9号：73.5.28）「一次冷却材喪失事故時における問題（その１）“燃料被覆管の破損とその影響”」

（１０号：73.6. 4）「原発公聴会批判」「原子炉の設置に関する公聴会要領（73.5.22）の紹介」

（１１号：73.6.11）「地震の方が冷却材喪失事故より怖い！！」

（１２号：73.6.18）「原発では何が起っているか」

（１３号：73.6.26）「廃棄物貯蔵施設に事故は無いか？！」

（１４号：73.7. 2）「住民被曝線量の計算はズサン」

（１５号：73.7. 9）「地震予知と「伊予灘一安芸灘」について」

（１６号：73.7.16）「コンピューターコード批判（要約）」

（１７号：73.7.23）「伊方原発は文化財保護法違反である！！」

（１８号：73.7.30）「美浜１号機　蒸気発生器事故について」

（１９号：73.8. 6）「気体廃棄物中のヨウ素による被ばく線量」

（２０号：73.8.15）「気体放射能による被曝線量」

（２１号：73.8.20）「ＷＡＳＨ−１２５０について」

（２２号：73.8.27）「^{131}Ｉ問題について・・・コメント」

（２３号：73.9. 3）「核分裂生成物消滅処理案批判」

（２４号：73.9.10）「ヨウ素除去の問題点」

（２５号：73.9.17）「使用済燃料の輸送はどうなっているのか？！

（２６号：73.9.24）「燃料棒の densification」

（２７号：73.10. 1）「都甲論文“事故時の安全問題”原子力工業

（２８号：73.10. 8）「“中央構造線”（杉山隆二編）から（その１

（２９号：73.10.15）「海洋投棄規制条約発効」

（３０号：73.10.22）「放射線損傷の証明とは」

（３１号：73.10.29）「アメリカのＥＣＣＳに関する公聴会で論争さ
全評価上の問題点”について」

− 1 −

（３２号：73.11. 5）「原発周辺で白血病が増加？」

（３３号：73.11.12）「答弁書を読んで」

（３４号：73.11.19）「事故時の燃料被覆温度」

（３５号：73.11.26）「Hanford の事故について」

（３６号：73.12. 3）「“加速度の推定”について」

（３７号：73.12.10）「昭和４９年度原子力予算について」

（３８号：73.12.17）「燃料ペレットの粗密化について」

（３９号：73.12.24）「美浜２号炉での燃料棒事故」

（４０号：73.12.30）「熱応力ラチェッティング（又はクリープ）について」

（４１号：74.1. 7）「セミスケールブローダウンとＥＣＣＳの実験について・・ＥＣＣＳに関する最近の実験でも冷却水は炉心に入らなかった・・」

（４２号：74.1.14）「“ニューボルト原発の申請”却下される！！」

（４３号：74.1.21）「燃料被覆管の感触」

（４４号：74.1.28）「伊方原発排気筒からの放出放射能」

（４５号：74.2. 4）「美浜２号炉での燃料棒事故（続）」

（４６号：74.2.11）「京大原研若林教授との公開討論会の報告」

（４７号：74.2.18）「ホーレン草による^{131}Ｉの摂取」

（４８号：74.2.25）「軽水型原子力発電所において生成されるプルトニウム問題について」

（４９号：74.3. 4）「^{131}Ｉ　ミカンとホーレン草の差・・・国の云う“厳しい条件”とは何か？」

（５０号：74.3.11）「放射線障害について・・・国側のいいかげんな“しろうとだまし”の論述に反論しておく・・・」

（５１号：74.3.18）「原発の危険評価」

（５２号：74.3.25）「プルトニウム問題・・Hot Particle 吸入に対する許容基準・・」

（５３号：74.4. 1）「風洞実験のウソ」

（５４号：74.4. 8）「ホット・チャンネル・ファクターと燃料棒問題」

（５５号：74.4.15）「Physics Today：1973年12月号の投書欄から」

（５６号：74.4.22）「高速炉ＢＮ３５０（ソ連）事故のミステリー！」

（５７号：74.4.29）「まやかしの放出方式」

（５８号：74.5. 6）「液体廃棄物による被曝評価」

（５９号：74.5.13）「原安協主催“第７回原子力安全研究総合発表会”の報告」

（６０号：74.5.20）「スペーサーの問題点について」

（６１号：74.5.27）「発電機用軸材について」

点」の指摘もありました。例えば「第17号：七三年七月二三日」は「伊方原発は文化財保護法違反である!!」では、「カワウソの最後の生息地である可能性」を指摘したことでもわかります。内容が少し難しかったようですが、弁護団の間ではとても好評だったのです。

伊方行政訴訟と関連して、私たちが「赤旗訴訟」と言っていた問題もありますので、ここで紹介しておくことにします。

一九七〇年前後の「学園闘争」と関連して、共産党系の「過激派排斥キャンペーン」が色々な形で行われていました。その一つに「原発に対する取り扱い」もありました。共産党の過激派キャンペーンに「過激派の裁判支援を行うべきではない」との主張に対して、関西の弁護士さんたちが「その主張に反対する声明」を出したこともあり、弁護士さんに対する共産党系の選別も厳しくなったのかも知れません。伊方の「土地裁判」を担当していた弁護士さんが、藤田弁護士たちを「過激な弁護士集団」と考えていたようで、この「過激派弁護士集団キャンペーン」は共産党系の新聞にも掲載されたのでした。それに怒った藤田さんは共産党系の新聞などを相手として「名誉棄損による謝罪報告と精神的損害賠償請求」の民事訴訟を起こされたのです。伊方行政訴訟を提訴した一九七三年八月二七日の後の一一月一三日『赤旗』が「揺れる原発」欄に訴訟弁護団にトロッキストの一味が加わっている……と報じたからでした。弁護士にとって、色々な住民運動や労働運動に力を持っている共産党系を相手に訴訟を起こすことに関して、伊方弁護団内でも議論がありました。しかし、藤田弁護士は「この様な中傷を許すわけにはいかない」と決心されたのですが、その前後のやり取りに関しては『伊方原発設置反対運動裁判資料』（クロスカルチャー出版）の「第一回配本：別冊」に書かれている藤田弁

資料4

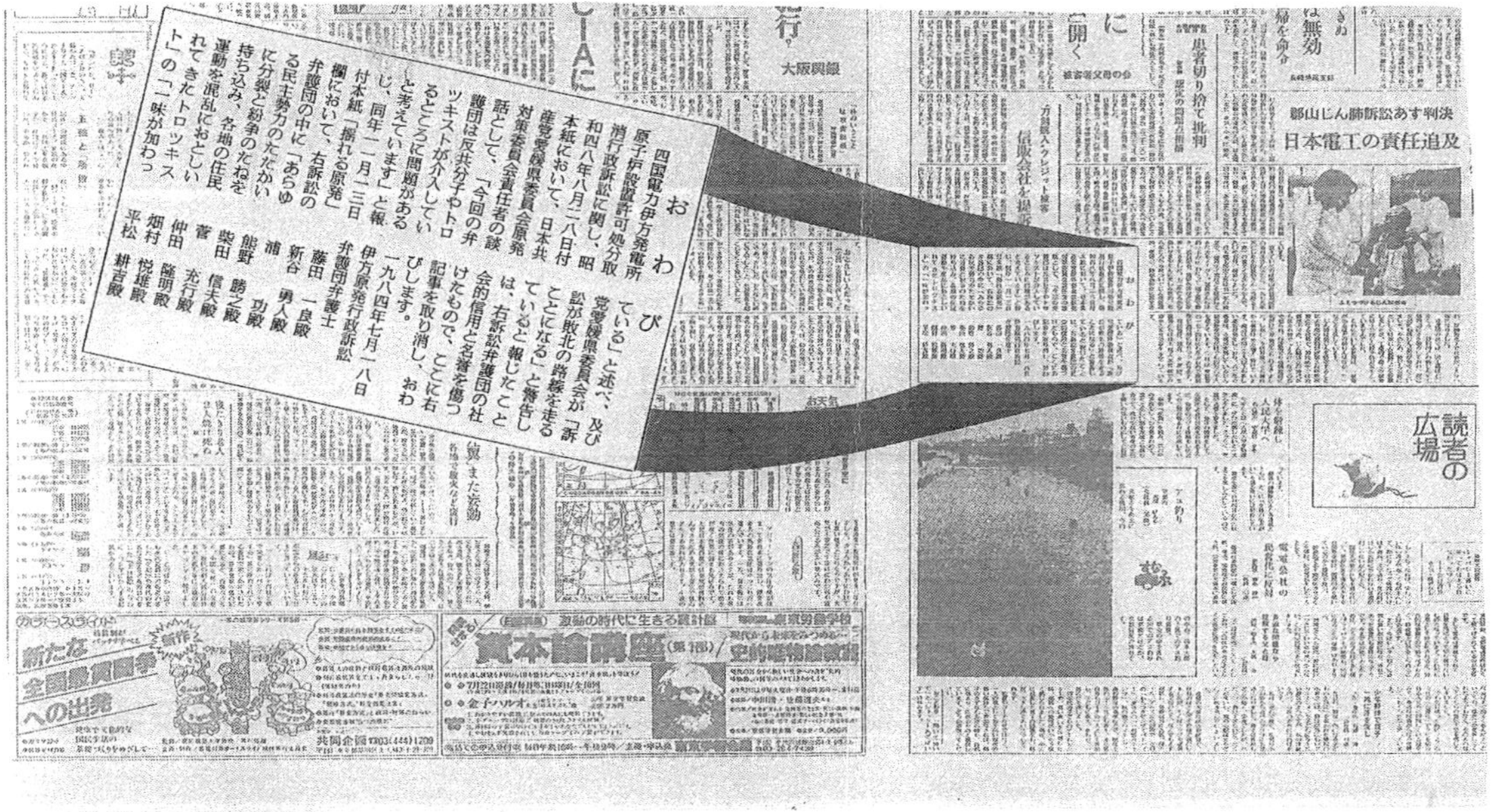

おわび

四国電力伊方発電所原子炉設置許可処分取消行政訴訟に関し、昭和四八年八月二八日付本紙において、日本共産党愛媛県委員会原発対策委員会責任者の談話として、「今回の弁護団は反共分子やトロツキストが介入しているところに問題があると考えています」と報じ、同年一一月一三日付本紙「揺れる原発」欄において、右訴訟の弁護団の中に「あらゆる民主勢力のたたかいに分裂と紛争のたねを持ち込み、各地の住民運動を混乱におとしいれてきたトロツキスト」の「一味が加わっている」と述べ、及び党愛媛県委員会が「訴訟が敗北の路線を走ることになる」と警告していると報じたことは、右訴訟弁護団の社会的信用と名誉を傷つけたもので、ここに右記事を取り消し、おわびします。

一九八四年七月一八日

伊方原発行政訴訟弁護団弁護士

藤田　一良殿
新谷　勇人殿
浦　功殿
熊野　勝之殿
柴田　信夫殿
菅　充行殿
仲田　隆明殿
畑村　悦雄殿
平松　耕吉殿

出典：『赤旗』1984年7月18日号15面下

護士の「解説」を参考にして欲しいと思います。

共産党系の学生などから「反原発に対する批判」を受けたことの多い私も、藤田弁護士の原則的な立場に感激したのでした。その訴訟は、一審判決勝利、二審で勝訴的和解となり、『赤旗』や『民報』（共産党東京都委員会などが発行する新聞＝編集部）に謝罪報告が掲載されました。その『赤旗』一九八四年七月一八日号一五面下に掲載された「おわび」謝罪文を「資料4」としました。

この「謝罪」のことを、私は講演で触れたことがあるのですが、それを知った方から手紙を頂いたことがあります。「赤旗の縮刷版で調べたのだが、その様な謝罪文がない」という批判されるような手紙だったことに驚いたのでした。各新聞社の「縮刷版」は東京・最終版になるのですが、この謝罪文が掲載されたのは、『赤旗』の関西版・四国版・中国版だけだったようで、東京版には掲載されていなかったことを小生は言い忘れていたのです。その「縮刷版」の記事を「資料5」にしました。謝罪文と左中ほどの小さな二つ記事「名誉棄損の対象めぐりやりとり」「小川は運び込まれた時ひん死の状態」とが入れ替わっていることがわかります。この裁判の詳細に関しては、『判例時報　一〇七六号』（八六～一一一頁）に、詳細に掲載されているので、関心のある方はそれを読んで欲しいと思います。

第3節　「第一審」が始まる

「異議申し立て」が却下されたのが、一九七三年五月三一日ですが、それから三カ月以内には、正

資料5　『赤旗』縮刷版には「謝罪」記事はない

ニュースレーダー

郡山じん肺訴訟あす判決

日本電工の責任追及

ふえつづけるじん肺患者

は無効

帰を命令

長崎地裁支部

患者切り捨て批判

認定の問題点指摘

被害者父母の会

〝刀剣購入〟クレジット被害

信販会社を提訴

読者の広場

体を鍛錬し人民大学へ

電電公社の民営化に反対

身近な問題なら理解する父と母

少年野球で親子一緒に汗を流し

アユ釣り

23	S51.11.25	村上悦雄	原告証人荻野晃也（主） 原告証人植田勁（反）	被告準備書面（8）陳述
24	〃 11.26	〃	被告証人塩見俊弘（反） 原告証人久米三四郎（主）	
25	S52. 1.27	〃	原告証人星野芳郎（主） 原告証人荻野晃也（反）	
26	〃 1.28	〃	被告証人大崎順彦（主） 原告証人大野準（主）	
27	〃 2.24	〃	原告証人星野芳郎（反） 原告証人久米三四郎（反）	原告準備書面（12）陳述
28	〃 2.25	〃	原告証人生越忠（主） 被告証人大崎順彦（反） 原告本人井上常久（主）	
29	〃 3.24	〃	原告証人大野準（反） 被告証人木村敦雄（主） 児玉勝臣（主）	
(30)	〃 4.21	植村秀三	（裁判長転勤で延期）	
(30)	〃 5.26		〃 ）	
30	〃 6.23	西本喜吉	裁判長交代に伴う弁論更新	被告準備書面（9）陳述
31	〃 7.28	〃	原告証人生越忠（反） 被告証人木村敦雄（反）	
32	〃 7.29	〃	被告証人児玉勝臣（反） 原告本人井上常久（主）	被告準備書面（10）陳述
	〃 8.18	〃	原告本人（川口寛之、中平馨司） 提出検証	
33	〃 8.25	〃	原告本人井上常久（反） 佐伯森臣（主・反） 矢野洪吉（主・反）	
34	〃 8.26	〃	裁判所からの求釈明	

◯ 文書提出命令

S49．9．12　文書提出命令申立

S50．5．24　決定（提出命令）

〃　5．29　原告即時抗告申立

〃　　　　　被告　〃

〃　6．30　原告要望書提出

〃　7．3　被告反論書提出

〃　7．17　決定（確定）

資料6

伊方原発行政訴訟経過一覧表

口頭弁論	期日	裁判長	証人調べ	書面提出
	S48.8.27		提訴	
1	〃 12.20	渡辺一雄		訴状，答弁書陳述 原告準備書面(1)陳述
2	S49.3.28	〃		原告準備書面(2)， 被告準備書面(1)(2)陳述
3	〃 6.6	〃		被告準備書面(3)陳述
4	〃 9.12	〃		被告準備書面(4) 原告準備書面(3)陳述
5	〃 12.12	〃		被告準備書面(5)陳述
6	S50.3.13	村上悦雄		原告準備書面(4)陳述
7	〃 7.3			被告準備書面(6) 原告準備書面(5)(6)(7)陳述
8	〃 9.25	〃		被告準備書面(7)陳述
9	〃 10.23	〃	原告証人藤本陽一(主)	原告準備書面(8)陳述
10	〃 11.27	〃	被告証人内田秀雄(主)	
11	S51.1.29		原告証人藤本陽一(反) 被告証人村主進(主)	原告準備書面(9)陳述
	〃 1.30	〃	現場検証	
12	〃 2.26	〃	被告証人内田秀雄(反)	
13	〃 5.27	〃	被告証人内田秀雄(反) 被告証人村主進(反)	
14	〃 5.28	〃	原告証人柴田俊忍(主) 原告証人海老沢徹(主)	
15	〃 6.24	〃	原告証人川野眞治(主) 原告証人佐藤進(主)	原告準備書面(10)陳述
16	〃 6.25	〃	被告証人黒川良康(主) 被告証人三島良績(主)	
17	〃 7.22	〃	原告証人柴田俊忍(反) 原告証人海老沢徹(反)	
18	〃 7.23	〃	被告証人宮永一郎(主) 原告証人市川定夫(主)	
19	〃 9.16	〃	原告証人川野眞治(反) 原告証人槌田劭(主)	
20	〃 9.17	〃	被告証人黒川良康(反) 原告証人佐藤進(反)	
21	〃 10.28	〃	被告証人宮永一郎(反) 原告証人市川定夫(反)	原告準備書面(11)陳述
22	〃 10.29	〃	被告証人垣見俊弘(主) 被告証人三島良績(反)	

式な訴訟を起こす必要があります。その間は、弁護士・科学者の協力で、八月二七日に住民三五人が原告となっての分厚い訴状が松山地方裁判所へ提出されたのでした。その後、第一回の口頭弁論が一九七三年一二月二〇日に行われ、「訴状」「答弁書」の陳述と「原告：準備書面（一）」の陳述が行われました。担当裁判長は「渡辺一雄・裁判官」でしたが、一九七五年三月一三日の第六回口頭弁論からは「村上悦雄・裁判長」に変更され、一〇月二三日の第九回口頭弁論から原告側証人である「藤本陽一・早稲田大学教授」の証人尋問が開始され、大多数の証人尋問は「村上悦雄・裁判官」が担当したのでした。「伊方原発行政訴訟経過一覧表」を「資料6」としました。「口頭弁論」「期日」「裁判長」「証人調べ」「書面提出」がリストされています。

第一回公判の前日の夜には、近くのホテルで集会があり、私たち星野芳郎・久米三四郎・荻野晃也の三人が「特別補佐人」として翌日に申請することも決まっていました。弁護団長は藤田一良・弁護士、事務局長が仲田隆明・弁護士であることや、訴訟の要点などや今後の計画を住民の方々に説明された後に、お二人は、翌日の打ち合わせのために退席されたのでした。

その後は、弁護補佐人役や支援者の方々のスピーチが続いたのですが、支援者のスピーチの中に森瀧市郎さんがおられたのでした。以前から「被爆者の方々は、原発建設には賛成だった」のですが、反原発の私たちにすれば、とても苦痛なことだったのです。その理由は「原爆のエネルギーが平和のために役に立つ」ことを願ってのことだったそうですが、そのことを推進派は大々的に利用していたからです。その日本原水爆被害者団体協議会（被団協）の代表である森瀧さんがおいでになったことに、私は驚いたのでした。

森瀧さんは、まず「皆さんに謝りたい」と言われたのです。「今まで被団協は原発賛成だったが、私はそれは間違えていると思うようになったのです」「まだ、被団協全体としては反原発の立場ではありませんが、時間をかけて議論をするつもりですので、もうしばらくお持ち下さい」との趣旨の話だったのです。

森瀧さんの有名な「核絶対否定」の最初の発言だったと思います。一九七三年七月二〇日のフランスの核実験の抗議のために、それ以降は核実験があるたびに慰霊碑前に座り込むことになる森瀧さんですが、そのこともあって、伊方訴訟の提訴に駆け付けられたのではないでしょうか。久米さんも「森瀧さんがおいでになる」のに驚いたそうで、「色々と話し合ったことが良かったようだ」と感激しておられたことを思い出します。

その後、一九七五年八月六日の「被曝三〇周年原水禁世界大会・広島大会」で、森瀧さんは「……、しょせん、核は軍事利用であれ平和利用であれ、地球上の人間の生存を否定するものである、と断ぜざるをえないのであります。結局、核と人類は共存できないのであります」との「核絶対否定」の理念を述べられたのでした。そして、その動きが、「原水爆禁止世界協議会（原水禁）事務局」の五階に「原子力資料情報室」が七五年九月に発足することになった理由にもつながったのではないでしょうか。当時の原水禁と原水協との分裂は、部分核停か全面核停かという問題と共に、「原発に賛成か反対か」も重要な課題だったのでした。

前にも述べましたが、二〇一九年一一月に、ローマ教皇が訪日して、長崎・広島・東京でミサを行いました。その中で「核兵器も原発も同じ脅威であり、核全面否定の思想」を鮮明にしていることに私は感激したのです。そして一九七三年の森瀧さんのことを思い出したのでした。

伊方原発の行政訴訟は、安全審査における妥当性を問う訴訟で、被告が内閣総理大臣ですから国としても、その訴訟が提起されたことに驚いたのではないでしょうか。原発の安全性問題は、国民にとっても関心の高いことであり、これを機会に「原発の安全性を証明する良い機会にする」というスタンスで国も対応して来たのでした。訴状を作成するに当たり、弁護団でも色々な問題点が議論されたことは言うまでもありません。私は法律には詳しくないのですが、私なりに「重要な論点だ」と思ったことが何点かあります。個別の安全性に関する問題点ではなくて手続き的なことなのですが、それを簡単に述べることにします。

第4節　第一審の経過と証人調べ

原告側は「訴状」の提出と同時に、「効力停止決定申立書」（差し止め）をも申請したのですが、最初の口頭弁論は昭和四八年（一九七三）一二月二〇日から始まり、私も傍聴券をもらって入廷したのです。その法廷で原告側の「特別補佐人」としての申請が行われ、星野芳郎・久米三四郎・荻野晃也の三人が認められたので、次回からは特別補佐人として弁護士と同じ席に座ることとなったのです。一九七三年一〇月二〇日には、原告（住民）側の「訴状」に対する被告（国）側の「答弁書」が提出されており、一二月二〇日には「原告側準備書面（一）」が提出されて、渡辺一雄・裁判長のもとでの「口頭弁論」が開始されました。原告側代理人（弁護士）も一九人に増えていました。

日本で最初の「原発の安全性」を問題とする訴訟であることに、被告（国）側も「これを機会に原発の安全性を証明する良い機会だ」と考えて、積極的に「この裁判を原発の安全性を国民に対し宣伝する場とする」と豪語し、原子炉安全専門審査会・会長の内田秀雄・東大教授や核燃料審査会・会長の三島良積・東大教授などの日本の原子力ムラの権威たちを国側の証人として投入してきたのでした。それに対して原告側の証人の多くは助手クラスが中心であったたし、国側の証人が東大系ばかりだったのに対して、原告側の証人は京大系が多かったこともあって、「東大と京大の争い」とまで言われたのでした。

それに先立つ九月四日からは「伊方原発訴訟を支援する会」から「伊方訴訟ニュース」が発行されて、全国の支援者に配布され始めています。この支援する会の責任者は久米さんで、毎月の発刊も大変だったのでした。毎号の最後には「会計報告」が載せられているので支援の状況が良くわかるのですが、実費以外は手弁当で協力して頂いた弁護団と全国の会員の支援があったからこそ、この裁判は続けられたのです。

一九七四年〜一九七五年には、双方の「準備書面」が幾つも提出されていて、まず最初に議論されたのが「文書の公開」を巡っての「文書提出命令」でした。原告側は、国の持っている資料の全てを公開して、それを元に「安全性の議論をしたい」との考えから、全ての資料の公開を要求したのです。それまでに公開されている文章は、「原子力関連法規」や「原子力委員会月報」などの僅かな文章のみであり、原子力基本法に謳われている「自主・民主・公開」からは程遠かったからです。第四回公判（一九七四年九月一二日）で、原告側が「文書提出命令の申立書」を提出しました。審議に関連した文章の公開がなければ、議論が進まないのは当然であり、双方で激しい論争が繰り広げられました。原告側が要求した内容は、議事録や担当者個人メモを含む広範囲のものでした。

この公開要求に驚いた被告側は「現行で十分に公開されている」ことに固守するばかりでした。公判が始まってからの最大の山場でした。

第六回公判（一九七五年三月一三日）からは、新しく村上悦雄・裁判長が就任しました。この様な場合には、「弁論の更新」が行われることになります。村上裁判長がまず「弁論更新に当たって何かありますか」と発言した際、すぐに原告代理人の仲田隆明・弁護団事務局長が「弁論に先立って、テープレコーダーの使用を認めて頂きたい」と申し入れをしました。被告（国）側は、今まで一人だった速記専任者を二人に増やしているのに対して、お金不足の原告側としては、速記者を雇うのも難しく悩んでいたからでした。「よろしいでしょう」との裁判長の許可に、公判でのメモ係を兼ねていた小生も大喜びしたのですが、被告側もあわてて「我々にも」と便乗してきたのです。

弁論更新はまず三人の原告と藤田・弁護団長が行いました。川口寛之・原告団長は「誘致されるにいたった経過」「四電と県・町の癒着」「多くの住民が苦しんでいる現状」「漁業権放棄や里道の問題」などを、二宮健次・原告は「保内町の水問題に見る安全審査の杜撰さ」「中央構造線の危険性」「佐々木・科学技術庁長官が原子力三原則に則って文章その他については出すようにしたいと述べている」などを、井上常久・原告は「現下の原子力行政は我々伊方町民として耐えられぬ」「町民無視のまま暗躍した町長のこと」「住民に知らせたのでは誘致が出来なくなると公言している」ことなどを陳述。

藤田・弁護団長は、今までに提出した伊方原発の安全上の問題点を述べた後に、直前に発生した

「水島の重油流出事故」を例に取り上げて説明されました。「起こり得ないはずのハシゴが倒れ」「起こり得ないはずのコンクリート製のせきがこわれ」「起こり得ないはずのオイルフェンスが流失する」という二重三重もの安全装置の無力さの証明こそ、伊方原発に対する警告である」と述べ、「原子力発電は実用段階に達したという誤った判断の下に立てられ、誤った開発計画に沿って行われた伊方原発の認可は取り消されるべきだ」と強く主張されたのでした。

その後は、文書公開を巡って最後の激論が行われました。この回の報告を「伊方訴訟ニュース」に書くことになっていた私は、ハラハラしながらメモを取り続けていたのでした。「議事録の提出」「担当者個人メモ」を巡って特に論争となり、藤田・平松両代理人（弁護士）を中心にした全弁護士は勿論のこと、山口・原告団長も「必要であるかどうかの選択は原告がやるべきで、被告ではない」と述べ、二宮・原告も「米国ではすでにすべて公開していると聞いている」「これだから安全であると国側は実証して欲しい」「権力の圧力で一時的に押さえつけても、住民の怒りと力を押さえきることはできない」と発言。藤田・代理人の「一体どうやって、審議会の審議を引きついで行くのか」との追及や、熊野勝之・代理人の「一〇〇万円以下の会社ですら、議事録の作成が義務付づけられている」との指摘。更に、星野芳郎・補佐人の「我々の様な小さな研究会でもコピーして配布している。そのようなコピーすらないとしたら、その審査会のレベルは我々の研究会以下ではないか」と指摘したのでした。公正な裁判を行うには、全ての「文書公開」はぜひとも必要な重要事なのです。

一九七五年五月二四日に「提出命令の決定」が出て、多くの資料の公開が命じられたのですが、「担当者個人メモ」の公開は認められませんでした。原告側はそれを要求して「即時抗告」を行い、国側も「公務員の秘密保持義務」「個人資料の秘匿」「企業秘密」に逃げ込んで「公開」は「成果の公開で十分である」と主張する「即時抗告申立書」を期限ぎりぎりの五月三一日に提出し、高松高裁にまで判断を仰ぐことになった。

国側は「文書提出命令」が出るとは予想していなかったようで、この「即時抗告申立書」には、多くの点で国側の論点の混乱を見ることが出来ました。その一つは、今までは活字印刷された書面だったのに、今回は三人の「手書き書面」だったことです。時間が無くて印刷に間に合わなかったのでしょう。二番目はその内容に関する問題点であり、「安全審査に文句が言えるのは、当事者である四国電力だけであり、住民は訴訟を起こす権限が無い」と言わぬばかりの「原告不適格」問題をそれとなく言い始めたことでした。また「高度に科学的な問題は裁判になじまない」という問題を背景に「裁量処分問題」をも言いだしたのでした。「裁量処分」の問題は、原告・弁護団の間でも大議論のあった問題であったのですが、藤田弁護士の「命に係るような危険性の高い原発問題に裁量処分は認めることが出来ない」との主張で対処することになったのです。この裁量処分をめぐる論争は、今なお重要な課題の様に思われるのですが、現在ではどのように決着が付いているのでしょうか?

四国電力からの「商業（企業）秘密」のリストは、いずれも原子炉の挙動に関する重要な問題点であることは、福島原発事故との関連でもその重要性が理解出来るでしょう。

「文書提出命令」に関しては、六月三〇日に「原告側：要望書」が提出されたのに対して、七月三日には「被告：反論書」が提出されました。その結果、七月一七日に高裁でも文書提出命令が「確定」しました。「担当者個人メモ」は認められませんでしたが、審査に提出された資料は全て「公開」

されることになり、昭和五〇年（一九七五）九月一六日に内閣総理大臣から松山地裁へ公開通知が送られてきました。それを受けて、政府も東京に「資料公開室」を設置せざるを得なくなったのでした。今まで秘匿されていた審査資料が公開されると言うことは、私たち多くの科学者も熱望していたことでしたから、その成果に喜んだのでした。しかし、被告側は公開リスト九件中の四件に関しては「四電からの商業（企業）機密」を理由にして公開せず、核燃料棒の温度上昇に関係する重要な数値をその後も「黒塗り」にしたままでした。原告は何度も「黒塗り」の数値の公開を要求したのですが、最後の最後まで、公開されることはありませんでした。企業秘密を僅かでも残したかったことは間違いないのですが、その数値は「核燃料棒を冷却する冷却水が無くなるとどのように温度が上昇するか」という福島事故でも直面した核燃料の溶融に関する重要な点だったのです。その様な問題点はありますが、いずれにしろ、「文書提出命令」は原告側の勝利と言って良く、膨大な資料が藤田事務所に送られてきたのでした。弁護団はそれらの資料を解読しながら、更なる公判に備えたのです。

証人調べが始まる

「文書提出命令」が決着した後の昭和五〇年（一九七五）九月二五日には、原告・被告の双方から「証人申請」が行われました。証人調べが始まったのは、一九七五年一〇月二三日の原告側証人である藤本陽一・早稲田大学教授の証言からでした。一九七三年八月二七日に「提訴」してから、二年以上の年月が経過していました。原告側も被告側も、まず「原発の安全性」を総括的に捉える必要があり、事故論などを中心とする証言をしてもらい、その後で各論を展開することになるのは当然でした。

藤本先生は、武谷三男さんを中心として原発の安全問題を研究していた「原子力安全研究会」のメンバーでした。本当は、「武谷さんに証言して頂きたい」との思いもあり、藤田弁護士が東京まで出かけて武谷さんに直訴したのですが、高齢の理由などで藤本先生を紹介してもらえたのでした。総論的な証言であることもあり、深刻な原発事故に関する被告側の問題点や、炉心溶融（メルトダウン）の可能性などを証言して頂く重要な証言でした。

藤本証言は、主尋問が昭和五〇年（一九七五）一〇月二三日で、反対尋問が昭和五一年（一九七六）一月二九日です。最初に藤田一良・弁護士が、後半は平松耕吉・弁護士が質問しました。証言内容は多岐にわたるのですが、「現行安全審査における事故解析の問題点」「事故の災害評価の不一致」「格納容器は大丈夫か」「緊急炉心冷却装置：ＥＣＣＳの信頼性」「炉心溶融事故の可能性と放出放射能量」「立地審査指針における重大事故と仮想事故」などであり、反対尋問でも質問してくる国側を藤本さんは逆に追及されたのでした。国は核燃料の完全溶融を考えているにも関わらず、「色々な装置の健全性が保持される」とすることとの矛盾を鋭く追及されたのでした。「炉心溶融が起きれば、原子炉の健全性が保たれなくなり、水素爆発につながる」ことは当然なのですから、この点が最大の問題点であったのです。福島原発事故の後でもＴＶや新聞で議論されておられたからご存知の方も多いと思うのですが、その内容の多くは伊方訴訟で証言された内容と同じことなのです。

原告側の藤本証言に対応するのが、被告側の内田秀雄・東大教授の証言です。昭和五〇年（一九七六）一一月二七日が主尋問で、翌年の二月二六日と五月二七日が反対尋問でした。中心になって質問されたのは、弁護団長の藤田一良・弁護士でしたが、仲田隆明・弁護士、平松耕吉・弁護士、井門忠

失事故」時には、ＥＣＣＳから緊急に冷却水の補給が必要であり、その際には高温の圧力容器に低温の冷却水が注入されることによる材料の健全性問題は重要な課題であったからでもあります。

【原告側：海老沢徹・証人】柴田証人と同じ日に主尋問と反対尋問を行ったのが海老沢徹・京大原子炉実験所助手（当時。現在では「助教」という）でした。福島原発事故の後で「熊取六人組」の一人として良く知られる様になった人です。海老沢証言の主目的は、大配管破断が起きた時の冷却材喪失時にＥＣＣＳがうまく稼働するかどうかという重要な問題点の証言であり、最近になって米国で明らかになった「ＥＣＣＳの注入がうまくいかない」との実験結果の証言をして、更に「大口径配管破断のみならず、中小配管破断の恐ろしさ」などに関しても証言しました。この小配管破断による炉心溶融事故こそが、その後の一九七九年三月に米国で発生したスリーマイル島（ＴＭＩ）原発事故だったのです。

【原告側：川野真治・証人】川野真治・京大原子炉実験所助手も「熊取六人組」の一人で、主尋問が昭和五一年（一九七六）六月二四日、反対尋問が昭和五一年（一九七六）九月一六日でした。主尋問の担当は平松弁護士が中心で、「蒸気発生器」の構造や、その問題点などを証言されました。加圧水型炉の弱点の一つに蒸気発生器細管の腐食と漏洩問題があり、細管にピンホールが発生しても「微弱放射能の検出で大破断になることはない」との国側の主張を、過去にギロチン破断をした米国ポイントビーチ原発の例などから批判しました。複数本の破断の可能性も指摘し、大口径破断事故時には蒸気発生器細管にも影響が及ぶにもかかわらず評価をしていないことや、ヨウ素被曝に関する事故時の解析評価の甘さなども指摘しています。

【原告側：佐藤進・証人】京都大学工学部（精密機械工学教室）の佐藤進・教授の主尋問は昭和五一年（一九七六）六月二四日で、川野証言の次の証言で、反対尋問は昭和五一年（一九七六）九月一七日でした。佐藤証人は「振動・騒音」「材料」の専門家で、主尋問は主に井門弁護士が担当しました。証言内容は蒸気発生器細管の健全性に関することと、圧力容器や配管などの問題点でしたが、特に蒸気発生器細管に関して「静的解析が中心で、実際の動的解析の重要性が無視されている」「機械工学の常識から考えても、まともに設計されたとは思えない」などと証言しました。細管は腐食・摩耗・疲労・振動などが重なって損傷・事故になるのであり、内田証言が「腐食しか考慮していない」ことを批判しました。

【被告側：黒川良康・証人】動力炉・核燃料開発事業団（動燃）の黒川良康・安全管理室長の証言は昭和五一年（一九七六）六月二五日に主尋問、昭和五一年（一九七六）九月一七日に反対尋問がなされました。放射線影響の解説をする役割だったようで、国際放射線防護委員会（ＩＣＲＰ）の勧告を説明するのでした。トリチウムに関する研究報告書に関係しておりながら、「トリチウムの半減期も知らない」のには唖然としましたし、「三〇〇レム（三シーベルト）以下であれば治療しないでも治る」「関東よりも関西の方が自然放射線が高いが、寿命は関西の方が高い」「放射線被曝者には心配がいらないと言う精神的な治療が非常に役に立つ」「五〇レム以上の被曝でなければ白血球の減少は起こらない」といった証言も反対尋問で撤回したのですが、危険性を示す幾つもの論文に関しての質問に「知らない」「覚えていない」の連発で、答えに窮して机にうつ伏せになり、裁判長から「気分が悪いのですか」と言われたほどでした。

【被告側：三島良積・証人】三島良積・東大工学部（原子力工学教室）教授は、核燃料審査会の会長で、伊方原発の安全審査でも燃料部門を一人で担当した人物であり、昭和五一年（一九七六）六月二五日に主尋問、昭和五一年（一九七六）九月一七日に反対尋問が行われました。この分野の権威だと言われているのですが、反対尋問での柴田信夫・弁護士と井門忠士・弁護士の質問には答えられずに黙りこむことが何度もありました。審査基準に「破損燃料の割合が十分に小さいこと」となっているのに、「冷却材喪失事故（ＬＯＣＡ）時には四〇％」との証言に「十分に小さいとはどれだけですか」と質問されて答えることが出来なかったのです。また証人の近著である『核燃料工学』には「ＬＯＣＡ時に冷却が出来ないと燃料棒が溶け、燃料ペレットも溶け、水素爆発等で炉が壊れる」と書かれていることを指摘されて「溶けることは無い」と強弁し、その著書の改訂時に「書き直す」とまで証言したのです。仮想事故では全放射能が漏洩するが、燃料棒は健全であり圧力容器も格納容器も原子炉建屋も健全であり、外部に漏えいする放射能は僅かであって、内田証人と同じように「周辺住民は逃げる必要が無い」との主旨の「建前」を主張し続けたのです。

【被告側：宮永一郎・証人】原子力研究所の宮永一郎・保健物理安全管理部長は昭和五一年（一九七六）七月二三日が主尋問、昭和五一年（一九七六）一〇月二八日が反対尋問でした。伊方原発の安全性を審査した原子炉安全専門審査会の委員でもあり、平常時や事故時の放射能の拡散や評価に関しての国側の正しさを証言しました。国側は原告側の「危険性を示す多くの研究」に対して、「まだ不明である」との強弁を押し通し、「不明」＝「危険の証拠がない」＝「安全」という理論でした。反対尋問は主に浦功・弁護士が中心だったのですが、黒川証人と同様に多くの点で馬脚を露わしてしまいました。被曝評価に関して「先行炉の実績から評価した」との証言の中に、伊方原発審査より二年も後で運転した高浜原発が上がっているのを指摘されると、あわてて「美浜1・2号炉あたりです」と訂正したのですが、美浜2号炉も審査以降の運転なのです。同型炉である玄海原発よりも放射能量が少ない理由を聞かれて、「アラップＡＬＡＰ（実用可能な限り低く＝編集部）精神で……」と答えたのには笑ったのでした。風洞実験でも「一〇〇〇分の一の模型で、風速一ｍ／秒で実験した」との証言に、「それでは風速一〇〇〇ｍ／秒に相当するのではないですか」と聞くと「はい」と答えて爆笑を誘ったのでした。

【原告側：市川定夫・証人】京大農学部（農林生物学教室）の市川定夫・助手の主尋問は昭和五一年（一九七六）七月二三日に、反対尋問が昭和五一年（一九七六）一〇月二八日でした。宮永証人と同じ日の証言だったこともあり、比較して聞けて印象的な証言内容でした。尋問は主に浦功・弁護士と菅充行・弁護士が担当されたのですが、微弱放射線被曝の染色体異変を長年にわたってムラサキツユクサで研究を続けてきたこともあり、遺伝的な影響に関しても色々な側面から証言されました。事故時ではなく平常時でも染色体異常が起きることを示されて、「線量目標値である年間五ミリレム（〇・〇五ミリシーベルト）という線量すらすこぶる危険である」と証言されたことを思い出します。自然放射能であるカリウム四〇と人工放射能との相違のことや、自然放射能の高い地域での染色体異常の増加論文などの詳しい説明など、私も初めて知ったことが多かったのです。アポロ計画の為の宇宙放射線の影響研究を米国で研究していた市川証人は、六〇年代前半は「原子力に期待を持っていた」のですが、微量放射能の危険性に確信を持ったことで反対するようになった経過も話され、最後に「放射線にたずさわっている遺伝学者として、私は原子力と人類というのは、もともと両立しない、共存できないと思います」と証言されたのでした。二〇一一年九月にお亡くなりになったのですが、その入院しておられた病院で福島事故の映像を見ながら、「どんな思いでおられたのか」を聞くことも出来なかったのが、私としてはとても残念でなりません。

【原告側：槌田劭・証人】京大工学部（金属工学教室）の槌田劭・助教授は昭和五一年（一九七六）九月一六日に主尋問、昭和五一年（一九七六）一一月二五日に反対尋問がありました。相次ぐ蒸気発生器細管の損傷や、一九七三年に美浜原発2号炉で発生した燃料棒の曲がり問題やＬＯＣＡ時の燃料棒の挙動などに関して、平松耕吉・弁護士と井門忠士・弁護士とが尋問しました。金属物理学の専門の立場から、燃料棒の健全性を過信している被告側の三島証言を批判する内容でした。燃料棒の中央部と外壁とでは極めて温度差が大きく、被覆管の内面酸化が問題であり、変形やリークが生ずることは当然であり、四国電力は十分な対策を考えていないと批判しました。また、ＬＯＣＡ時の燃料挙動に関しても、内圧上昇による膨れなどが生じて冷却水の流入が閉ざされて酸化が進み、炉心溶融に至って水素ガスの発生と爆発に至ることをも証言しています。四国電力のデータが「科学的に極めて妥当性を欠き、信用出来ない」「燃料被覆の溶融を防止できるような設計とは言えない」と証言するとともに、「企業秘密として燃料温度に関するデータを秘匿した」ことを批判しました。反対尋問も燃料棒の健全性が焦点となり、安全審査での燃料中央温度の評価が甘すぎるとして被告・国側を批判し、「ラスムッセン報告の炉心溶融事故・発生確率は一七〇〇〇年に一回である」ことを利用・宣伝する国側に対しても「信頼できない」と証言しています。米国・スリーマイル島原発事故が起き炉心が溶融したのは、その三年後の一九七九年三月だったのです。
【被告側：垣見俊弘・証人】通産省工業技術院・地質調査所の垣見俊弘・環境地質部地震地質課長の主尋問は昭和五一年（一九七六）一〇月二九日で、反対尋問が昭和五一年（一九七六）一一月二六日でした。垣見証人は伊方原発の安全性を審査した原子炉安全専門審査会・第八六部会の委員ではなく調査委員でした。垣見証人は地震専門の委員は気象庁の木村耕三・地震部長一人だったのですが、木村委員は審査には全く出席しなかったので、地震関係の調査委員として松田時彦・東大理学部助教授と垣見課長が担当したのでした。伊方原発があまりにも中央構造線の真近くにあることを懸念したのでしょうが、二人の調査委員はいずれも伊方周辺の地震はM７クラスが最大であり、震源の深さも三〇㎞として良いとの調査結果を報告したようです。「中央構造線が活断層である」と発言する可能性のある松田・助教授を証人にすることを避けて、垣見証人を登場させたのでしょう。活断層を考えるとすれば、震源の深さは三〇㎞よりも浅くなるし、長大な中央構造線を活断層だと考えると強大な地震になるからです。
いずれにしろ、この後で、調査委員の松田助教授は教授に、垣見課長は所長になったことを私は覚えています。原子力ムラの構造の一端を示す事実として紹介しておくことにしました。
【原告側：荻野晃也・証人】特別補佐人の一人である京大工学部（原子核工学教室）の荻野晃也・助手の主尋問は昭和五一年（一九七六）一一月二五日で、反対尋問が昭和五二年（一九七七）一月二七日でした。尋問は主に新谷勇人・弁護士であり、荻野証言の内容は「地震の原因は活断層である」「中央構造線が世界最大級の活断層である」「耐震設計の元となる加速度値は断層距離で考えるべきだ」「地震発生で初めて活断層の存在が見いだされることが多い」「最大加速度値は一六五ガルであり二〇〇ガルとすれば大丈夫だとした評価は間違いである」「近隣地震の場合は上下加速度値を二分の一よりも大きくすべきだ」「米国の基準では伊方原発は建設できない」「耐震設計も不十分だ」という、活断層原因説に基づいて、「活断層を想定しない」国の評価に対する全面的な批判でした。地震学者ではない荻野証人が登場したのには理由がありました。証人団の結成の責任を負ったのが荻野補佐人だったのですが、重要な地震問題に関して「活断層・原因説」で証人になって頂ける科学者がみつからなかったのです。和光大の生越忠・教授も「活断層・原因説」に批判派だったからですし、久米・補佐人も「活断層・原因説に反対」だったから、荻野・補佐人は必死になって活断層説に立つ地震学者を探し求めていました。その様な時にお会いした生真面目な地震学者の方から「荻野さんは私の学者生命を断つ気ですか」と言われてビックリしたのでした。官庁や大企業の協力で地質調査をしているのが一般的な研究方法なのですが、そんな証人になればその様な研究も出来なくなる……というのです。それを聞いて、私は「自分で証人をやる」と決心したのでした。「地震国の日本には原発は作るべきではない」というのが、六〇年代末に反原発運動をする決心をした私の信念だったからでもあります。

【原告側：久米三四郎・証人】特別補佐人でもある大阪大学理学部（化学教室）の久米三四郎・講師の主尋問は昭和五一年（一九七六）一一月二六日で、反対尋問が昭和五二年（一九七七）二月二四日でした。尋問は藤田・弁護士と浦・弁護士が中心でした。第5福竜丸事件の放射能に関心を持って「放射化学」分野の研究に従事したこの分野の草分け的な研究者の一人であることもあって、プルトニウム二三九やストロンチウム九〇などの危険性をも詳細に証言しました。

反対尋問では、原発の構造的な危険性や再処理の問題、更に日本の核保有の可能性までも言及しました。特に、美浜原発1号炉で発生した燃料折損事故に関しては、現地調査を行った経験をもとにして、「非常に酷い状況」であり、三島証言が燃料棒の折損などの「日本や米国などの事故例を隠蔽している」と証言しています。「トイレットなしのマンション」と良く言っていた久米さんですが、「行き詰まっている放射性廃棄物問題や廃炉の問題」にまで言及していて、原発技術に関する広い視野からの危険性を指摘する証言でした。

【原告側：星野芳郎・証人】特別補佐人で科学技術評論家の星野芳郎氏の主尋問は昭和五二年（一九七七）一月二七日で、反対尋問が昭和五二年（一九七七）二月二四日でした。大学紛争後に立命館大学教授を辞められたのですが、環境問題にも深い関心を持っておられて、関西の大学を中心とする若手研究者・院生・学生とともに「瀬戸内海汚染調査実行委員会」を結成して一九七一年には「瀬戸内海汚染調査団」の団長となり、伊方沖での調査も行っています。尋問は主に藤田弁護士がされたのですが、公害企業に詳しい立場から「閉鎖海域である瀬戸内海を放射能で汚染させるわけにはいかない」との信念で証言されたのでした。また「原発の安全審査に関しても、他の審査に比べてあまりにも杜撰であること」「原発でエネルギー危機は解決できない」「エネルギー使用の無原則な増大は国民生活の危機を招く」「原発計画の性格は徹頭徹尾軍事的である」などの広い視点での問題を取り上げられたのでした。

【被告側：大崎順彦・証人】昭和五二年（一九七七）一月二八日に主尋問、昭和五二年（一九七七）二月二五日に反対尋問がありました。大崎順彦証人は東京大学工学部建築学科教授であり、耐震工学を専門としていて、原子炉安全専門審査会委員として伊方1・2号のみならず、美浜1・2号、高浜1・2号、大飯1・2号、島根1号でも耐震審査に関与しています。証言では、四電の申請の「設計地震動、地盤、断層、破砕帯」などの耐震設計の全てが十分に安全性を確保できているとの内容でした。傍聴していた人が「まるで、四国電力の技術員みたいにいうのには苦笑させられた」と言うくらいに、四国電力の作成した資料と自分の判断とを混同して話しをしていたようでした。反対尋問は新谷弁護士が中心に担当され、藤田弁護士と荻野補佐人とが質問をしています。大崎委員が一人のみで会議をしているなどの安全審査とは言えない様な実態などが追及されました。四国電力が「安政の大地震」を申請書から除外していることに審査会も気付かなかったことや、中央構造線の九州側にある活断層を無視していたことなども明らかで、活断層を十分に考慮せずに審査がなされたことは明らかでした。

【原告側：大野淳・証人】東京水産大学の大野淳・助手の証言は昭和五二年（一九七七）一月二八日に主尋問、昭和五二年（一九七七）三月二四日に反対尋問がありました。主尋問は畑村悦雄・弁護士が中心になって行われました。瀬戸内海の様な閉鎖海域での汚染は周辺漁民にとって死活問題であり、瀬戸内海の漁民には特に関心の高い問題でした。原発の温排水問題は各地の原発周辺で問題になっており、漁業権に関係の無い離れた海域の漁民にとっても重大関心事でした。大野証人は温排水による温度上昇のみならず、沖合の海水が引き込まれる問題や、網目による生物の粉砕効果、付着防止用に使用される塩素水の効果、海水淡水化装置による影響、更に放射性物質の混入問題など広範囲な悪影響問題を証言されました。七℃にも上昇する温排水が1・2号機で一秒間に七九トンも排出されるのであり、大河川の水量に匹敵するにもかかわらず、四電の調査は二回行われたのみで実情把握とは言えず、影響が心配されることを証言しました。一九七〇年には「温排水対策基本法」「水質汚染防止法」が出来ていながら、現在でも「規制値や規制指針」が出来ていないことや、排水量の推定が不正確であるなどの国の対策の遅れをも証言されました。国側は「二℃以下にしているので、影響が無いはずだ」と指摘するのに対して、大野証人は「海を温排水などの原発廃棄物の捨て場にしてはいけない」「瀬戸内海をこれ以上に汚すべきではない」と主張されたのです。

【原告側：生越忠・証人】和光大学の生越忠・教授の証言は昭和五二年（一九七七）二月二五日に主尋問、昭和五二年（一九七七）七月二八日に反対尋問がありました。主尋問と反対尋問との間の期間が五カ月間もあることに気付かれたでしょうか？　この間には「重大な問題」が発生していたのです。今まで証人尋問や現場検証などを行ってきていた村上裁判長に転勤命令が出たからです。それをめぐっての最高裁とのやり取りに関しては次項で紹介します。

生越教授は昭和五一年（一九七六）一二月に「伊方原発の地盤に関する鑑定書」を提出されており、それに関する説明証言でもあり、主に菅充行・弁護士が尋問されました。「鑑定書」の内容は「レンズ状岩体に破砕されているところが少なくなく、一枚岩的岩質を有していない」「敷地内の断層の多くは中央構造線の運動に伴って生成された可能性がある」「敷地の周辺では地すべりが多く、原発敷地の改変で地すべりの可能性が少なくない」「中央構造線が敷地北の数百mの至近距離を通っている可能性がある」「過去に約五三年の周期でマグニチュード7クラスの大地震が繰り返し発生しているので、地震の点では適地とは言えない」などと書かれていて、証言もそれと同じような内容であり、

「安政の大地震を考慮していない」ことなどのマグニチュード8クラスの大地震を評価していないことや「不同沈下の可能性」をも指摘して、「原子炉設置場所としての適合性を有しない」との証言をされました。生越鑑定と証言は、荻野証言を側面から補強する内容ですが、地盤の問題点を中心として証言していて、「活断層説」にはあまり触れてはいませんでしたが、少しずつ「活断層説」を容認する気持ちが認められ始めたように思われ、夏以降には久米さんも「活断層説」を少しは評価するようになってきたのでした。しかし、「活断層説を中心とした荻野証言」のことは、久米さんが編集責任者であった「伊方訴訟ニュース」にも全く紹介されることは無く、そのことが「伊方原発訴訟での活断層の危険性の主張は伊方2号炉訴訟で初めて行われた」との誤解を生む要因になったのでした。

【被告側：木村敏雄・証人】東京大学理学部地質学科の木村敏雄・教授の証言は昭和五二年（一九七七）三月二四日に主尋問、昭和五二年（一九七七）七月二八日に反対尋問が行われました。木村証人は、生越証人と同じ頃に「地盤に関する鑑定書」を提出されており、双方が「地盤に関する証言」で全く相反する論争をされたのでした。木村証人は「構造地質学」「地史学」を専門としていて、岩石変形などを中心に研究しているというこの分野での権威なのだそうです。「伊方周辺は三波川帯の中でも最も安定した区域である」「その証拠が佐田岬半島の存在である」「中央構造線の活動の活発なのは中東部で、伊方原発は安全である」「中央構造線は敷地から五〜八㎞も離れているので地すべりや崩壊の恐れはない」「敷地にある小断層も岩石変形をしらべると最近に動いたものではない」などと証言したのでした。「岩石変形で断層の動きが判明する」との証言に関して、関心を持った研究者が木村教授の学会発表の際に「その方法を質問して聞いた」のだそうですが、「何も答えないで下壇した」とその質問をした人から聞いたことがあります。その後もその研究はどのように進展しているのでしょうか？　「活断層の年代測定」に関心を寄せ続けていた私ですが、今なおそのような研究方法のことを聞いたことがありません。国の主張に迎合しただけなのでしょうか？

【被告側：児玉勝臣・証人】「伊方原発行政訴訟本人調べ」として被告側の児玉勝臣・科学技術庁官房秘書課長の証言は昭和五二年（一九七七）三月二四日に主尋問、昭和五二年（一九七七）七月二九日に反対尋問が行われました。伊方原発の安全審査が行われていた時の「科学技術庁原子炉規制課長」であり、当時の審査会・事務局の責任者であったからです。事務局としては「違法性は無い」ことを主張するのは当然でしょうが、「委員が一人で審査」したことに関しても、「事務局員が出席しているから違法ではない」と主張するなど、安全審査が如何に適当に行われてきたかを主張したのでした。その中でも話題になったのは反対尋問での「避難」に関する証言でした。「周辺住民の避難時間を計算していますか」との質問に「しておりません」と答え、「どれだけの放射能を浴びるか」との質問には「逃げることを想定しておりませんから分かりません」と答えたのでした。この伊方訴訟でのやり取りは、福島原発事故後での「避難問題」でも知られるようになったようで、二〇一四年七月一八日の『東京新聞』が「避難軽視変わらず」「原発再稼働『欠陥審査』」の見出しで、『南海日日新聞』の記事を紹介しています。

この証言をした児玉証人は、以前から「科学技術庁・主催」の「地方自治体職員」や「関係各省庁職員」を対象とした六日間もの「原子力行政セミナー」の講師を務めていて、科学技術庁・通産省の中で順調に出世し、最後は「資源エネルギー庁・審議官」から「天下り」して「発電設備技術検査協会」の理事長になったはずです。この「検査協会」は、原発の機器の検査を請け負う協会ですが、本当に安全が確保されたのでしょうか?

【原告側：井上常久・証人ら】昭和五二年（一九七七）二月二五日、七月二九日、八月二五日の三回にわたって「訴訟本人調べ」として原告三人が証言しました。三回の証言は井上・証人が、最終回には矢野濱吉・原告と佐伯森武士・原告が証言しているのですが、中心的に証言されたのは井上原告でした。尋問は平松耕吉・弁護士が中心になって行われました。井上原告は「原発から約二kmの伊方町須賀地域で柑橘栽培をしていて「元・町見農業青果部長」であり、「伊方原発反対共闘委員会」と「伊方原発建設反対八西連絡協議会」の副委員長をしておられました。井上証人は「反対運動の経過」と「四電と伊方町当局が、原発推進のために行った非道な行為」を詳しく証言されたし、一九六九年には内田秀雄・東大教授が伊方町主催の講演会で「原発は安全だ」と講演したことなどをも証言されたのでした。

このような伊方住民を騙すような政策が四電・伊方町・愛媛県・国が一体となって行われたことに関しては、『原発の来た町――伊方原発の三〇年』斉間満著（インターネットで公開されている）に詳しく書かれているので参考にして下さい。また、原告三人の証言後には、八幡浜市民病院に入院中の原告側の川口寛之・団長にも八月一七日に病院で証人調べが行われています。この川口さんの病室の向かいの部屋に入院中だった平尾順一・伊方発電所所長代理が昭和五二年（一九七七）二月一八日に急性白血病で死亡したことも不思議な因縁でした。丁度、伊方原発からのデモンストレーション的な試験送電を行う前夜の急死だったからでもあります。

思いがけない展開

第一審での証言は昭和五〇年（一九七〇）一〇月二三日の原告側の藤本証言から始まり、昭和五二年（一九七七）八月二五日の原告本人証言まで行われたのですが、この証言の間にも訴訟経過は思いがけない展開をしてきたのでした。その最大の問題は、多くの証言を聞いてきた松山地裁の村上悦雄・裁判長に、昭和五二年（一九七七）三月末に名古屋高裁への移動命令が来たことでした。一カ月前の二月五日には原告側は九五九頁もの「準備書面（原告一二）」を提出するとともに、「行政事件訴訟法二五条」に規定されている「処分の効力、処分の執行又は手続きの続行の全部又は一部の停止」を求めての「効力停止」を求める「申立理由補充書」をも提出していたからでもあります。伊方原発1号炉の運転を前にして、「せめて一審の判決前の運転開始は止めて欲しい」という原告団の思いが、裁判の最初に提起されていた「安全審査の効力停止」を再度求めたのです。その「執行停止申立書」を松山地裁に提出した後、伊方町・保内町、三崎町の各住民代表十数名は愛媛県庁へ行き、「原発の運転には、住民の避難を含めた防災計画が必要と聞いているが出来ているのか」と消防担当課長や公害担当課長に迫ったのですが、「案は出来ているが、いろいろ調整に手間どってまだ作られていない」との回答に、憲法の観点から考えても「防災計画の無いままでの運転は違法」と言えるのだから、「すぐ運転を止めるよう四電に命じよ」「我々のいのちと四電とどちらが大事と思っているのか」と激しく抗議したのでした。それから三七年後の二〇一四年の段階でも、原発の再稼働をめぐって同じことが繰り返されているようで悲しい思いになります。

二月五日に提出された「執行停止申立書」に書かれた「危険性」を更に詳細に主張したのが「準備書面（原告一二）」でした。

各証人の証言内容の比較をすれば明らかなように、内容的には原告側の圧勝と言って良かったのであり、危機感を抱いた最高裁が人事に介入してきたのだと思われます。左倍席の裁判官も移動したので、まさに証言を直接聞いた裁判官は右倍席一人のみと言う状態なのでした。最高裁としては「判決の下書きを書く右倍席がいるから大丈夫」と考えたのかもしれませんが、すでに述べたような証言内容に危機感を持ち、直接に証言を聞いた三人の内の二人を替えることで、証言の内容を曖昧にして右倍席の責任を大きくし、「右倍席に圧力をかける」としか思えない対応でした。原告側の弁護団も反発したことは言うまでもありません。「原発推進」は当時の田中内閣の大目標であり、日本のエネルギー政策を左右する重大な問題であったからでもあります。

三月三〇日には「伊方原発2号機の増設」も許可されたばかりであり、結審を直前にしたこの異常事態に、原告側弁護団も唖然としたのでした。人事権は最高裁にあるのですから秘密なのですが、その真相をそれとなく書いた本があります。二〇一二年に『産経新聞』に連載された『法服の王国・小説裁判官』（黒木亮著、産経新聞出版）です。この小説には裁判官の多くは仮名ですが、伊方訴訟に関する場面に登場する藤田弁護士や仲田弁護士は実名で登場するのです。その理由は「伊方訴訟ニュース」を参考にしているからなのだそうです。伊方原発訴訟の書面の多くは、私（荻野）が保管していて、それを埼玉大学へ持って行き、更に今では「立教大学・共生社会研究センター」に移管されているのですが、それらの書面を詳細に読んだのだそうです。その著者が『世界』（岩波書店）二〇一四年五月号に『「法服の王国」を生きた人たち』を書き、その中で「裁判官の交代」に触れられているので、その主なところを下記に紹介します。

「一審の結審直前に、裁判官と左倍席が二人一度に異動になった」

「国が敗れれば、すでに提起されていた福島第二原発や東海第二原発訴訟のみならず、国の原発推進政策に大きな影響を与えることは確実だった」

「藤田一良弁護団長らは最高裁にまで出向いて抗議しました」

「事務総局が伊方原発訴訟で何とか国を勝たせたいと考えていたことは、二人の異動の半年前の一九七六年一〇月に中央協議会（裁判官合同）を開いて、これまで深刻な原発事故が起きていないから、住民側を『原告適格なし』で門前払いしても不都合はない、との見解に誘導していることからも分かります」

「右倍席の方も、結審直前に元裁判官の国側の訴務検事が訴えを棄却しろと言いだしたので驚いた。その意見は最高裁事務総局の人事局にも行っていたはずだと仰っていました」

「当時、最高裁事務総局の人事局に勤務されていた元高裁長官の方にも、この異動について訊いてみたところ、「伊方のときは長沼ナイキのような判決（一審判決で、自衛隊は憲法九条のいう『戦力』にあたり違憲であるとした）が出ないように、考慮が働いていたのではないか。大事な裁判の結審直前に裁判長を代えるようなことは普通やらない」

このように黒木氏は書いていて、それを読みながら伊方訴訟・弁護団でも「最高裁の横やりに相違ない」と当時は考えていたことを思い出したことでした。

そして、「原告適格なし」で「門前払い」するかどうかも裁判長と相談したのですが、「それは出来ない」と裁判長に言われたのだそうです。裁判の判決は「まず右倍席が下書きをしてそれを三人の裁判官で合議して、最終的には裁判長が決定する」のが一般的なのだそうですが、その右倍席だった人が「家のどこかから当時の判決文を引っ張り出してこう言われたので、この辺りの経緯は間違いないと思われます」とも黒木氏は書いています。

そして更に、「私（注：黒木）はすべての原発訴訟について調べたわけではありませんが、裁判所にマンパワーがない状況で判決が出された、あるいは最初から結論ありきで判決が書かれたケースが少なくないのではないか、という感触を持っています」とも書いている。この右倍席の元裁判官への取材は、福島原発事故の後のことですから、たった一人生き残っている八二歳の右倍席の裁判官も自分の関わった伊方原発訴訟の判決文のことを反省を込めて率直に話されたのでしょう。

いずれにしろ、原告側は村上裁判長の復帰を願い出たのですが、最高裁は何の返事もしないのでした。公正な裁判をするのであれば、多くの証言を聞き続けてきた裁判長が判決を書くのが当然です。しかし、昭和五二年（一九七七）三月二四日に村上裁判長が原告側の大野淳・証人の反対尋問と、被告側の木村敏雄・証人の主尋問と児玉勝臣・被告側本人尋問とをした後なのですが、次回公判日に決められていた昭和五二年四月二一日を別の裁判長で行われることになったのです。新しく任命されたのは植村秀三・裁判長なのですが、その日は「裁判長が腰痛だ」と言う理由で延期になったのです。更に予定されていた次回の五月二六日も「流れ」てしまったのですが、原告・被告の双方から書面が提出されました。原告側からは「裁判官の転勤に関する批判文」が、被告側からは「準備書面（九）」が提出されました。被告のその書面には、驚くべきことに「原告には裁判をする権利が無い」との「原告適格」に関する新しい主張が展開され始めたのです。

裁判の流れは、残りの数人の証人尋問が終わり、原告側の本人尋問が終われば「判決」になるのですから、本当に最終段階でのことなのです。村上裁判長を前任地に戻し、地裁所長よりも上格だと見なされている高裁部長にすえるという異例の人事であり、しかも植村・裁判長は前橋地裁在任当時、「安中鉱毒裁判で、原告の訴状提出をバリケードで阻止し、訴訟救助を認めず、原告席のテープ使用も不許可にするなど、不当な訴訟指揮の故に、忌避を申立てられた」と言われていて「強硬派の右翼的な裁判官だろう」と思われる様な裁判長が「腰痛」を理由にして「ストライキをしている」としか思えないのでした。また「原告適格」問題は、当初から原告団でも議論された問題でした。しかし、被告側は「この裁判で国民の理解を得るための良い機会にする」と豪語して「裁判を受けて立つ」方針であったから、「原告適格」を認めてきたのであり、この問題は裁判の当初に議論されるべき重要課題であることは言うまでもありません。最後になってからの被告側の「原告不適格」の主張に原告団も驚き果てたのです。

二回も裁判官不在の状況という予想外の事態に最高裁も困ったのではないでしょうか、あわてて別な裁判長を任命したのでした。それが柏木賢吉・裁判長であり、更に松山地裁の別な部門に移動させられていた、左倍席も復帰させることにしたのでした。原告側の言い分も僅かに取り入れたポーズを示していることもあることから原告団もそれ以上の批判もせず、六月二三日に公判が開始されたのです。裁判官が変更になった場合には、「弁論更新」が行われるのが通例であり、七月二八日、二九日には原告・被告の双方から準備書面が提出されるとともに、二八日には原告側の生越・証人と被告側の木村・証人の反対尋問が、また「被告本人」としての児玉証人の反対尋問が行われました。それらの証言は前に紹介しました。「原告本人」としては井上常久・証人、矢野濱吉・証人、佐伯森武士・証人の証言が八月二五日にまで行われました。また、原告団長だった川口寛之・証言は本人の入院先の病院で八月一八日に出張証言が行われています。

一〇月二四日、一〇月二七日にも双方から準備書面が提出され、昭和五三年（一九七八）四月二五日の判決日を迎えることになったのでした。結審直前になって、被告側からは「原告適格の不存在」の主張が強化されたのみならず、「エネルギー政策に関わる問題であり司法の判断には馴染まない」との脅しの様な主張や、「安全審査は基本設計のみであり、詳細設計は別の形で行っている」というような「国の裁量処分」に関する主張などが盛り込まれてきたのでした。「原告適格」の問題は、すでに述べていますが「基本審査」や「裁量処分」の問題は原告側の弁護団でも大議論が行われた問題でした。最大の論争は「裁量処分」をめぐる論争であり、小生の理解では「限定された場合での裁量処分を認めなければ、行政としては政策が施行できない」との意見と、「生命・財産に関わるような原発設置の許可処分には裁量処分は認められない」との論争でした。この論争は裁判開始当初から激論がなされていたのですが、結局は後者の意見となり伊方原発訴訟での中心的な流れとなったのです。

それを主張した中心が藤田弁護士であったように私には思われます。法律に詳しくはない小生もその論争をハラハラしながら聞いていたのでした。

また「基本設計」と「詳細設計」の問題も、「裁量処分」の種類と関連があり、「安全審査を行うのは全体を総括的に取り扱うような基本設計」に関する「裁量処分」であり、その後で詳細に具合的な工学技術的に行うのが「詳細設計」である「裁量処分」であるというのが被告側の主張でした。しかし考えてみれば良くわかることですが、例えば耐震設計と言う「工学技術的な設計」の基礎となる地震の最大加速度値は「安全審査段階」で決められているのですから「基本設計」の範囲であり、その最大加速度値に耐えられる様に「詳細設計」が行われるわけですから、「基本設計」が「詳細設計」を完全に規制しているわけで、別な設計だとは言えないはずです。

そんなこともあり、原告側としては、別なものとして考えることを批判したのでした。安全審査の中心になる「原子炉安全専門審査会」の会長が内田秀雄・東大教授であり、その審査に合格した後での通産省の「原子力技術顧問会」の会長も同じ内田秀雄・東大教授であることをも批判したのでした。推進と規制の問題を体現しているのが、内田教授だったと言えるでしょう。それが当時からの「原子力ムラ」の実情だったのであり、彼らは自己反省することもなく原発推進路線を走っていたのです。内田秀雄・東大名誉教授は二〇〇八年に、三島良積・東大名誉教授も一九九七年にお亡くなりになったのですが、長生きして下さって「福島原発事故」を知って欲しかったと思うことしきりです。特に、兵庫県洲本市には「郷土の生んだ偉人」として「父・三島徳七博士」と共に「三島博士顕彰会」があり資料室も設置されているそうですが、核燃料の権威であった三島良積・博士と福島原発事故のこと

資料7(a)

朝日　(夕刊)　1978年(昭和53年)4月25日　火曜日　3版　(8)

「だめか…」沈む原告団

伊方原発訴訟

「安全性はわからぬ」

「住民無視」と怒りの声

出典：『朝日新聞』1978年4月25日夕刊

資料7(b)

朝日 1978.4.26

ひと

伊方原発訴訟の原告代表

川口(かわぐち)寛之(かんし)

愛媛県伊方町生まれ。合併前の町見農協長、町見村長をつとめ伊方町助役を経て34年から町長1期、46年から町議1期。72歳。

「全く裁判なんて……。口頭弁論のたびに科学者が原発の危険性を指摘し、被告の国が反論できない場面も多かったのに。納得できない判決です」

訴訟の途中、病に倒れ、八幡浜市の病院で判決を聞いた。

「目の前で振り回される刺し身包丁を取り除くためには、われわれの実力行使以外にないとこを裁判は教えてくれた」とうめくようにいった。

もともと保守的なミカンと漁業の町で生まれ育ち、なかでも、もっとも保守的な町長だった、とみずから認める。原発が、この人の生き方を変えた。

「年寄りほど、ふるさとが今のままであってほしいと願うのです」。訴訟は〝老人パワー〟に支えられてきた。沈着冷静な人柄がかわれて原発反対共闘委会長、原告代表に。「政治団体に属さず、自前の運動をする」という住民運動の原則を打ち立て、かたくなに守った。

「そりゃ、最初は学生たちの支援もあった。その行動力や知識は役立った。年寄りに光明さえ与えてくれた。が、受け入れがたい面も出てきて」と、いまも、そのときの苦しみを抱く。

「アメリカの連邦最高裁が、原子力の安全に関することがらは裁判になじまない、という判断を示した。が、『なじむ』とは一体なにか。何度も裁判を重ねていくうえでなじんでいくはずです」。闘志は早くも、控訴審の〝第二ラウンド〟に向けられている。

幼時の名は「与太郎」。旧制松山高校を中退、軍隊に入ってから本名に抵抗を感じた。真言宗の僧籍を得て「寛之」に。

「闘争」と名づけた詩でうたう。「企業は鬼業だった　利益追求の前には　人間の生命も蹂躙（じゅうりん）する　権力は横暴だし　金力は残虐だ」と。

老齢と病苦。そのなかで、「勝っても一銭の得にもならない戦い」がつづく。(浪)

出典：『朝日新聞』1978年4月26日

をどのように紹介しているのでしょうか？

一審の敗訴

昭和五三年（一九七八）四月二五日、第一審の判決がありました。「敗訴」でした。原告の広野さんが松山地方裁判所前で「辛酸入佳境」の旗を悲しそうに掲げている「新聞記事の写真を「資料7(a)」とし、原告団長の川口さんの新聞記事を「資料7(b)」としました。負けた場合には「その田中正造の言葉」を、勝った場合には「国破有山河」を掲げる予定でした。熊野勝之・弁護士が考えて揮毫した旗でした。原発を巡る初めての行政訴訟・判決であり、原告側が有利に進めていたこともあってメディアの関心も高く、裁判所前にはTV局などのテント村が出来たほどでした。

判決の内容に関しては、この第3章で紹介するように判決後に藤田・弁護士が色々と書かれていますし、座談会もありますから、ここでは詳しく述べることはしません。しかし、唖然としたのは、あれだけ原告側が強く主張した問題に答えることもなく、多くの点で「国側の主張を正しいとして認知している」ことでした。僅かに国側の主張を認めなかった点は「原告適格を認めたこと」だけだと言って良いでしょう。確かに「内田証人の主張した溶融事故は起きないのであり、単に溶融したと考えるだけだとの主張を認めなかった」のですが、そうであるにもかかわらず「圧力容器も格納容器も健全であり、多量の放射能放出はない」というマンガの様な判断をしたのです。「三島証人の証言も認めなかったのですが、その理由として三島証言は間違っている」との認識だけであり、その重要性を認識してはいないのです。要するに裁判での議論の内容がわかっていなかったのです。前に紹介した

資料８(a)

(13)　11版　1978年(昭和53年)4月24日　月曜日
伊方訴訟の意味
余りに不確かな許可の根拠
久米　三四郎　阪大講師
「絶対的安全」は無理な注文
内田　秀雄　東大教授

出典：『朝日新聞』1978年4月24日

資料８(b)

(3)　☆14版☆　昭和53年(1978年)4月26日　(水曜日)
「原発」の安全論議徹底を
本社座談会
出席者
三宅　泰雄
田宮　茂文
松根　宗一
審査技術まず高度に
政府にも信頼定着の責任

出典：『読売新聞』1978年4月26日

黒木亮・著『「法服の王国」を生きた人たち』（『世界』二〇一四年五月号）には次のような話しが紹介されていることにも驚いたのでした。

「右倍席の方への取材からはっきり分かったのは、裁判所が、原発の危険性や安全審査の経緯を十分に理解できないまま、判決を書いていたということです」「その方（注：右倍席のこと）が何と仰ったか。判決を書くなら早くやらなくてはいけないということで、所長室の隣の部屋を専用の作業部屋にして、夏休みを返上して作業にあたった」「論文のような書面が山ほど出てきて、目を通すのがやっとだった」「東大の物理学教室の論文みたいなものばかりで、自分には理解できなかった」

理解できないのなら理解できるように、再度、証人調べをすれば良いはずであり、それだからこそ原告側は証人調べを担当した「村上裁判長を移転させないでほしい」と希望したのでした。最高裁が人事に介入して「原発裁判の判決を国側に有利に進めたい」と考えたことは間違いなかったと言えるでしょう。

判決文を読んで、私が最初に感じたことは「日本には三権分立は存在しない」と言うことだったのです。悲しいことですが、それが日本の現状だったことを福島原発事故は証明したのであり、弁護団長だった藤田弁護士の悲しみも大きかったのです。福島原発事故の後でのＮＨＫ／ＴＶのインタビューで「最高裁の責任を批判した」のは当然だったのです。第一審の判決前に内田秀雄（被告側）と久米三四郎（原告側）とが朝日新聞に「伊方訴訟の意味」を書いており、判決後には三人による読売新聞の座談会も掲載されているので、各々を「資料８(a)」「資料８(b)」にしました。当時の雰囲気がわかるでしょう。また、藤田・弁護団長が判決批判をしている福島原発事故後の新聞記事を「資料９」

資料9

(1) 総　合 ★★11版　明治25年2月29日第3種郵便物認可　愛

伊方原発再考

―福島が問うリスク―

第4部 法の鎖　5 揺らぐ信頼

震災 えひめ 2011

ずさんな安全審査 露呈

「専門家とされる人が、いかにたわいなく無責任かということが、明らかになってしまった」―。伊方原発1号機訴訟の原告弁護団長を務めた藤田一良弁護士(82)=大阪弁護士会=は、訴訟を通じてベールに包まれた安全審査のずさんさが暴かれたと指摘する。1975年に松山地裁が国に提出を命じた安全審査関係の資料や証言が、逆に審査の信頼性を大きく揺るがすことになったからだ。

松山地裁判決によると、実質的に安全性を検討した部会でさえ、72年5月の初会合出席は12人中7人。同年10月まで7回の会合に1回も顔を見せない委員もいた。運営規定や議事録も存在しなかった。上部組織の審査会も、部会報告書了承の決議に代理出席者が加わったことが判明した。

藤田弁護士は審査の実態も伴っていないと主張。原子炉を立地するには、通常時や事故時に放射能がどう拡散するか調べ、周辺住民の被ばくを計算し正否を判断する。現地での拡散実験は極めて重要だが、未実施だったことも分かった。藤田弁護士は「法廷で安全審査会長を問いただすと、伊方原発周辺の地形さえ『はっきり思い出せない』と答えた」とあきれかえる。証言台でうつむいたまま、何も答えられなくなった証人もいたという。

国が既に「安全神話」に浸っていたこともうかがえる。2号機訴訟で放射性物質の放出の可能性は否定できないとする原告に対し、国は最終準備書面で「原子炉のECCS(緊急炉心冷却装置)や、格納容器等の安全防護施設の存在を無視し、これらが全く機能しないような場合において初めて発生し得る事故の状態、例えば炉心溶融までも考慮する必要がないことは明らかである」と言い切った。

裁判所に対しても、藤田弁護士は不信をあらわにする。1号機訴訟では、松山地裁での審理をほとんど終えた77年4月、担当裁判官3人のうち裁判長を含む2人が異動。後任裁判長は体調不良を理由に弁論を開かないまま6月に再異動し、別の裁判長が判決を下した。

「それまで原告の話に比較的耳を傾けてくれた裁判長の交代は最高裁の意図。判決には両方の主張は一応書いているが『国側の主張を認めるのを相当とする』としかなく、肝心な相当とした理由に触れていない。裁判の形もなしていない」(藤田弁護士)

高松高裁に舞台が移った79年、米スリーマイルアイランド原発事故が発生。伊方と同じ加圧水型原発で炉心溶融が起きたこともあり、国の主張に苦しさが見え始めていた。

83年3月4日、第22回口頭弁論で突如「弁論を終結します」と声が響いた。藤田弁護士が見たのは、声を張り上げた後に裁判官席の後ろのドアから「逃げていく」裁判長の姿。裁判では通常、終了前に双方の主張や争点をまとめる弁論を行うが、原告側は証人申請の途中だった。「『やられた』と思って裁判官控室まで追っかけたが、もうおらん。茶番劇もいいところだ」。藤田弁護士は吐き捨てるように言った。(森田康裕)

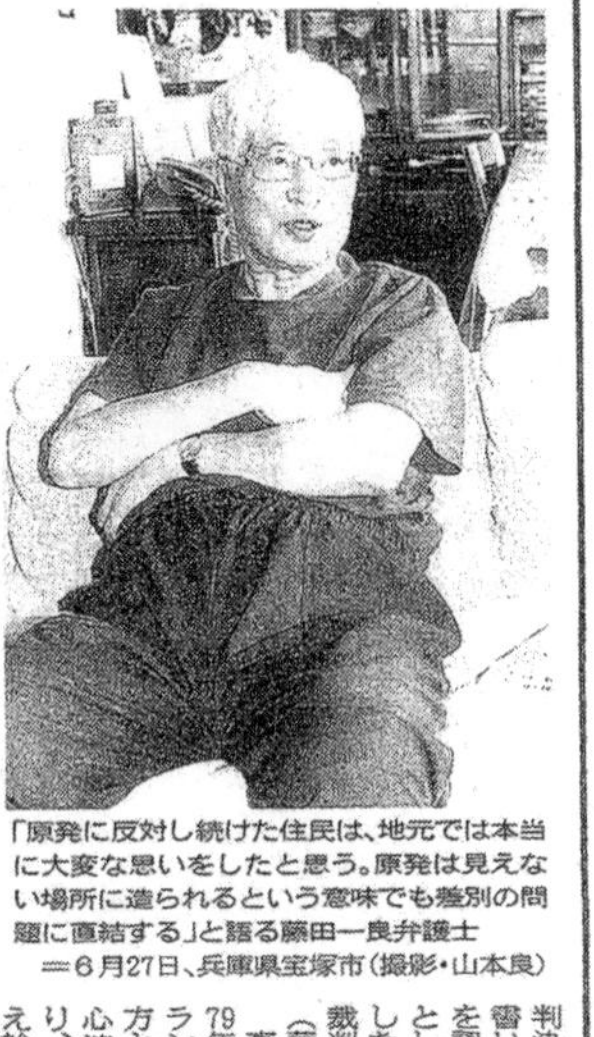

「原発に反対し続けた住民は、地元では本当に大変な思いをしたと思う。原発は見えない場所に造られるという意味でも差別の問題に直結する」と語る藤田一良弁護士＝6月27日、兵庫県宝塚市(撮影・山本良)

出典：『朝日新聞』2011年9月2日

としました。

一審の反響

一審の敗訴判決を受けて、原告団は判決を不服として四月三〇日に高松高等裁判所に控訴しました。一審判決を巡っては、色々な雑誌などに評価論文が書かれているので、その主なものを以下に紹介することにしました。主に参考にしたのは『伊方原発設置反対運動裁判資料：第二回配本・別冊』（クロスカルチャー出版）です。

四月二八日：『朝日ジャーナル』編集部「どう裁かれるか『原発の神話』——伊方原発裁判の論争点」（『朝日ジャーナル』第二〇巻第一七号、朝日新聞社）

五月二六日：原田尚彦（東大教授）「〝未来裁判〟—限界と可能性—伊方原発判決の意義」（『朝日ジャーナル』第二〇巻第二一号）

六月一〇日：『技術と人間』編集部「権力こそ真理か・伊方判決の意図するもの」（『技術と人間』六月号）

六月二三日：槌田劭（京大助教授）「裁判は形式的儀式に過ぎないのか——伊方原発判決に科学者として抱く疑念」（『朝日ジャーナル』第二〇巻第二五号）

六月三〇日：伊方原発行政訴訟弁護団・原子力技術研究会編「原子力と安全性論争＝伊方原発訴訟の判決批判＝」（『技術と人間』六月臨時増刊号」）

七月一日：田中舘照橘（明大教授）「伊方原発判決の問題と行政訴訟の課題」（『法学セミナー』七月号、

日本評論社）

：阿部泰隆（神戸大教授）「原発訴訟をめぐる法律上の論点」（『ジュリスト』第六六七号伊方原発訴訟判決・特集号）

：星野芳郎（科学評論家）「伊方原発訴訟判決批判」（『展望』七月号、筑摩書房）

：小野周（東大教授）「伊方原発訴訟の示すもの」（『公明』〔公明党機関紙〕第一九七号）

：岩淵正紀（法務省検事）「原子力発電の安全性と司法審査」（『法律のひろば』第三一巻第七号）

七月一四日：淡路剛久（立教大教授）「伊方原発判決の問題点」（『公害研究』第八巻第一号、岩波書店）

八月一五日：古崎慶長「原子炉の設置許可段階での安全性の審査」（『判例タイムス』三六二号）

：保木本一郎（国学院大教授）「伊方原発訴訟における許可処分手続きの違法性の存否」（『判例時報』臨時増刊・第八九一号）

これらの一連の論文を読むと、第一審判決に批判的な指摘の多いことに気付くのですが、内容に関心のある方は原論文を読んで欲しいものです。原告団としての判決批判は『技術と人間』一九七八年六月臨時増刊号に詳しく展開されているのでそれを参考にして欲しいと思います。それでも「原告適格を認めただけでも意義があるので控訴を手控えるよう」に藤田弁護士に連絡してきた大学教授もいたそうです。国側の意向を受けていた人物なのですが、勿論、藤田弁護士は拒否したのでした。

伊方原発の安全審査の地震・地盤担当の委員で、証人として出廷しなかった木村耕三・気象庁地震部長は、前年の一九七七年九月一日の朝日新聞に「東京の地震が怖い……として東京を脱出して岩手

（21）　都　　1977年（昭和52年）9月1日　木曜日

首都圏

三陸に逃げて 何よりもパニック回避策を

大地震 私の防災策 ……7

ナス、カボチャ、トマト。野菜類は裏の畑で自給自足。夜は論文の執筆。午前5時起床、午後9時半就寝。木村さんにとって予想以上の多忙な毎日だという＝岩手県気仙郡三陸町越喜来字肥田の自宅で

国民の目さます"演技"

元気象庁地震課長の木村耕三さん(72)の家は、典型的な三陸のリアス式海岸、越喜来（おきらい）湾を見おろす高台にある。釜石と気仙沼のちょうど中間。北上山脈に背後を隔絶され、つい五、六年前までは、文字通り「陸の孤島」と呼ばれてきた岩手県の一寒村である。

移住を思いついたのは、定年を間近にひかえた四十六年七月末。越喜来の隣の浜にできた東大宇宙研究所の大気観測所の開所式に出席するため、この土地を訪れたときだ。「発作的」ともいえる決断だった。

最大の動機は「東京から半日近くかかるこの土地へ、移り住むというスタンド・プレーを演じることによって、少しでも国民の目を『震災』に向け、私の恐怖と主張に耳を傾けてもらう」（二見哲房「三陸へ逃げる」）ためだった。

「どうせ一時的気まぐれだろう」友人の冷やかしの言葉と、村人の半信半疑の視線をあびながらも、すでに四度目の冬が過ぎた。

消え去った移住の波紋

が、この「スタンド・プレー」が当初、関係者の間に巻き起こした新鮮な波紋は、その歳月の間、都会の喧噪（けんそう）の中に吸い込まれるように消えてしまった。「耐震防災」「悠々（ゆうゆう）自適」の毎日とはいいながら、ときに抑えがたい無念の思いがわきあがる。「東京に残って、やはりワーワー言うべきだったかも……」と。

そして、この思いが、現状の防災対策に対し、予言者のごとき痛烈な批判として爆発する。

たとえば、この六月、警察庁が中心となって行った防災大訓練。「神奈川県から船で救済に出動するったって、安政元年のときはあそこも津波でメチャクチャですよ。地割れの道を、埼玉からトラックはどうやって行くんですか。東北や大阪から船で救援に行くんならまだしも、茶番ですよ」

地震予知率について。「今の技術でいけば、確かに一、二年前に予知できる。それで、何が起きると思いますか。パニック以外何ものでもない」

まず電気と水道の確保

日本に住む限り、どこにいようと地震は避け難い。しかし、被害を大きくするパニックだけは何としても避けなければならない。大都市の場合、今打たねばならないのは何にもまして電気と水道の確保だ、という。「モーターが動き、水道の水が出れば、素人でも力を合わせれば初期消火できる。電電公社はすでに地下に線を埋め始めている。成田空港への燃料パイプは、震度6に耐える構造だ、というじゃないですか」

友人夫婦が移住を計画して下見に来たことがあった。真っ先に奥さんがしり込みしたという。都会の便利な生活に慣れた者にとって、頭で考えるほど気楽な生活でないからだ。

「娘や息子一家が逃げてきてこられれば、まあ、何とか収容してやれますし」。三陸生活を打ち切る気はさらさらない。

〈震災体験アドバイス〉

評論家　清水幾太郎さん(70)

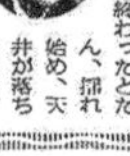

中3でした。始業式から帰って昼食を終わったとたん、揺れ始め、天井が落ちてきた。天井を壊して上へ上へいったら、ひょっこりカワラに手が届きまして。家族を次々とひっぱりあげたが、周りからどんどん火の手がせまってくるし、亀戸から市川の野砲連隊にやっと逃げました。あのころにくらべりゃ、条件は格段に悪いし。アドバイスといえば、都の指定避難場所というのはかえって危険な感じがしますね。カンですが何となく近付かない方がいい。（おわり）

県三陸海岸の漁村に移り住んだ」地震の専門家として報道されていたのです。それを「資料10」としました。二〇一一年の東日本大震災の際には木村・前部長は高齢で存命ではなかったでしょうが、その新聞記事のことを思い出したのでした。木村・審査委員は部会・グループ会議・現地調査などの全てに欠席した人物だったのです。私の推定では、木村・審査委員は「中央構造線が活断層であること」「米国では活断層が地震の原因であると考えていること」「米国の安全審査では活断層評価が厳しいこと」などを良く知っていたので、審査に加わらなかったのではないか……と思うのですが、福島原発事故に直面されていたなら、どの様に思われたことでしょうか。

第5節　第二審（控訴審）始まる

昭和五三年（一九七八）二月には、裁判進行中を無視するように「伊方2号機」の建設工事も始まりました。また「原子炉設置変更（2号機増設）許可」に反対する周辺住民三三人が、六月九日に「取消訴訟」として「本人訴訟」を提起しました。「本人訴訟」とは、訴訟代理人（弁護士）を立てないで行う訴訟であり、先行している「伊方1号機・訴訟」に学びながら行う訴訟であり論点は同じですが、一審では「地震・活断層説」に立脚しての主張をしていたことを受けて、「2号機訴訟」では活断層の問題などのわかりやすい「立地問題」を中心におこなわれることになり、「地震や地盤」の問題が焦点にされることが多かったのです。ここでは、「2号機訴訟」にはふれないで、「1号機」の「第2審：控訴審」についてのみ紹介することにします。

昭和五三年（一九七八）四月二五日の「一審判決」で敗訴となり、すぐに原告側は四月三〇日に「判決を不服」として、高松高等裁判所（民事第4部）へ控訴しました。控訴審が始まる以前の昭和五三年（一九七八）九月二九日には、原告側から「準備書面（原告一三）上・下：伊方原子力発電所の危険性及び違法性のすべて」が、松山地方裁判所へ提出されました。この準備書面は九三四頁にもわたる詳細な内容であり、高裁での控訴審の準備のために、一審での内容をまとめて提出したものです。

その後の昭和五三年（一九七八）一〇月一三日に、「控訴人（原告）」から最初の「準備書面（一）：伊方原子力発電所の危険性と原判決批判」が高松高裁に提出されて、控訴審での論争が開始されたのです。一審判決以降には、被告・国側でも色々な変化があったのですが、その中での最大の変化は、昭和五三年（一九七八）七月一日に「原子力基本法等を改定」し、今までの「原子力委員会」を「原子力委員会」と「原子力安全委員会」とに分けて、一〇月から正式発足したことでした。「原子力安全委員会によるダブルチェック機能を強化する」との建前ではありましたが、組織的にも弱体であり、諸外国の様な強力な監視体制からは程遠く、安全強化をポーズとする機関としか考えられませんでした。

しかし、控訴審では「原子力安全委員会」の委員長が被告側の証人として登場することになったのです。一審での「これを機会に、安全性を宣伝する」と豪語していたはずの国側が、伊方訴訟での経験からか、いわば「醜部を隠すための役割」としての「イチジクの葉っぱ」の役割を力の弱い「原子力安全委員会に託した」と言っても良いでしょう。「ダブルチェック機能」がポーズでしかなかったことが明らかになったのが、福島原発事故だったといっても良いのではないでしょうか。班目・原子力安全委員長のことを「デタラメ委員長」と揶揄されたりしたのではなかったでしょうか。

「伊方原発訴訟は原告側の方が勝っている」との趣旨の記事を読んだことを覚えています。書いたのが「通産省の関係者」だったと思うのですが、しかし「判決は敗訴」だったのであり、原告側弁護団や裁判に協力した科学者たちの怒りも強く、判決のあった直後の四月三〇日に高松高裁へ控訴したわけです。

第一審の原告側証人だった槌田劭・京大工学部助教授が『朝日ジャーナル』昭和五三年（一九七八）年六月二三日号に「裁判は形式的儀式に過ぎないのか」との一文を掲載したのも、あまりにも非科学的な判決内容に驚いたからでした。昭和五四年（一九七九）一月一二日には、原告側から「控訴事件準備書面（原告2）が提出され、被控訴人（国）側からも二月九日に「控訴事件準備書面（被告2）」が提出されました。高松高裁における控訴審・論戦が本格的に開始されたのです。

ところが、その直後の三月二八日に「米国・スリーマイル島（TMI）原発2号炉（加圧水型炉）」で炉心溶融事故が発生しました。加圧器のバルブの故障で冷却水が漏洩するという「いわゆる小LOCA」と呼ばれる「小配管冷却材喪失事故」によって炉心溶融に至ったのです。原発周辺から住民が避難し、そのTV映像に驚いた人も多かったのですが、控訴審でも問題になったことは言うまでもありません。原子力安全専門審査会の会長だった内田秀雄・東大教授が中心になり「日本ではあのようなことは起きない」と、伊方原発訴訟の第一審では強弁していたからでもあります。四月には全国の原発反対運動家たちが通産省に押しかけて、「多重防護が崩壊した以上は、原発を直ちに中止せよ」と抗議したのでした。伊方訴訟の第一審で、原告側が「中小LOCAの危険性の方が重要だ」と主張して、被告・国側が「大LOCAのみを考慮するので十分だ」としているのに反論していたからでもあります。

被告側も「準備書面（2）」を昭和五四年（一九七九）六月二五日に提出し、「日本の加圧水型炉と構造が違うので、日本では起こりえない」主張しました。構造の違いは「蒸気発生器が横向きか縦向きか」ぐらいであり、多くの点では同じ構造なのです。大型商業炉で初めて発生した「炉心溶融事故」であり、伊方訴訟で住民側を支援していた「原子力技術研究会」も、一九七六年に出版していた『原子力発電における安全上の諸問題』（第三書館）に「スリーマイル島原発事故の考察」の章を急いで追加して、『原発の安全上欠陥』（第三書館）を七月に出版しました。

控訴審の初めに「米国TMI事故」が発生したことは、裁判の論争にも大きな影響を与えました。原告側の弁護団も夏に、荻野・補佐人も秋に、中尾ハジメ・京都精華大教授と共に現地とワシントンの「米国・原子力規制委員会（NRC）」へ行ったほどでした。事故原因を明らかにするために、カーター大統領の使命で「ケメニー委員会」が発足し、年内をめどに報告書を作成することになっていたのです。一〇月に行った私は、NRCの図書館に約一週間も通って資料入手に務めたのでした。事故に関しては、中尾さんが『スリーマイル島』（新泉社、一九八一年）という本も出版され、私は『技術と人間』一九八〇年二月号に「葬られるTMI事故の真相」として報告しました。事故に関する報告がNRCの委託による『ロゴビン報告書』（一九八〇年一月）などもあり、「原子力技術研究会」も『技術と人間』一九八〇年四月号に「全冊特集：隠されるスリーマイル島事故の実態」として報告しています。

日米で問題になったことに、放射能の漏洩に関する問題があります。特に放射性ヨウ素の放出量を巡っての相違が大論争でした。米国政府の公式発表値（ケメニー委員会）は、「一五キューリ：五五五〇億ベクレル」前後であり、京大原子炉実験所の瀬尾健・助手（残念ながら一九九四年にお亡くなりになった）の推定値は「最低限で五一〇〇キューリ：一八九兆ベクレル」、場合によれば「六四〇〇〇キューリ：二三七〇兆ベクレルよりも多い」との推定値でした。当時の加圧水型炉で最大だった関西電力の大飯原発1号炉での仮想事故時の推定でも、放出される放射性ヨウ素は「一二〇〇キューリ：四四兆ベクレル」だったのであり、瀬尾助手の推定するように、如何にTMI事故が驚きだったかがわかるでしょう。瀬尾助手のこの推定値は、米国でも話題になり、彼は招待されて米国まで報告に行ったのでした。NRCの値も「過小評価ではないか」と考えられたのですが、「セシウムがヨウ素と結合してヨウ化セシウム：CsIになったからだ」との説明だったと記憶しているのですが、この問題は福島原発事故ではどの様に議論されたのでしょうか。

控訴審の公判が始まったばかりで発生したTMI原発事故が重要な論争点になったのですが、原告（控訴人）と被告（被控訴人）との間で準備書面のやり取りが続き、昭和五六年（一九八一）二月九日から、控訴人側の藤本陽一・早稲田大学教授が再度の証言をされたのでした。

第6節　控訴審での証言内容と経過

第一審では、国側の内田証人は「炉心溶融は起きないのであって単に仮想するだけだ」と証言していたし、国側も同じ主張だったのですから、原発先進国である米国で発生した「炉心溶融事故」は、「原告側の主張を認めた」ものであり、原告（控訴人）側としても、一審以上に証人団の形成を予定していて、その一弾を一審でも最初の証人であった藤本証人にお願いしたのでした。一方の被告（被控訴人）側は、当初は三人を申請していたのですが、その内に佐藤一男・証人のみに変更してしまい、第一審での国側証人を誰ひとり申請しなかったのです。第一審での国側証人の証言内容では、困る点が多すぎたことは明白でした。以下に控訴審での証言内容を紹介します。

【控訴人側：藤本陽一・証人】第一審でも原告側の証人として最初に証言をして頂いたのですが、控訴審でも同じ様な内容の証言を昭和五六年（一九八一）二月九日と五月二五日にして頂きました。国側は「加圧水型であってもＴＭＩ原発と伊方原発とでは構造が異なる」との主張に対して、蒸気発生器のみが異なるのであって、一次系の配管は全く同じといって良いことなど、現実に「炉心溶融が発生したこと」の重大性を証言されたのでした。

【控訴人側：小出裕章・証人】京都大学原子炉実験所の小出・助手の証言は昭和五六年（一九八一）三月一一日・四月二〇日・六月二四日の三回でした。米国の大掛かりな「原子炉事故の発生確率・研究」である「ラスムッセン報告書」を引用して、第一審では国側の内田証人も「原発の大事故発生確率は、隕石の落下被害ほどだ」と主張していたのですが、この根拠の問題点や、ＴＭＩ事故の直前にＮＲＣが「ラスムッセン報告書が間違っているとして撤回したこと」などを証言したのでした。この証言の丁度三〇年目に福島原発事故が発生したのです。

【非控訴人側：佐藤一男・証人】新しく発足した「原子力安全委員会」の佐藤一男・委員長が証人になったのは、昭和五六年（一九八一）四月二〇日・六月二四日・九月一六日・一〇月一四日・一一月一八日・一二月一六日・翌年の一月二二日の七回でした。控訴人（原告）側が多くの証人を申請したのに反して、被控訴人（被告・国）側は「原発の安全を担保する責務のある原子力安全員会の委員長のみ」がまず証人となったので、広範囲な問題に関する証言が必要となり、七回もの証言（多くは反対尋問）になったのでした。TMI事故に直面して、一審の様な多方面からの安全宣伝のための証言が出来ないと思ったからでしょう。佐藤・証言の内容は「TMI原発と伊方原発とは異なる」「TMI事故原因は運転員の誤操作である」という点が中心でした。

【控訴人側：海老沢徹・証人】第一審でも証人となった京都大学原子炉実験所の海老沢徹・助手の証言は昭和五七年（一九八二）二月二六日・四月二三日・五月二八日の三回でした。証言内容は「TMI原発事故の原因が、バルブの開固着という中小配管・破断に相当すること」「緊急炉心冷却装置ECCSがうまく作動しなかったこと」「放出された放射能量も多く、伊方原発で想定されていた仮想事故時の十数倍にも達した可能性があること」などの第一審の証言時に指摘していた問題点の多くがTMI原発事故時に現実化したことを詳細に証言したのです。

控訴審の経過

最初に予定されていた「第一陣」の証言が終了し、双方からの「準備書面」「証拠説明書」などの提出がなされた後、「控訴人（原告）側」から「第二陣」の証人一七人の申し入れをしました。それ

資料11

論壇

異常な伊方原発訴訟の結審

公正な司法への期待を裏切る

藤田　一良

高松高裁は四日、一審以来十年にわたる伊方原発訴訟の審理を打ち切った。愛媛県西宇和郡伊方町の四国電力伊方原子力発電所1号炉をめぐり、残る十六人もの住民側申請の証人の採否や、当日提出された国側の書証の認否、結審予定日の事前の告知、最終準備書面の提出など、弁論終結のときに通常とられる手続きをしないまま、抜き打ち的に結審を宣言した。極めて異例な方法である。

わが国の原発行政は、諸外国のそれとは違い、許認可手続きの過程で敷地周辺の住民や批判的立場の専門家たちの意見を取り入れる保障がない。現行の公聴会も反対意見を参考までに聞きおく形式的なもので、伊方原発許可のときにはそれさえも行われなかった。

住民たちから見れば、「安全審査」は、電力会社・行政と一体になった一部の学者が、原発安全のお墨付きを出すための密室の談合でしかない。従って、住民たちが自分らだけではなく、子孫の生命や健康を守るため、人権の砦（とりで）である裁判所の公正さに期待し、許可処分取り消しの裁判を起こすことが残された唯一の道だった。

一審の松山地裁が、住民たちに原子炉設置許可処分について訴える権利（当事者適格）のあることと、安全審査で電力会社が提出した資料を裁判所に提出せよと国側に命令したこと、また曲がりなりにも原発の危険性の問題に取り組む姿勢を示したことなどは、評価できる点であった。

しかしその判決は、国側の主張の後に「……と認めるを相当とする」という言葉を書き加えただけで、判断に至る論理過程をまったく示さず、住民敗訴という結論だけを一方的に押し付けたものであって、住民たちの期待は完全に裏切られていた。

高松高裁での控訴審の裁判が始まって間もなく、一九七九年三月に起こった米スリーマイル島原発の事故は、多くの点でこれまでの住民の主張の正しさを証明し、裁判の進行に大きな影響を与えた。

国側は、「原発はフェイル・セーフになっており、運転ミスがあっても大事故は絶対に起こらない」というこれまでの主張を、手のひらを返すように「スリーマイル島原発の事故は運転ミスが主な原因であり、このような運転管理の問題による事故は安全審査と関係なく、安全審査の欠陥が問題とされるこの裁判とも関係ない」と変更した。裁判での論争や証人調べがこれ以上続いては不利と判断したのか、申請済みの三人のうち二人の証人を取り下げ、裁判所に早期に審理を打ち切るよう迫ってきた。

事故の原因を運転員のミスに矮小（わいしょう）化してはならないというのは各国の専門家の調査が一致する結論である。またこれまでのプラント等の大事故が、しばしば人的要因で起こってきたことは、経験の示すところである。

これが原発の安全審査と無関係だというのであれば、これまでの審査が有名無実であると自認したことになる。膨大な危険を内包する原発で、このような言い逃れが許されてよいはずがない。

四日の伊方原発訴訟の法廷は、スリーマイル島原発事故が明らかにした安全審査の欠陥をさらに裁判所が究めようとするのか、国側の主張に従って運転ミス無関係論をとり、早期結審を打ち出すのか、裁判の行方の大きな分岐点であった。

それにしても、住民たちがあらゆる困難に耐えて長い間闘ってきたこの裁判を、このような形で審理を打ち切るやり方は、国民の司法への信頼への裏切りだ。何よりも裁判所のために惜しむものである。裁判所は原発裁判を回避してはならないのである。

（伊方原発訴訟原告弁護団長＝投稿）

出典：『朝日新聞』1983年3月18日

に対して「非控訴人（被告）側」が承認の申請を渋っているので、「せめて数人でも追加承認を認めて欲しい」と「控訴人（原告）側」が要望していた矢先、昭和五八年（一九八三）三月四日の公判で、突如として宮本勝美・裁判長が「結審を宣言した」のでした。笑みを浮かべる「非控訴人（被告）側」の代理人達に対して、「控訴人（原告）側」の驚きは大きかったのです。何故なら「結審前に提出すべき」である「証拠に関する認否」もなされておらず、「最終準備書面」も提出されていない裁判の初期の段階だったからです。

「国民を説得するためにも、原発の安全性を証明する」と豪語していた国（被控訴人）側が、裁判所と一緒になって逃げ始めたといっても良い出来事でした。藤田一良・弁護団長が「国民の司法への信頼の裏切りだ」と批判したのは当然であり、それを報じた『朝日新聞』三月一八日の記事を「資料11」としました。

昭和五九年（一九八四）一二月一四日、高松高裁・第4部で判決がありました。焦点であったTMI事故の原因に関しては「伊方原発と設計や構造が異なる」「安全設計は基本設計で十分」「通常の行政訴訟と違い、司法審査の範囲にはおのずから限界がある」との理由で、被告である国（被控訴人）側の言い分を一方的に認めた内容でした。裁判長：宮本勝美、裁判官：山脇正道、裁判官：磯尾正の三人です。「これで原発を裁けるのか」「インチキ裁判」の怒号の飛び交う中でした。藤田・弁護団長も「日本の裁判はおしまいだ」と悲痛なコメントをしておられました。

この判決理由の背景の一つとして、第一審の判決後にこの分野の権威？である「原田尚彦・東大教授（行政法）」が『朝日ジャーナル』一九七八年五月二六日号に寄稿した次の文章を挙げることが出来るのではないでしょうか。

……原発裁判は科学裁判であるばかりでなく、未来予測裁判である。同じ裁判でも、現実の被害に対する事故救済を目的とした四大公害裁判などとは性格を異とする……。こうした未知の要素の多い未来裁判においては、裁判所は司法的謙譲をもとにその能力の限界を知り、ガリレオ裁判の愚をくり返すことを回避しなければならないであろう。

藤田弁護士は、この論文に「最高裁は多くの影響を受けたのではないか」「原田教授の意見は、許可処分がどのような基準に適合しなければならないかを定めた法の規定の存在や意義を全く無視したものでしかなく、どうしてこのような根本的に誤った珍しい見解を発表されたのか、今でも理解に苦しんでいる」と『伊方原発設置反対運動裁判記録：第一回配本（別冊）』（クロスカルチャー出版、二〇一五年）『解説』に書いておられます。

また、控訴審の最初の打ち合わせ段階で、裁判長が「当審は、審査手続きが適正になされたか否かの限度で再審する方針であります」と放言し、最も重要な「安全性の確認」に消極的だったことをも指摘されています。

原田教授がまだご存命であれば、ぜひ「ガリレオ裁判」のことを含め、福島原発事故への影響も含めて「その理由を書いて欲しい」と私は思うのです。「ガリレオ裁判の愚」を繰り返さないようにするためにこそ、原告側は「丁寧な証言」「徹底した論争」を要求していたのですが、実際の裁判所の対応は「残念な対応」だとしか思えませんでした。

いずれにしろ、原発推進のための官・学・司の癒着構造が、つまり「今話題の権力への忖度」が伊方裁判でも行われていたのではないでしょうか。そもそも「忖度」は「強者が弱者のためにする」ものだったのですが、最近になるほど、逆になっていると思うのは私一人でしょうか。

第7節　最高裁に上告

昭和五九年（一九八四）年一二月二七日、伊方原発訴訟の住民（原告・控訴人）側は最高裁へ上告しました。その後の昭和六〇年（一九八五）六月二八日に最高裁へ提出した「上告理由書」は五七七頁もあり、前に紹介した原告側の主張を更に詳しく展開しています。

最高裁へ上告した後は、一般には公判もハッキリとしないし、後は判決を待つばかりが普通であるといわれています。高松高裁の判決を変更する可能性がありうる場合には「公判の呼び出し」があるはずであり、一般に最高裁は「今までに提出された書面のみで」判断するのだといいます。そんな理由もあってか弁護団の中でも「最高裁は裁判の墓場だ」との意見が強かったのですが、藤田・弁護団長は「最高裁に対しても原発の危険性の主張を続けるべきだ」との考えでした。その背景には伊方原発訴訟が「何故か住民側にとって不運が続いている様に思えたからでもありました。第一審（原審）が結審した直後に「米国・ＴＭＩ原発事故」が発生し、第二審（控訴審）が結審した直後に「ソ連のチェルノブイリ原発事故」が発生したからです。

上告理由補充書

伊方住民の訴訟範囲を「どの範囲にするのか」を巡って悩んでおられた藤田弁護士にとっては、チュルノブイリ原発事故の余りにも広範囲の影響に驚かれたのであり、そのことがチュルノブイリ事故から僅か二カ月後の昭和六一年（一九八六）六月二五日に「上告理由補充書」を最高裁第一小法廷へ提出する理由になったのです。今までの裁判と異なり、第一審・第二審で問題になっていたことが、まさにチュルノブイリ原発事故で明白になったのであり、原告である伊方周辺住民の主張の正しさが明らかになったと言って良いのでした。

その後、伊方弁護団は「上告理由補充書」を更に二回も追加提出しているのです。私も色々と相談を受けたのですが、それらは藤田・弁護団長が中心になって書かれたといっても良く、大変に苦労されたのでした。「原発事故を招きたくない」との執念とも言える熱意で書かれたのでした。藤田弁護士には「最高裁が今までの原告側の準備書面をキッチリと読めば、原発がいかに危険なものかが理解できるはずだ」との強い信念を持っておられたといえるでしょう。「上告理由補充書(二)」は昭和六三年（一九八八）六月二三日に、「上告理由補充書(三)」は平成三年（一九九一）六月二〇日に最高裁へ提出されています。そこで三冊の「上告理由補充書」の内容を以下に簡単に紹介することとしました。藤田弁護士がどの様な思いで書き続けておられたかがわかるからです。

【上告理由補充書】

上告した後で発生したチェルノブイリ原発事故の直後に提出されたのですが、最初の「上告理由補

資料12(a)、(b)

昭和六〇年(行ツ)第一三三号

伊方発電所原子炉設置許可処分取消請求上告事件

上告理由補充書(二)

「終りのはじまり」

チェルノブイリ事故と本件許可処分並びに原判決の違法性

伊方原発行政訴訟弁護団

1988.6.28

7　電源喪失事故

すでに述べたように、電源喪失による炉心溶融の可能性は極めて高いことは、NRCの文書（NUREG 1150）によっても明らかである。日本ではこの事故を「重大事故」、「仮想事故」のいずれにおいてもまったく評価の対象としていない。

一九八八年二月一日に発生した浜岡原発の事故は、停電してはならない「無停電電源」がリレーの故障によって停電してしまうという重大なものであった。また一九八四年のフランスのブジャイ原発事故では、外部電源が停電し、三台のうち二台の予備のジーゼル発電機が働かず、辛うじて残る一台の発電機によって大事故を免れた。一九七七年九月のアメリカのロック原発でも、落雷によって所外電源が二系統完全に喪失している。一九八五年九月一二日には日本の島根原発でも同様に落雷による電源喪失事故が発生しているのである。

資料12(c)、(d)

14 地震による事故

日本は世界一の地震国であり、全世界で発生する地震の一五パーセントが国土の周辺に集まっている。

アメリカでは大事故を考えるとき、地震がまず重要な問題として検討される。ソ連でも地震発生地附近での原発立地を避けることになっている。アメリカでもカリフォルニア州など地震多発地域での原発立地は最近ではまったく認められていない。しかし日本では、「地震予知連絡会」の指定した、地震の発生しやすい「特別観測区域」に原発を建設してはばからない。本件伊方原子炉もその一つである。

上告人らは一審以来この点を訴え続けてきたが、裁判所は科学的根拠もなくこれを却けてきた。日本の安全審査では、立地審査指針においても「原則的立地条件」として、「大きな事故の誘因となるような事象が、過去においてなかったことはもちろんであるが、将来においてもあると考えられないこと、また、災害を拡大する事象も少ないこと」と明確に定めているにもかかわらずである。右指針は、地震発生の可能性のある地域に原発を立地することを禁止することが、主な狙いであることは云うまでもない。

物的、人的要因による事故は、改良や管理の強化などによって若干の改善をはかることが可能かもしれない。しかし、地震には手の打ちようがない。日本は「鯰の御気嫌」に国の命運をかけていると笑われても仕方のない現状である。確率論的分析においても、日本では地震のために一炉年当り一〇のマイナス三乗と大きくなってしまい、アメリカの規制委員会が発表した原発の事故確率、一炉年当り一〇のマイナス四乗の一〇倍も高くなってしまうのである。

15 まとめ

以上述べたとおり、日本のみならず全世界の原発で日常的に起きている事故は驚くべき数にのぼっている。それらのうちの多くは、単につぎに起こるかも知れない大事故の予兆というには余りにも重大で、一歩誤ればＴＭＩやチェルノブイリ事故を超える大事故となることが必至のものであった。これらの事故は原発の大事故が近い将来、また起こることの確実性をわれわれに警告している。それが、今すぐ後ではないという保証は何一つないのである。

第八 おわりに

一九七九年のＴＭＩ原発事故につづき、今回のチェルノブイリ原発事故によって、前章で述べたとおり、全世界の各国は、脱原発に向って確定的に動き出した。もはや、なにものもこれを押し止めることは不可能であろう。

これらの事故を経験して、原発が人類の生存と両立しえない存在であることを多くの人が知るに至ったはるか以前の一九七三年に、上告人らはつとにその本質を見抜き、本件伊方原子炉設置許可処分が、憲法のみならず、原子炉等規制法以下の規制の法体系に違反するものとして、数多くの点を具体的に指摘して、本件行政訴訟を提起したのであった。以来十数年にわたって上告人らが耐えてきたもろもろの圧迫による苦難は筆舌に盡くし難いものがあった。

しかし上告人らはこの間、裁判所が公正な裁判をするならば、本件訴訟は必ず勝訴するとの確信を一度たりとも放棄したことはなかった。そしてこの確信のもとに全力を傾けて誠実に訴訟を遂行してきたのである。

今回のチェルノブイリ原発事故の惨状を知るにつけて、上告人らの危機感はますます切迫したものとなっている。日本はもちろん世界のどの原発であっても、またこのような事故が繰返され、多数の犠牲者を生み、とり返しのつかない大被害が生じることを上告人らは断じて赦すわけにはいかない。

最高裁判所は一日でも早く、原判決を破棄し、本件許可処分を取消し、本件許可処分の違法性・原発の危険性を明確に宣言し、裁判所に付託された使命を全うされることを強く求めるものである。

国や電力会社に迎合・追随するばかりの一審・原審の裁判所の姿を見てきた上告人らは、率直に云って裁判所の現状に不信の念を抱き、「裁判の黄昏」を痛感せざるを得なかった。

しかし、そうであっても上告人らはいま一度、あらゆる思いをこめて最高裁判所に問いたいのである。「夕暮れはまだ明るいのであろうか」。

充書」ですので、「上告理由補充書㈠」にはなってはいません。チェルノブイリ原発事故の原因や影響範囲の巨大さなどを中心に書いたものです。

【上告理由補充書㈡】

この「補充書㈡」には「終りのはじまり」の副題が付いています。「上告理由補充書」を提出してから二年後に提出されていて、チェルノブイリ原発事故の詳細などが明らかになってきたこともあり、また今までに発生した原発事故の問題点や原発の危険性を広く指摘することなどに重点が置かれたのですが、その表紙を「資料12(a)」としました。また福島原発事故の原因ともなった「地震のこと」「全電源喪失」の危険性も正確に指摘されているので、その個所を「資料12(b)」「資料12(c)」としました。「補充書」に書かれた「おわりに」の部分も「資料12(d)」としました。「終りのはじまり」という意味は「裁判所に対して不信感を持っている」藤田弁護団長が、最高裁で勝訴して「伊方原発からまず原発の廃止を」という〝はじまり〟を勝ち取ろうとの意気込みと共に、このまま「敗訴する」ことは「この世の終りがはじまる」との思いとを重ね合わせて表現されたのだろうと私は推測しています。

【上告理由補充書㈢】

「補充書㈡」から四年後には「上告理由補充書㈢」が提出されました。副題が「加圧水型炉の終焉」となっていることでもわかるように、平成三年（一九九一）二月に関西電力美浜2号炉（伊方原発と同じ加圧水型炉）で発生した「蒸気発生器細管の破断事故」とその後の「緊急炉心冷却系の事故」や、各国で発生している事故や地震の危険性が大きな問題になっていることなどを展開した「補充書」です。

最高裁判決

「上告理由補充書㈢」を提出した翌年の平成四年（一九九二）一〇月二九日、最高裁第一小法廷は、第一審・第二審を支持し、住民側の上告を棄却しました。原告団にも弁護団にも事前連絡のない一方的な言い渡しでした。裁判長・小野幹雄、裁判官・大堀誠一・橋元四郎平・味村治・三好達の五人でした。TMI事故に関しては「伊方原発について行われた安全審査の合理性に影響は及ぼさない」とし、審査にあたった原子炉安全専門審査会の不合理を立証するのは「原告住民側に責任がある」というものでもありました。使用済み核燃料などの処分に関しても「安全審査の対象外」であり、安全審査は「基本設計で十分である」との被告・国側の言いなりの判断を支持する内容でした。チェルノブイリ原発事故には触れることもなく、「審査時点での最高の科学的判断があれば良い」というものなのですが、第一審段階での国側の証人の無様さを見聞きしている原告側も唖然とする内容でした。「基本設計で十分」と言っても、例えば「詳細設計の際の基本となる耐震構造の基本」となる「外部からの地震の最大加速度値は原子炉安全専門審査会が決めている」のですから、「基本設計と詳細設計」とを別々に取り扱うことなど不可能なはずです。

「上告・棄却」の最高裁判決を受けて、藤田・弁護団長は「今後、事故が起こった場合、最高裁も責任を共有しなければならない」と述べておられたのですが、福島原発事故のことを考えると、五人の最高裁の裁判官は、今、どの様に思っているのでしょうか。

福島原発事故の後、私は藤田弁護士と何度もお会いしました。そして、福島原発事故のことに話が

図書新聞　2014年5月17日(土曜日)

書砦のごとく壮観な、脱原発の土台となる資料集

クロスカルチャー出版から『伊方原発設置反対運動裁判資料』第二回配本・全三巻が刊行

▼日本現代史シリーズ3『伊方原発設置反対運動裁判資料』第二回配本・全三巻(第五巻〜第七巻)、澤正宏(福島大学名誉教授)編集・解題・解説、2・28刊、B5判総約一八〇〇頁・本体九〇〇〇〇円・クロスカルチャー出版

3・11原発震災から三年余り、国民の過半数が脱原発を望むのとは裏腹に、政府と電力会社は原発再稼動に邁進し、原発輸出も積極的に推進する。福島第一原発事故は過去に押しやられたかのようである。私たちは戦後日本の原発政策史をいくども検証し、ときの政治勢力や社会状況に流されることなく現在を定位しなければならない。

そのための基礎資料となるのが、クロスカルチャー出版から刊行された『伊方原発設置反対運動裁判資料』全七巻である。このたびの第二回配本で、全七巻がすべて出揃ったことになる。原発の設置と建設に警鐘を鳴らし、科学的にその問題性と危険性を明らかにした先駆的な裁判の記録資料が、これで一般読者にも閲覧可能になった。その意義はいくら強調しても足りないぐらいである。

四国電力が伊方原発の立地選定を始めたのは、福島第一原発が着工した翌年の一九六七年。当初予定地としたのは現在の宇和島市で、地元住民の激しい反対運動にあって建設を断念した。その教訓から四電と行政は秘密裏に伊方町に設置計画を移し、地元を動かして原発誘致をさせる根回しを行った。こうして住民無視の原発推進がスタートしたのである。反対する住民への四電側の切り崩し工作は熾烈を極め、原発用地の地権者で土地契約に反対していた「百姓を守る会」会長で反対派の中心的リーダーの一人、井田与之平の妻・キクノが自殺に追い込まれた。執拗な売却要求に負けて、夫の留守中に四電に自分名義の土地を売却したのである。3・11以後、「原発事故で死者はいない」と言ってのけた原子力ムラの関係者や有識人は、まずこうした現実を見ていない。原発は稼働前から地元住民の夫婦や親兄弟の関係を破壊し、"殺人"を始めているのである。しかも、明らかになった悲劇は氷山の一角にすぎない。列島各地の原発予定地でくりかえされた惨劇の一コマが、本書には深く刻まれている。

伊方原発の安全性を問うた設置許可取消訴訟が提訴されたのは、一九七三年のことだった。原発に関する日本で最初の行政訴訟であり、原告側は国の設置許可の非科学性を突き、安全性をめぐる法廷論争は原告側の圧勝に終わったはずだった。その緻密な論理展開を示す資料は、『伊方原発設置反対運動裁判資料』の第一回配本(第一巻〜第四巻)に余すところなく収録されている。ところが一審の松山地裁は、国の安全審査に問題はなかったとして原告側の訴えを退けたのである。

今回の第二回配本では、第五巻に上告理由書、第六巻に上告理由補充書、第七巻に控訴審の準備書面や判決決定要旨などの資料が収められている。上告理由書は、一九七九年に起きたスリーマイル原発事故を踏まえて、被告側が伊方原発を初めとする国内のどの原発も「多重防護」や「フェイル・セーフ」「フール・プルーフ」の構造だから事故は起こらないと主張したこと、そして一審の裁判所が国の主張を追認したことの矛盾を突いた。科学的観点からの原発の構造的欠陥や危険性の指摘の先見性とともに、特に今日の視点から注目されるのは、原発周辺の住民の生命、健康、財産を犠牲にしても原子力政策を貫こうとする国と電力会社の姿勢を追及し続けている点である。安全審査が原発推進の専門委員だけで行われ、危険性を過小評価し、立地審査指針もきわめて甘く、放射線被曝の「基準」を緩めて、結果として上告人すなわち地元住民に「被曝受忍義務」を負わせるものであることを指摘した。憲法違反にほかならない諸法規や、国民の基本的人権を侵害する原発の問題は、伊方訴訟で明快に指摘されていた。福島原発震災はそれを見事に証明したことになる。

周辺住民や作業者の「被曝許容量」の問題性、燃料棒の破断や一時冷却系配管の破損・損傷、地震と地盤の問題、災害評価をめぐって重大事故の可能性に関する考察を「想定不適当事故」「仮想事故」などと切り捨てる姿勢など、国の安全審査のあり方をめぐって原告側が指摘した数々の点もまた、原発震災によって証明されたのである。

最高裁の判決は、裁判所が国民から負託された人権擁護の使命を果たし得る「最後の機会」であり、最高裁が「事故の共犯者」にならないように願う——第五巻と第六巻に収録された原告の上告理由書および上告理由補充書には、こうした文言がある。すでに原告側は控訴審の準備書面で、一審判決で明らかになった被告側の姿勢には、人類破滅への道である「テクノ・ファシズム」が見られると指摘していた。原発ファシズムに屈服した裁判所は、「最後の頼みの綱として残っている人権擁護の砦」たるべき信頼を失墜させたのである。

3・11以後、私たちはこの砦を再構築する課題を担ったはずである。書砦のごとく壮観な本書は、まさしくその土台となる資料集である。

及ぶと、いつも「悲しい！　悲しい!!」と言われるのでした。今なお帰れない数多くの人々のこともあるでしょうが、苦労した裁判に勝つことが出来なかった無念な思いも大きかったのでしょう。

最後に、藤田弁護士が気力を絞って書かれたのが『解説』でした。この『解説』と同じ文章が『弁護士・藤田一良――法廷の闘い』（緑風出版、二〇一四年）に掲載されています。また、詳細な書評が『図書新聞』で紹介されているので、それを「資料13」としました。

「まだまだお元気だ」とばかりに思っていた藤田さんは、平成一五年八月一七日にお亡くなりになりました。それにつけても、伊方原発訴訟団・事務局長だった仲田隆明・弁護士もお亡くなりになっているし、三人いた特別（弁護）補佐人の内の星野芳郎さん・久米三四郎さんもお亡くなりになっていて、小生のみが老体をさらしています。証人団の中でも市川定夫さん・佐藤進さんがお亡くなりになっています。

長い苦しい伊方原発訴訟に関わった人たちが、福島原発事故という悲しい結末を迎えたことを、複雑な思いで振り返りながら、私はこの文章を書いたのでした。若い人たちから、昔の（……といっても一九七〇年前後からですが）「原発反対運動ことを知っている人は少ないのだから、ぜひ書き残して置いて欲しい」と言われることも多いので、この文章を書いたのです。

色々と書き残して置きたいことはあるのですが、率直に言って今なお心の整理が出来ていないことが多いのです。

不十分なままですが、「伊方訴訟のこと」「藤田弁護士さんのこと」などを書いておくことも私の責任だと思いながら書いたのです。

資料14

シンポジウム「原発は大地震に耐えられるか」

趣旨
阪神大震災は、日本列島が地震の多発地帯であることを改めて国民に思い起こさせました。とりわけ原子力施設を抱える地域の不安は大きく、九月末に国が出した「現行の耐震設計審査指針は妥当」とする見直し結果についても、様々な疑問や反論が出されています。朝日新聞社は、この問題をめぐるシンポジウム「原発は大地震に耐えられるか」を福井市で開き、動力炉・核燃料開発事業団など電力会社も交えて、見直し報告をまとめた第一線の専門家や住民代表に話し合ってもらいます。シンポジウムに先だって、金折岐阜大学教授に「中部・近畿の活断層と地震」と題して特別講演をしていただきます。耐震基準の問題点は何か、原発の立つ地域に未知の活断層はないのか、などの点について、実りある議論が期待されます。

13:00～13:35
特別講演「中部・近畿の活断層と地震」金折裕司●岐阜大学教授

13:50～14:20
基調報告「耐震指針見直しの留意点」小島圭二●東京大学教授

14:30～17:00
シンポジウム

金折裕司（かなおりゆうじ）氏
●岐阜大学教授

九州大学卒業後、名古屋大学大学院で地球科学を専攻し、電力中央研究所へ。ダムや原発の基盤の地質調査を手掛ける。87年に岐阜大学に移り、95年から現職。中部・近畿の地震の起こり方を説明するマイクロプレート理論を発表し、注目を浴びる。岐阜市在住。44歳。

小島圭二（こじまけいじ）氏
●東京大学教授
原子力施設耐震安全検討会委員長

63年に東京大学大学院終了後、建設省土木研究所へ。専門は応用地質学。70年に東京大学講師となり、今年から東京大学大学院工学系教授。日本応用地質学会長や科学技術庁などの各種委員を務める。著書に「地質技術の基礎と実務」などがある。57歳。

渡部丹（わたべまこと）氏
●慶応義塾大学教授
原子力施設耐震安全検討会委員

東京大学工学部卒業後、同大助手を経て、66年に建設省建築研究所へ。原子力施設の耐震設計が専門。84年から東京都立大学教授に移り、91年から今年10月まで清水建設で顧問などの役職に。日本建築学会の地震災害委員長などを務める。62歳。

荻野晃也（おぎのこうや）氏
●京都大学助手

富山県出身。京都大学卒業後、64年から京都大学工学部原子核工学教室助手。専門は核物理学、放射線計測の理学博士。伊方原発訴訟で、77年に地震に関する証人に。著書に「ガンと電磁波」、共著に「原発の安全上欠陥」などがある。宇治市在住。55歳。

滝本純生（たきもとすみお）氏
●福井県県民生活部長

和歌山県出身。東京大学卒業後、79年に自治省職員に。福島県地方課、鳥取県財政課長、自治大学校教授、福岡県財政課長、自治省企画課理事官などを経て、94年4月から福井県県民生活部長。原発問題について、福井県の責任部長。40歳。

小木曽美和子（おぎそみわこ）氏
●原子力発電に反対する福井県民会議事務局長

早稲田大学政経学部、同大学院修士課程で政治思想を学び、62年～68年まで福井新聞社記者。76年に原発反対福井県民会議結成に関わり、82年から事務局長。日本原電敦賀原発の放射能漏れ事故などを告発する。共著に「女たちの反原発」など。59歳。

会場案内図

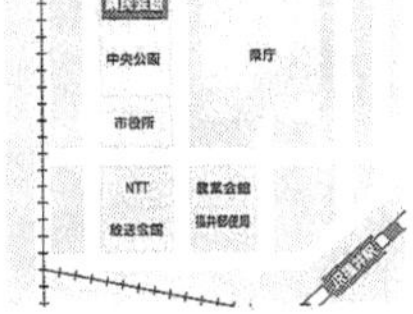

●司会／泊次郎・朝日新聞科学部編集委員
●動力炉・核燃料開発事業団など電力各社がアドバイザーとして参加する予定。

●入場無料、定員600人（応募者多数の場合は抽選）。
●申し込みは、往復はがきに住所、氏名（返信用にも）、電話番号、年齢、職業（勤務先または学校名）を書き、〒910　福井市大手3-2-13、朝日新聞福井支局内「原発耐震シンポジウム係」へ。

第8節　伊方原発訴訟が終わってから

伊方原発訴訟は一九九二年の最高裁判決で「敗訴」が確定したのですが、その後は、私は以前から関心のあった「電磁波問題」に取り組む様になりました。電磁波にはガンマ線やエックス線の放射線も含まれていて、一九七〇年代の中頃に「放射線の悪影響を話して欲しい」との依頼があった際には、必ず「電磁波と言われる放射線、例えば送電線やＶＤＴからの弱い磁界なども悪影響があるようだ」と話していたのです。

ここでは、伊方原発訴訟に関連しての、地震と津波の問題点を書くことにします。私が、「地震の証人」になったのは主尋問が一九七六年一一月二五日で、反対尋問が一九七七年一月二七日でした。私の証言内容に関しては、すでに述べていますので、ここでは、一九九二年に最高裁での敗訴が確定した以降でも、私が「地震の危険性」を心配していて、そのことを折に触れて述べていたりしたことを紹介することにします。

その最初は一九九五年の淡路島・神戸地震の際の事でした。「活断層」のことが一般には知られていなかったのですが、その地震で広く知られるようになったといって良いのです。その後で朝日新聞が「地震と原発」のシンポジウムを福井市で開催することにし、その講師依頼が私にもあったのです。すでに、伊方原発の最高裁判決が一九九二年に出てから、私は電磁波問題に関心を移していましたから、「他の方にお願いして欲しい」と断ったのですが、「伊方訴訟では活断層説で証人をされた」「他に、

資料15

コメント：伊方原発訴訟と地震問題　　2008.7.22　荻野晃也

（京大・原子炉実験所・原子力安全ゼミでのコメントより）

その講演会でコメントした「標題」のみを紹介する。詳細は京大原子炉実験所の公開ウェブで入手できる。

原告の主張「たまたま地震の少ない時期でしかない。今後が問題である」
原告の主張「地震の原因は活断層である」
原告の主張「伊方原発の間近にある中央構造線は巨大な活断層である」
原告の主張「地震は過去に記録のない場所で起きている」
原告の主張「活断層は200万年間を考慮すべきであり、地震の記録では短すぎる」
原告の主張「原発は海岸立地であり、周辺活断層の半分は海側に分布しているはずだ」
原告の主張「少なくとも立地審査指針を真面目に考慮すべきである」
原告の主張「地震の原因は活断層であるから、断層距離で地震力を推定すべきである」
原告の主張「サンフェルナンド地震を例に、1000ガル以上の可能性を指摘した」
原告の主張「内陸地震を想定するのに、震源深さを30kmとするのはおかしい」
原告の主張「内陸型地震での震源深さは10km以内の地震も多い」
原告の主張「地震後に地上で活断層が見い出される例が多い」
原告の主張「伊方原発は200ガルで設計されているが、あまりにも低すぎる」
原告の主張「水平動の加速度に対して上下動も同じ1：1に推定すべきだ」
原告の主張「推定地震波形が応答設計曲線（スペクトル）を越えているのは危険だ」

原発と地震の問題に詳しい人がいない」ということで、引き受けざるを得なくなったのです。その際のパンフレットを「資料14」としましたが、反対派の研究者が少ないことに驚きます。

私は二〇〇三年に京大を定年になったのですが、その機会に「京大原子炉実験所」で同時に定年になった小林圭二さんとの「定年講演」を開催して頂きました。その時の「原子力安全問題ゼミ」で地震の問題点を伊方訴訟でどのように住民が主張していたのか……などに関して、話す機会がありましたので、そのレジュメを「資料15」としました。

最初に指摘していることでもわかりますが、丁度、原発を推進してきた時は「地震の少ない時」であり、これから日本列島は「地震の活動期になる」との危機感があった

資料16

若い世代がどう活用してくれるのか、それがこれからの課題であると思います。

夢

元京都大学教員　荻野晃也

時々、夢を見る。日本の原発が大事故を起こす夢だ。黒沢明監督の映画「夢」を見た頃のことだった。科学者の一人である私は、逃げようかどうしようか迷っている。測定器を車に積んで、原発へ行こうかどうしようか迷っている内に目が覚める。

長い間、私は車の運転ができなかった。そもそも自動車が嫌いだったのだ。その私が、運転免許を取得する決心をしたのは、チェルノブイリ原発事故があったからだった。原発で大事故が発生したとすれば、放射能調査に行かねばならない。車を運転しなければ行けないからだ。逃げるためではなかったのである。

忘れもしないことだが、一九八六年の四月末、ソ連（当時）のチェルノブイリ原発で大事故が発生した。その報道を新聞の一面トップで知った私は、研究室へ走った。そして、空気中に漂ってくるかも知れない放射能の測定を始めたのだった。なんといってもウクライナは遠い。地球の裏側といってよいウクライナからこの日本まで実に九〇〇〇キロメートルもある。連日のように屋上に上がって空気中のダストを集めては、測定を行う。放射能を検出したことを、テレビのような画面がポツポツと点滅して知らせてくれる。それが天然の放射能を検出した証拠である。

その内に、その点滅光が画面の上にザーとばかりに光り出したあの日のことを、私は今も鮮明に覚えている。屋上へ上がると五月晴れの青空が輝いていたのだが、私には放射能がきらめいているようにも思えた。

それ以前にも、放射能が見えたような気がしたことがあった。瀬戸内海の汚染を調査していた友人から、「瀬戸内海のヘドロの堆積速度を調べる方法がないか?」との相談を受けた時のことである。広島湾のヘドロをボーリングすれば、広島原爆のセシウムという放射能を証拠として、堆積速度がわかるかも知れないと思ったからだった。「セシウムは水に溶けやすい性質があり、ヘドロに蓄積されるはずがない」と分析の専門家にもいわれたのだが、私には原爆のフォールアウトとして泥の中に存在しているように見えたのだった。そして、友人の採取してきた長さ五〇センチメートル余りの堆積コア・サンプルを二センチメートルづつカットしたものを上の方から測定し始めた。核実験によるフォールアウト核種であるセシウム一三七が、上から一五ヶ分ほど検出された後、全く検出されなくなった。「やはり海水に溶け込んでしまっているのかナ」と思っていたところが、最後の方のサンプルから予想通りにセシウムが検出されたのだ。広島を破壊した原爆の証拠であった。海水にも溶けず多分ガラス状になったセシウムが残されていたのだ。中国の核実験などにも良く対応した強度分布が得られ、ヘドロの堆積速度は年間約五ミリメートルであり、戦後になってヘドロが急激に堆積していたことも明らかになったのだった。

放射能の測定を長年にわたってしていると、不思議なことに放射能が見えてくるような気持ちになる。JCO事故の際に、京都から東海村へ飛んでいったのも、放射能が漂っているように見えたからだった。例え「弱いとはいえ放射能の漂う」JCO工場の近くを子供たちは歩かされ

や企業は「オンボロ原発」の運転延期をねらっている。原発推進のために新設された京都大学原子核工学教室に四〇年近く勤務し、こともあろうに、伊方原発訴訟の住民側・特別弁護人まで担った私にとって、「原発は危険だ」との思いが年々強くなるばかりだった。ノイローゼにもならず楽しく二年前に定年退職した私だが、その間の原発を巡る変化はとても大きかった。「夢のエネルギー源」だった原発が、いまや「悪魔のエネルギー源」になっている。工学部内でも、もっとも優秀な学生が集まってきていた教室も、いまでは最低に落ち込んでいる。そして、そのような学生すら、「電力会社」や「原発メーカ」へ就職しようとはしないのだ。今や原発は若者にも嫌われた存在である。もう未来はないのだ。

オーストリアは「原発建設禁止条項を憲法に入れる」ことを一九九九年に決定した。その後もEU諸国では、原発からの撤退を加速している。二〇〇〇年二月、EU委員会は、環境問題には「予防原則」思想で対処することを決定した。「危険な可能性があり、取り返しのつかない結果を招く可能性のある」原発は、いずれこの地球上からは消え去る運命なのだ。そして私は、「私の夢が正夢にならない」ことを祈っているのである。

一九七三年一〇月一七日
―もうひとつの裁判提訴

核燃サイクル阻止一万人訴訟原告　山浦元

東海裁判というと、傍聴の常連だった安達由紀さんと齋藤美智子さん

しを求めて提訴したのは一九七三年八月二七日だった。そして、二ヶ月後の一〇月二七日、東海第2原発訴訟が提訴されたのだった。その日は秋晴れの気持ちの良い日だった。水戸地裁へ傍聴に行ったことを昨日のように覚えている。相沢さんも、根本さんも、今は亡き寺沢さんも、そしてこの私もまだ若かった。PWRとBWRと原発の型は異なってはいても、「原発が危険だ」との思いは共通であり、「提訴した住民たち」には、「原発が大事故を起こす事態」がリアルに見えたのだ。それから、三二年の月日が経過した。幸いなことに、伊方も東海も大事故は発生してはいない。しかし、その間には、TMI事故、チェルノブイリ事故を我々は経験した。そして、この日本でもJCO事故や美浜事故を経験している。原発の大事故がますますリアリティを持って私たちに近づいてきている。

大事故を起こす前に「廃炉」になって欲しいとの願いも空しく、政府

出典：『東海第2原発裁判の31年』

資料17

(21) 特集　2009年(平成21年)10月14日　水曜日　愛媛新聞

原発と地震をめぐる主な動き

1973年 8月	四国電力伊方1号機の原子炉設置許可の取り消しを求めて周辺住民が松山地裁に提訴。原発設置をめぐる初の行政訴訟。地震に関する立地審査の妥当性が大きな争点
1978年 4月	伊方1号炉訴訟で松山地裁が請求を棄却。高松高裁に控訴
6月	周辺住民が伊方2号炉の設置許可取り消しを求めて提訴。耐震性や地盤に関する安全審査の妥当性などが争点に
1979年 3月	米スリーマイルアイランド原発事故
1984年12月	伊方1号炉訴訟で高松高裁が控訴棄却。最高裁に上告
1986年 4月	旧ソ連チェルノブイリ原発事故
1992年10月	伊方1号炉訴訟で最高裁が上告を棄却
1995年 1月	阪神・淡路大震災（最大震度7）。原発の耐震性に関心が高まる
1996年 5月	高知大学の岡村真教授が、伊方原発沖の伊予灘に2000年間隔で大地震を起こしてきた海底活断層が走っていることを調査で確認したと発表
2000年12月	伊方2号炉訴訟判決で、松山地裁が伊予灘の海底活断層に関する国の安全審査の判断に誤りがあったことを指摘したが、請求は棄却
2001年 3月	芸予地震（最大震度6弱）。県内に被害
2005年 8月	宮城県沖で地震（最大震度6弱）。東北電力女川1～3号機すべてが自動停止。一部周期の揺れで想定を上回る
2006年 3月	北陸電力志賀2号機運転差し止め訴訟で、金沢地裁が耐震性不足を理由に住民側の請求を認める。北陸電力が名古屋高裁金沢支部に控訴
9月	国が28年ぶりに原発の耐震設計審査指針を本格改定
10月	四電伊方3号機のプルサーマル計画で県と伊方町が事前了解。プルトニウム・ウラン混合酸化物（MOX）燃料装荷までに耐震性の確認を求める
2007年 3月	能登半島地震（最大震度6強）。志賀原発で一部周期の揺れが想定を超える
7月	新潟県中越沖地震（最大震度6強）。東京電力柏崎刈羽原発が被災。2、3、4、7号機が自動停止。1～7号機すべてで想定を超える揺れを観測
10月	中部電力浜岡原発運転差し止め訴訟で静岡地裁が国の新旧耐震指針を妥当と認定。住民側の請求を棄却
2008年 3月	四電が伊方原発の耐震安全性再評価で基準地震動を473ガルから570ガルに引き上げ、国に報告
2009年 2月	四電の再評価について県が「より厳しい想定が必要」として、やり直しを求める
3月	四電が県の求めを受けて耐震性を追加評価し、「影響がないことを確認した」と発表。志賀2号機訴訟で名古屋高裁金沢支部が一審判決を取り消し、住民側の請求を棄却
4月	柏崎刈羽原発運転差し止め訴訟で最高裁が住民側の上告を退ける決定
5月	MOX燃料が伊方原発に到着
8月	四電の耐震性再評価で、原発敷地前面海域の活断層の基本的な長さ設定が適当でないとして県が再度の評価を要求
〃	駿河湾地震（最大震度6弱）。浜岡4、5号機が自動停止。5号機で基準を超える揺れを観測
9月	四電が「570ガルの変更は必要ない」として再評価結果を国に提出

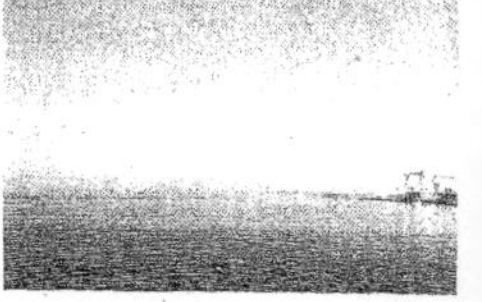

敷地前面海域に活断層が走る伊方

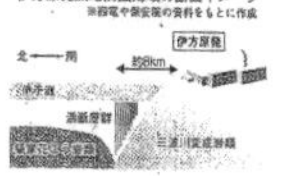

伊方原発敷地前面海域の断面イメージ
※四電や保安院の資料をもとに作成

検

解釈分かれる地震想定

1号炉訴訟終結から17年

原告補佐人・元京都大講師　荻野　晃也さん

現実になった住民主張

原発の安全性をめぐり科学論争を繰り広げた伊方1号炉訴訟。周辺住民が国を相手に原子炉設置許可の是非を問う全国初の行政訴訟だった。最高裁での住民敗訴から17年。住民が訴え続けた原発の耐震安全性に対する不安は今、現実のものとなっている。原告補佐人として地震の危険性を追及してきた元京都大工学部講師の荻野晃也さん(69)の目にはどう映るのか―。

(聞き手　編集委員・植木章博)

「伊方1号炉訴訟での原告側の主張は正しかった」と振り返る元京都大講師の荻野晃也さん

―各地の原発で大きな地震が直撃している。

原発の立地審査指針は「地震は過去と同じところで同じ大きさで起きる」という考え方だった。このため地震の記録がない空白地域は耐震強度を緩くできるため原発が立ち並んだ。伊方、柏崎、若狭湾などもみな同じ。しかし空白地域はこれから地震が起きる可能性が高く、危険な場所だ。新潟県中越沖地震はそれを証明した。準備書面や法廷での証言で主張したことは正しかった。柏崎刈羽原発の被災は最後の警告だと思う。

―訴訟当時から中央構造線の危険性を指摘していた。

活断層が地震を起こすという「活断層地震説」は今では常識だが、当時の日本では欧米と違って主流ではなく、地震を起こす可能性のある活断層のチェックは全くされなかった。伊方原発は中央構造線という世界最大の活断層が目の前にある。住民側は徹底的に調べろと主張したが、国側は断層を短いものばかりに寸断してしまった。しかし実際は全部つながっている。その問題を無視したのは柏崎でも同じだった。

―原告、被告双方が科学者を証人に立てて論争を展開した。科学者の責任とは。

科学者は誰に責任を持たなくてはならないか。それは国民。しかし有名な大学の教授の多くが国側にまわった。空白地域に原発を造るのが良いのか悪いのか。本来は科学で決着がつけられるはずなのに、国側を支持する科学者ばかりのため、住民は泣く泣く裁判するしかなかった。科学者は歴史（の検証）に耐えられる主張をすべきだ。

―1号炉訴訟が果たした役割とは。

おぎの・こうや　1940年富山市生まれ。京都大理学部理学研究科修士課程修了。京都大工学部助手、講師を経て2003年退官。専門は原子核工学・放射線計測。京都府宇治市在住。

『愛媛新聞』2009年10月14日

資料18

第3種郵便物認可　2007.8.31　京都新聞

私論公論

中越沖地震は最後の警告

原発、活断層近くに林立

電磁波環境研究所主宰

荻野　晃也氏

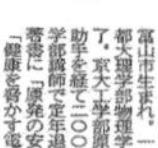

おぎの・こうや　一九四〇年富山市生まれ。一九六四年、京都大理学部物理学科修士課程修了。京大工学部原子核工学教室助手を経て二〇〇三年に京大工学部講師で定年退職。理学博士。著書に「原発の安全上の欠陥」「健康を脅かす電磁波」など。

原発推進のために設置された日本で最初の教育機関の一つが京都大学工学部原子核工学教室（今年で五十周年を迎える）であり、そこへ私が就職したのは一九六四年だった。当初は「原発は夢のエネルギー」と思っていた私だったが、日本における原発事故の最大の誘因に「地震の危険性」を考えるようになってきた。世界中で発生する地震の約15％は日本周辺であり、「日本には原発適地はない」としか思えなかったからだ。

日本と異なり地震などまったく起きないようなスウェーデンでさえ、原発からの撤退の理由の一つに「地震による大事故の可能性」を重視しているのに驚いたこともある。考えてみれば、危険性を低く評価しようとしてきたのが、日本の現状ではなかったか。

七三年末、田中角栄・内閣総理大臣が四国電力伊方原発の建設を認可した。建設反対の周辺住民は、直ちに政府に「異議申立」を行った。「地震の原因は活断層である」「世界最大級の活断層である中央構造線に接している」などと主張し、「異議申立」が却下された翌年に「建設認可取消の行政訴訟」を提訴した。その訴訟で私は原告（住民）側の特別弁護人になり、こともあろうに三十年前の七七年には「地震問題の証人」になったのだった。

「プレート・テクトニクス説」「地震活断層原因説」が欧米で常識になりつつあったのに、当時の日本では「活断層原因説」は主流ではなかった。すでに安全審査では「過去の地震がまったく同じ規模で同じ場所で再び発生する」と考えて地震力を想定することが行われていた。このように考えれば、「過去に地震の記録のない」ような、いわゆる「地震の空白地域」が「最も安全性が高い」ことになる。地震力も弱く想定することができて、建設費も安くなる。

「日本には千三百年にも及ぶ地震記録がある」「地震は繰り返すのだからそれを想定すれば良い」というのが推進派の主張であり、その考えに機械学会・電気学会・土木学会・地震学会の人たちも賛同していたようだ。しかし「活断層原因説」に立てば、「空白地域」こそ活断層にエネルギーが蓄積し、これから地震が発生するような危険な場所になってしまう。活断層とは過去百八十万年間に動いた可能性のある断層のことだからだ。

地震予知のために地震予知連絡会が「特定観測地域」などの地域指定を最初に設定したのは七四年だが、活構造(活断層)も考慮され始めた指定地域に原発が立ち並ぶことになってしまった。伊方はもちろんのこと、柏崎・若狭・島根・浜岡の原発である。

しかし、活断層の危険性が広く知られるようになったのは、九五年の阪神大震災であった。そして活断層と原発との危険な関係をはからずも明らかにしたのが今回の中越沖地震であった。それだからこそ活断層や軟弱地盤を懸念する柏崎の住民は七二年ごろから「地震と地盤の危険性」を指摘し続けていたのだ。

地震国・日本にとって、原発はいわば日本国土全体にぶら下がる「ダモクレスの剣」である。残念なことだが、これから地震の活動期を迎えるというのに、伊方原発や浜岡原発など、ことさらに危険な場所に原発が建設されてしまったのだ。女川原発、能登原発、そして柏崎刈羽原発といわゆる「想定外」の地震力がドンドン強くなって迫ってきている。

幸いなことに柏崎刈羽原発は大事故にはならなかったが、これを「最後の警告」と考えるべきではなかろうか。「原子力船・むつ」が廃船になったように、原発路線を撤回して廃炉のスケジュールを具体化すべき時なのではないか。国民全体が勇気を持って対処すべき時期に来ているように私には思えてならないのである。

『京都新聞』2007年８月31日

資料19

5.6 地震と津浪[92]

地震に伴って発生するものとして、大津浪がある。一般に津浪と言えば、三陸地方が例に上げられる。この地方は、太平洋に発生する巨大地震による影響を受けやすい地形になっており、過去の例では30mもの波高を記録している。所が、地震の規模が少さくても近くに浅い地震が発生した場合、津浪が必ず伴うのである。M（マグニチュード）が7前後の地震で津浪による被害の大きかった例として、1596年の豊後地震（M＝6.9）、1771年の八重山地震（M＝7.4）を上げることが出来よう（表9.3参照）。八重山地震では一説によると波高は40mもあったとも言われており、M≈8の地震でなくても、大津浪の危険性は大きく存在しているのである。伊方地方との関係で無視出来ないのが、1596年の豊後地震である。この地震は、別府湾近くで発生したのであるが、湾内の瓜生島（9Km^2）が完全に水没し、大津浪が来襲し、700人もの死者を出しているのである※。四国電力の参考資料にある設計波高値の予測は、台風時による過去の記録及1970〜71年の1年間での測定から、40年間に期待される最高波高値を、4mとしているのである[93]。最も重要な、地震時に予想される津浪に関しては、一切考慮が払われておらず、ただ「伊方町誌等や地元古老の言によっても被害を伝えるものは特にない」と書かれているのみである。耐震設計の為に想定した地震力は、津浪の原因にもなるはずである。ここにも、地震に対して、リアルなものと考えず、単なる設計値を求めることしか念頭にないことがうかがわれるであろう。伊方から14Kmの地点に発生した1749年の地震（M＝7.0）による津浪の記録が伊方町誌や古老の話しでわかるはずがないのは明白であろう。特に瀬戸内海沿岸に人が住むようになったのは、つい最近のことでしかないのである。地震とそれに伴って発生する津浪、地すべりなどの影響をも十分に考慮すべきであり、原子力発電所の様な危険性の大きな建造物に対してこそ、その様な総合的な判断が必要なのである。

※それ以外にも、1883年のクラカトア山（インドネシア）の大噴火による津浪が佐田岬半島先端の三崎港で観測された事実もある。

ことがわかると思います。それぞれの指摘した項目を読み返してみると、多くの点で適切な指摘をしていたことに私自身が驚くほどです。

その後でも、折につけ私は「地震の心配」をしていたことがわかります。二〇〇五年九月に出版された『東海第2原発裁判の三一年』（東海第2原発訴訟原告団・編）に寄稿した「夢」という文章を「資料16」にしました。

その文章を最近になって読み返しながら、福島原発事故のことを複雑な気持ちで思い起こしたのでした。二〇〇八年の新潟・中越沖地震では「柏崎原発」にハラハラさせられたのですが、その際に『愛媛新聞』『京都新聞』に文章を書いていますので、その新聞記事を「資料17」「資料18」としました。

伊方原発訴訟では「中央構造線という世界最大の活断層」のことが大問題になったのですが、一方で「津波」に関してはどの様に主張したのでしょうか。福島原発事故の後で「伊方訴訟では津波問題に触れなかった」ことを後悔したことは事実です。もし、伊方原発訴訟で「津波の危険性をも主張しておれば、推進派の対応も少しは違ったかも知れない」からです。勿論、私は証言するに当たって、「原発の安全上の諸問題」（原子力安全研究会、一九七六年）の本には「津波の危険性」を指摘していましたので、その部分を『原発の安全上欠陥』（第三書館、一九七九年）から引用して「資料19」としました。この文章を読めばわかりますが、三陸海岸などでは「津波高が三〇mの記録がある」と書いてありますし、四〇mの波高も示唆しています。福島原発事故の後で、東北電力は「防護壁の高さを二九m」にしたそうですから、以前の推定波高は余りにも低かったのです。

しかし伊方訴訟の書面では「噴火」も「津波」も取り上げることはありませんでした。「噴火」に関しても、阿蘇山があるのだから、噴火の原因である「活火山」がある可能性を探したのですが、四国や中国地方には「活火山」が全くないのでした。また「津波」に関しても色々と調べたのですが、中央構造線は完全な「横ずれ断層」であり、津波の原因となる「縦ずれ成分は無い」とのことで、証言に入れることを諦めて「資料19」のような文章を本に記載する程度にしたのでした。

しかし、どの様な活断層であれ、横ずれと縦ずれ成分とが混在しているはずであり、そのことは長い間、私が気になっていたことでした。「縦ずれ成分」の変化を見るためには、「炭素14による年代測

資料20

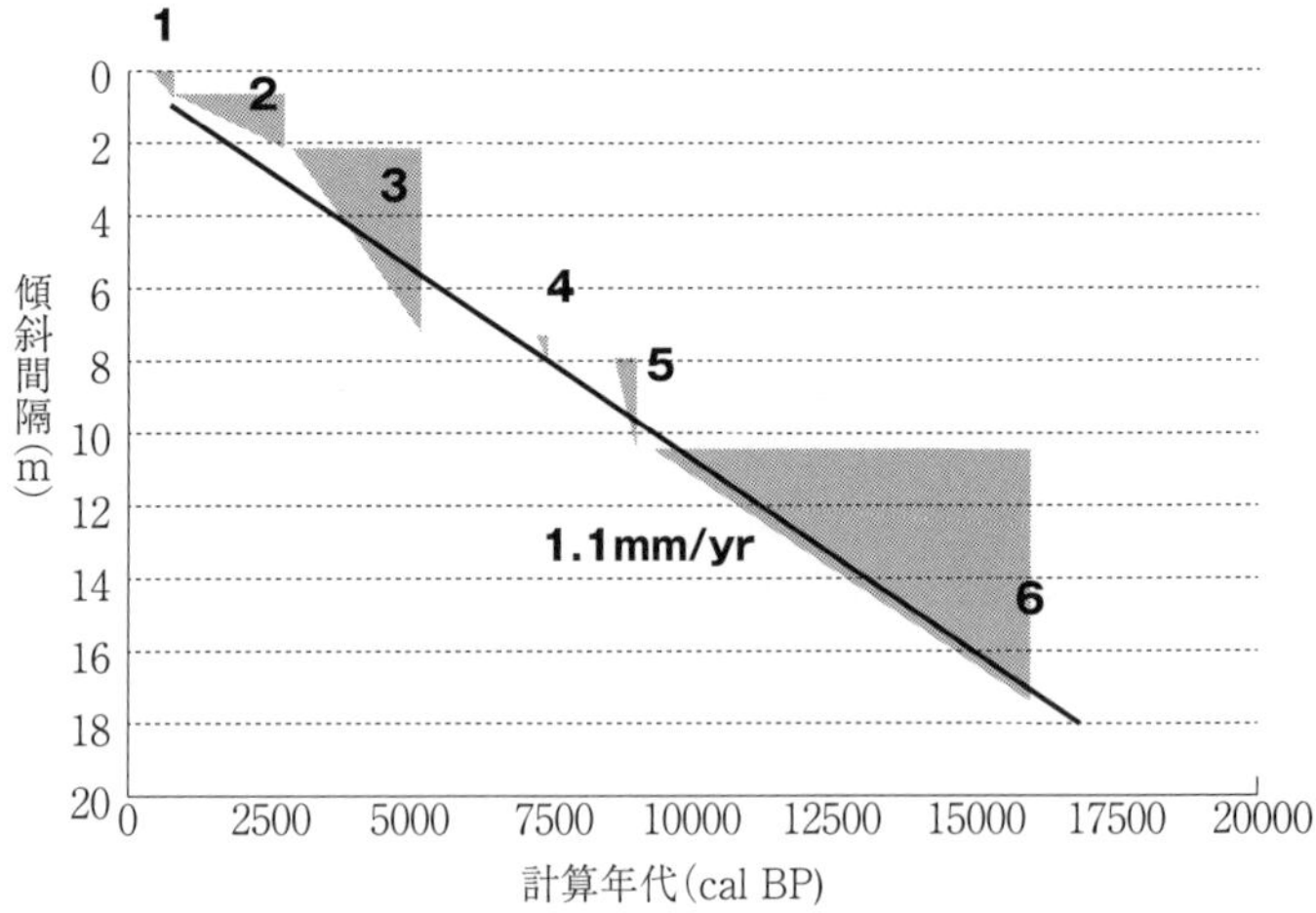

ナルト-ミナミ断層の平均傾斜移動割合。斜線範囲は断層移動を推定。傾斜間隔は垂直方向分離からの推定であり、69度の断層傾斜を推定する。断層年代は地質構造上の堆積物の基礎年代に基づく。

定」が必要です。丁度、京大理学部物理教室にある「タンデム型静電加速器」を使用すれば、「炭素14による年代測定」が可能になることに気が付いた私は、その装置での「年代測定」の研究に仲間と一緒に取り掛かっていたのでした。その結果の一つが「中央構造線の断層変位」に関する「Nakanishi論文」（NIM：B二二三、五七八p．．二〇〇四）として、論文になったのでした。その結果の一部を「資料20」にしましたが、「横ずれ成分の約一〇分の一が縦ずれ成分である」ことを示したのでした。

恥ずかしいことですが、私が「津波の危険性を無視した」のは間違いだったわけです。私の定年後の論文なのですが、それでもそのことを明らかにす

資料21

補　原子力発電技術と安全性

「原子力技術は現代科学の生んだ英知の集約であり、原子力発電所程安全なものはない」と高言した推進派学者がいた。「原子力を怖れるものは、火を怖れる野獣と同じだ」と書いた記者がいた。彼等は、ＴＭＩ事故の報道にどのような思いで接したのだろうか。原子力発電の歴史上、最大の事故が、ＷＨ社の本社のあるペンシルバニア州で発生したものである。「起ることがあり得ない」ことになっていた仮想事故、最大想定事故以上の事故が、１０００炉年という短い経験しかない間に、発生したのである。「ＴＭＩ事故が発生したから、これから１００万年ぐらいは発生しないはずだ」と、落語の亀の話しのようなオチをしゃべるつもりだろうか。原子力の様な巨大な構造物は、今や技術者一人一人でカバー出来ることは全く不可能であり、多くの対象がコンピューターにまかされてしまい、原子炉の実像をリアルに把握することは、とうてい出来なくなってしまっているのである。ブラウンズ・フェリー１号炉の火災事故が、一本のロウソクから始まったことでも明らかな様に、安全神話を作るのも、くずすのも人間なのである。火災による大事故の発生を未然に防いだのは、ヒューマン・エラーの幸いに助けられた人間の英知なのであった。（第６章参照のこと）。コンピューターによる役割が強くなれば、ある程度小・中事故件数は減るかもしれない。だが、コンピューター絶対視によって、かえって大きな事故が発生しやすくなるという側面のあることも事実なのである。原子力批判派にとっては、今度の事故は、驚くべき事故ではなかった。「こんなに早く発生するとは！」「我々の予想している以上に、原子力技術は未熟なのか！」といった思いだったのではなかろうか。

「大事故は必ず発生する」「大事故は思いがけない原因で発生する」「大事故は、思いがけない経過で進行する」のが科学技術の常識なのである。大事故というものは、常に結果論なのであり、大事故にいたる小・中事故はたえず発生しているのである。「あの時こうしておれば……」とか、大事故の後であれば、なんとでも言えよう。しかし、「その時、こうしていたなら、事故にはならなかったはず」と後で主張したとしても全く意味がないのである。もし、そうしていたら、別の経過をたどり、もっと大きな事故になったかもしれないからである。コンピューターによりかかった世界は、たしかに有益な面もあるが、決して完全なものではないのである。コンピューターは、あくまで人間の考えた範囲でしか作動しないのであり、マクスウェルのデモンでは決してないのだという原則を今一度、真剣に思いおこさねばならない。ＴＭＩ事故中、炉内の温度を示すコンピューター出力が「？」を出しつづけたという。温度を測定するセンサー（素子）の数値がコンピューターの記憶と合致しなければ、「？」をいつまでも出しつづけざるを得ないのであり、今回の事故のシンボル的な話しであった。コンピューターによって予測される現象は、ある現象の１つの側面でしかないことを忘れてはいけない。「ＬＯＦＴの８００シリーズの実験結果がコンピューター計算予測と大きく異なっていた。」という経験が、やはり生かされていなかったのである（第２章参照）。二重三重の安全装置が、四重五重の安全装置の追加になったとしても、安全性が高まったとは決して言えないのである。完全無人運転が出来る様な技術の可能性は、原子力ではあり得ない。人間と巨大技術との関係が、人間の生き方を変化させ、機械の単なる部品に人間を変えようとすればするほど、その様な機械は根底において危険なものに転化してしまうのである。原子力技術の安全性は、その技術の本質的欠陥に加えて、自然現象や、ヒューマン・エラーという極めてプリミティブな面においても、くずれ去っているのである。米国ＮＲＣは、「ラスムッセン報告」の撤回を１月１９日に表明していた。しかし、日本の原子力委員会や原子力安全委員会などは、ラスムッセン報告を利用しつづけるのみなのであろうか。撤回の真意を直接、ＮＲＣに問い正す為に、派遣された田島英三原子力安全委員の在米中に、ＴＭＩ事故が発生したのである。良心的（？）と自負しているといわれる田島委員は、かって原子力委員であった時、柏崎の住民に、「あなたの考え方は、最近変化しているのではないか」と問いつめられて、「この前までは、向こう側にいたが、今はこちら側にいるので………」と返答したことを思い出す。立場によって、科学者としての考え方まで、変化するのが、日本の科学者の一般的状況なのである。「政府に反対すれば、お金が出なくなる」と平気で話す人達が、学術会議の主流になって来ているのである。離事論以前の問題が多すぎるのである。

原子力技術の安全性とは、結局は、人間の考え方の反映なのである。安全だという学者がどれだけ多くとも、安全性が確保されたことにはならないし、そもそも１００％安全な機械というものもあり得ないのである。

≪原子力技術を選択することこそ、人類の最大の「ヒューマン・エラー」なのではなかろうか。≫

出典：『原発の安全上欠陥』（第三書館1979年）603ページより

ることが出来て「少しは責任を果たした」ようで自己満足しました。

伊方原発訴訟が最高裁に移ってからも、伊方弁護団は藤田弁護士を中心に「上告理由書」を最高裁に提出していました。色々な問題点を主張していたのですが、「安全審査で無視されている予備電源の完全停止」の主張を原告側はしていますので、福島原発事故を考えると、「安全性審査での、予備電源は必ず作動する」との想定が誤りだったわけで、「そのことを批判した」主張は重要な指摘だったと思っています。また、『原発の安全上欠陥』（第三書館。一九七九年）に「原子力発電技術と安全性」との短文を私は書いていますので、それを「資料21」としました。「再稼働」などを考えるのではなく、キッパリと原発を諦めるべきでしょう。

第４章　原発問題から電磁波問題へ

はじめに

長い間、原発問題に取り組んでいた後で、私は電磁波問題に関心を移しました。あちこちでの原発設置場所を見て歩いているうちに、原発から高くて巨大な送電線が大都会の方向へ送電されているのに驚いたからでした。

一九七〇年代から、私は依頼された「放射線被曝の講演会」でも「電磁波も放射線の仲間ですよ」と説明していましたし、特に「ＶＤＴ＝ビデオ・デスプレー端末」から放射される磁界被曝による流産などの危険性が問題になっていたからでもあります。

一九七九年三月に米国・スリーマイル島（ＴＭＩ）原発事故が発生したちょうど同じ月に米国で「ワルトハイマー論文」が発表され、それは、「配電線周辺で小児白血病が有意に増加している」との驚くべき疫学結果でした。統計的にも有意な結果であり、大問題になりました。その論文をホワイトハウス内の委員会で科学者が議論していることを、秋にＴＭＩ事故調査で滞在していたワシントンの友人から聞いたことが、私が電磁波問題に関心を持つ契機になったのでした。それでも、その内には研究生活に戻りたい……と思っていたものですから、すぐに「電磁波問題」に取り掛かったわけではありません。そのほかの色々な問題に関わっていたことも事実です。その中で、興味のあることを幾つか紹介しておくことにします。伊方原発訴訟の藤田・弁護士の依頼で、狭山事件の鑑定人になったこともあります。「講演の依頼などが来ないこと」を条件に鑑定書を作成しましたから、あまり知られてはいないはずです。

狭山事件と筆圧痕問題

差別裁判の一つとして良く知られているのに一九六三年に発生した「狭山差別事件」があります。私が鑑定人として関係した「筆圧痕問題」とは、犯人とされている石川一雄青年の書き残したとされるわら半紙に残されている鉛筆痕や筆圧痕を調べ、「誘導されて書かされたのではないか」ということを調査する問題でした。

苦労して調べた結果は、「警察官の誘導した筆圧痕をなぞる様に石川青年が書き写した」というものだったのですが、残念なことに第二審では全く無視されてしまいました。

チェルノブイリ事故とアウシュヴィッツ（ナチス）関連年表

一九八六年六月頃のことですが、アウシュヴィッツの生き証人と言われる「副館長のシマンスキーさん」を日本へ招待する計画のあることを私は桃山学院大（当時）の永井清彦さんから教えて頂き、私もそれに協力することになりました。その京都の集会に合わせて、「綾部市の山室健治先生からアンネのバラをお借りすること」「アウシュヴィッツ年表を作成すること」が私の協力仕事です。八月に打ち合わせてから帰国された永井先生からお聞きしたことですが、「アウシュヴィッツ近くで身体の大きなポーランド人からポーランド語で話しかけられた」が、「ヒロシマ！　ナガサキ！　アウシュヴィッツ！　チェルノブイリ！」との大きな声だったそうです。今であれば「フクシマ!!」が続いたことでしょう。すでに述べていることですが、日本では、ヒロシマとフクシマとの間のギャップが大きすぎるのではないでしょうか。長期間にわたる放射能汚染に関しては、フクシマの方がセシウム137の放出放射線量の相違がまず大問題であることは明らかでしょう。アメリシウム241やプルトニウム239の汚染に関しても、地下水の状況が心配ですが、福島原発事故では問題にはされていないようです。

交通事故の鑑定

友人の弁護士さんの依頼で、交通事故の鑑定をしたこともあります。その中で、警察の作成した「現場調書」がいかにいい加減かと言うことを実感したので、紹介することにしました。伊方訴訟で経験したこととよく似ている様にも思えたからです。

二件の交通事故共に、地元の大手の運送会社と個人の小型トラックとの衝突でした。「大手の運送会社のトラックは大型」ですから、運転手は無傷でしたが、小型トラックの方は「死亡と意識不明の重体」でした。その結果でしょうが、「現場検証」は見事に「大手運送会社の言い分通り」になっていることは明らかでした。調べて驚いたのですが、写真などを見れば「証拠隠滅」の為に「大型トラック」を移動したとしか思えないのです。今あちこちで話題になっている「忖度」は、この日本の社会では広範囲に起きているのではないでしょうか。

本来の「忖度」は弱者に対して「忖度されるべき」なのに、「強者に対する忖度」が原発の審査も含めて広く蔓延している様に思うのです。「新コロナ・ウィルス」が大問題になっていますが、対策が遅れたのは、東京オリンピック直前の安倍首相に対する「専門家の忖度」が大きかったのではないでしょうか。専門家の会議の内容を全面的に公開して欲しいものです。

高圧送電線からの磁界問題

私が最初に取り組んだ電磁波問題は、送電線からの磁界被曝問題でした。一九七九年のワルトハイマー論文を知ってはいましたが、実際に発言したのは一九八八年になってからでした。「電磁波が心配だ」との私の発言が週刊誌に掲載されたのです。それを読まれた「送電線の線下補償に取り組まれている」全日農・京都府連の「山中高吉・会長」と交流が始まったのです。その後で、雑誌の『技術と人間』に連載が始まり、それをもとにして『ガンと電磁波』（技術と人間、一九九五年）が出版されたのでした。その後に「携帯電話の異常な増加」なども加わり、今では「電磁波問題」は広く知られるようになったのではないでしょうか。私も何冊もの電磁波関連・本を書いていますので、その様な本を読んで頂ければ、反原発から電磁波問題への私の変化の視点を理解して頂けると思います。

二〇一九年には緑風出版から『身の回りの電磁波被曝――その危険性と対策』『イージス・アショアの争点』の二冊の本も書いていますので参考にしてください。「新コロナ・ウイルス」に関しても、変調した高周波電磁波被曝で誕生したのではないか……との説もあるのですが、心配になります。5G技術が持てはやされていますが、5Gの超高周波はDNAやRNAに悪影響を及ぼす可能性を示す論文もあるのですから、慎重に取り扱うべきではないでしょうか。いずれにしろ、すでに述べていますが「電磁波問題は放射線問題でもある」というのが私の考え方であり一九七〇年代から一貫しているのです。

[主な参考文献]

①立教大学・共生社会研究センター「伊方原発行政訴訟資料」
②「伊方原発設置反対運動裁判資料」（クロスカルチャー出版、二〇一三年）
③藤田一良『弁護士・藤田一良――法廷の闘い』（緑風出版、二〇一四年）
④『技術と人間』（㈱技術と人間）：伊方原発特集は一九七八年六月号、TMI事故特集は一九八〇年二月号と四月号
⑤湯川秀樹「著作集」など多数
⑥『言論報國』（大日本言論報國会）
⑦『月刊・地域闘争』（ロシナンテ社、一九七〇年～）：一九七二年五月号が伊方原発特集
⑧『原子力発電の安全上の諸問題』（原子力技術研究会、全四巻、一九七六年）
⑨『原発の安全上欠陥』（第三書館、一九七九年）
⑩藤原章生『湯川博士、原爆投下を知っていたのですか』（新潮社、二〇一五年）
⑪『思い出の柳父琢治さん』（「思い出の柳父琢治さん」編集委員会、一九九三年）
⑫『使者』一九八〇年春号（小学館）
⑬『女川原発裁判証言記録』
⑭朝日新聞・毎日新聞・読売新聞・京都新聞・愛媛新聞・京都帝国大学新聞など
⑮『原子力年鑑』（日本原子力産業会議、一九七三年版）

⑯『世界』（岩波書店、二〇一七年二月号）
⑰政池明『荒勝文策と原子核物理学の黎明』（京大学術出版会、二〇一八年）
⑱櫻井邦明『湯川秀樹：白紙の講義録』（黙出版、二〇〇〇年）
⑲澤野久雄『山頂の椅子』（新潮社、一九六七年）
⑳平沢正夫『宝石』（一九七六年七月号）
㉑「基礎物理学研究所：湯川記念館資料室の資料目録」
㉒『東海第2原発裁判の三一年』（東海第2原発訴訟原告団・編）
㉓田中角栄『日本列島改造論』（日本工業新聞社、一九七二年）
㉔斉間満『原発の来た町――伊方原発の三〇年』
㉕唐木順三『科学者の社会的責任についての覚え書』（筑摩書房、一九八〇年）
㉖梅原猛『人類哲学序説』（岩波新書、二〇一三年）
㉗『森一久元日本原子力産業会議副会長オーラルヒストリー』（近代日本資料研究会、二〇〇八年）
㉘『原子力とともに半世紀：森一久論説・資料目録』（森一久資料編集会、二〇一五年）
㉙シュアー・マーシャック監修・森一久訳「原子力発電の経済的影響」（東洋経済新報社、一九五四年）
㉚荻野晃也『身の回りの電磁波被曝　その危険性と対策』（緑風出版、二〇一九年）
㉛荻野晃也・他『イージス・アショアの争点』（緑風出版、二〇一九年）

第5章　おわりに

私がこの本で「紹介したい」と思った内容は、大きく分けて「湯川秀樹先生と私」「湯川先生と森氏」「全国原子力科学技術者連合・京大支部」「伊方原発訴訟」などになります。

四国地方の左上に九州の佐賀関の方に向かって細長い半島が突き出ているのがわかりますが、それが「佐田岬半島」です。その半島の根元にあるのが愛媛県伊方町なのですが、その場所と私との付き合いも五〇年も経過しています。その伊方町九町の瀬戸内海側に計画されたのが「伊方原子力発電所」でした。丁度、日本中で公害問題が大きく取り上げられる様になった頃ですが、ここでは原子力発電所（以下、原発）が大問題になっていたのです。原発推進を謳い文句にして登場した田中角栄内閣の「日本列島改造論」が大ブームだったのです。

京都大学工学部原子核工学教室の職員（助手）だった私は、学生・院生たちと原発の安全性や問題点を学ぶうちに「危険性」を確信したのでした。私の場合は「湯川先生」との関係もありましたし、私の回りには原発の基礎分野である「原子核物理学」の研究者も多かったこともあり、大学紛争に直面した私にとっても「原発問題は避けては通れない」疑問点でした。そのことを中心にして、私の大学時代の研究とも絡めながら、私は「湯川先生」と「その愛弟子である森一久氏」とのことを中心に書いたのです。森氏が「被爆者」であることは、長い間、隠しておられたようですが、私の恩師である柳父琢治先生はそうではありませんでしたから、物理教室関係者は良く知っていたはずです。森氏が秘密にしていたのは、「母親が見つかっていないこと」がトラウマになっていたように推察できます。

森氏が「原発推進派のドン」であることは、誰しもが認める事実ですが、推進派の中でも良識派だったことは確かなようです。そのことは「湯川先生から監視役を委託されている」との思いがあったからでしょうが、私の考え方との大きな相違は「地震をどの様に考えるか」に現れていると思います。私は「少なくとも、地震国・日本では原発立地の危険性が高すぎる」と当初から考えていたのですが、森氏には「地震の危険性」に関する発言が驚くほど少ないのです。森氏の日記に書かれているのは、津波のことのみの様であり、地震に触れられた個所はどこにも藤原章生氏は書いてはいないのです。「福島原発事故の原因は津波である」と限定する立場から、藤原氏は津波の事だけを取り上げたのかも知れませんが、私が紹介していますように、「地震＝津波」は一体で考えるべき事象なのです。「地震の危険性を無視する」との考えは、「森氏と湯川先生との間でも一致した考えだった」とし か私には思えません。「監視役であるべき森氏が地震を取り上げると、原発が出来なくなる」ことを恐れたのではないでしょうか。森氏の日記に、地震や津波のことがどの様に書かれているのでしょうか。日本全体で考えるときに無視することが出来ないのが、「地震よりも津波の方だ」と森氏は日記に書いているのでしょうか。

藤原氏が「私に会いたい」とおっしゃった理由は、森氏の日記に「荻野ＤＶＤを見る」との一文があったからなのだそうですが、本当にその一文だけだったのでしょうか。私が地震の問題で講演したことがあり、ＤＶＤになっているのは一件だけだと思うのです。故・小林圭二さんと一緒に京大原子炉実験所であった二〇〇三年の定年講演でのＤＶＤです。各地での多くの講演は電磁波問題ばかりですし、ＤＶＤにもなっているのも多いと思いますが、森氏の日記に書かれていた「荻野ＤＶＤ」も、電磁波問題の可能性が高いように私には思われます。森氏は送電線などの影響に関する「兜論文」も読んでおられますから、電磁波問題にも関心が高かったようです。

原爆の強大なエネルギーを「平和利用に使用したい」との思いは、物理学者であれば当然のことですが持つはずです。私もその一人でした。しかし、色々と議論しているうちに、私は「地震の危険性」に目覚めたと言ってよいでしょう。一九八〇年代になって、原発の耐震問題に世界中の関心が高くなったのですが、一〇〇〇年に一回程度の頻度でM＝６クラスの地震が起きると予想される極めて地震の少ないスウェーデンでは、「原発の溶融事故確率」が全体の溶融事故確率の数十％になるという文献を読んだ記憶もあります。ラスムッセン報告は、地震の多い「カリフォルニア州を地震事故確率から除外」したのも、危険性に気付いたからでしょう。

次に取り上げた、「全国原子力科学技術者連合（「全原連」）」が結成されたのは一九六九年一一月なのですが、東大・京大などを中心として色々な活動をしたのでした。その中でも、私が把握できている「全原連・京大支部」の活動を中心にして紹介しました。現地住民の方々との連携や裁判の支援など、多方面にわたるのですが、そのこともここでは紹介しています。「幻の全原連」と揶揄されていますが、その一端を紹介したのもこの文章が最初ではないでしょうか。福島原発事故の後で、大学の卒業論文に「全原連を取り上げたい」との声もありましたし、メディアなどからの取材依頼もあったのですが、「幻のままが良い」と考えていたとも言えるでしょう。しかし、「伊方原発訴訟」とも関係が深いこともあり、「京大支部」の活動に限定して紹介することにしたわけです。東京を中心に活動した方々もおられますので、その活動内容などに関してはそれらの方々にお任せしたいと思っています。

最後に取り上げた「伊方原発訴訟」のことは、やはり、私にとっては最も重要な課題だったと言えるでしょう。福島原発事故で次から次へと「水素爆発」が起きることなど、現実に起きるとはまさに驚き以外の何物でもありませんでした。伊方原発訴訟に関係した多くの人々は、「涙なし」には爆発シーンを見れなかったのではないでしょうか。「真実は執拗なり」は藤田弁護士さんの口癖でしたが、その藤田弁護団長を中心に一〇名の弁護士さんたちの活動の内容もあまり知られてはいませんし、途中での論争点などに関しても私なりに整理しておきたいと思って、伊方原発訴訟のことをも書いたのです。この論争点に関しては『弁護士・藤田一良——法廷の闘い』（緑風出版、二〇一四年）や熊野勝之・弁護士の「福島原発事故と伊方原発最高裁判決」（『法学セミナー』二〇一一年六月号）に詳しく指摘されているのですが、私はこれに書かれてはいない点を中心に書くことにしました。伊方原発訴訟に登場する原告側証人の証言内容を出来る限りわかりやすく書いたのが『原発の安全上欠陥』（第三書館、一九七九年）なのですが、私はその本の「第9章：原子炉の耐震設計と立地条件」「第13章：確率的安全評価の問題点」を分担したのですが、立地条件として重要な「地震」とヒューマン・エラーなどとも深い関連のある問題だからでした。

福島原発事故の後で、「想定外」と言う言葉が良く登場しましたが、「地震とヒューマン・エラー」が、その様な「想定外」と深く関連している事象なのです。原発を推進しようとすれば、出来る限り費用を低く見積もることが重要です。地震の加速度想定や津波高想定などを大きくすれば、建設費用が高くなるわけです。例えば、地震の加速度値を一八〇ガル（福島第一原発）にした場合と、その約二倍にした場合では建物建設費が二倍も異なるわけです。また、福島第一の場合の津波高の設定は、取水口高さと山を削り取る高さを考慮して、費用が一番低くなるように設定されたのであり、過去の津波高を徹底的に調査したわけではありません。原発建設を前提にすれば、どうしてもその様なことになってしまうのです。その様な典型例が、「ジルカロイ燃料被覆管」と「ステンレス燃料被覆管」との論争でしょう。中性子を有効に利用できるのが「ジルカロイ燃料管」の優れた点なのですが、逆に、高温になると「ジルカロイ・水反応」と呼ばれる発熱反応での水素の発生が問題になります。原子力潜水艦は加圧水型原発なのですが、沸騰水型では船員の被曝の危険性が大きくなるからです。それだけではなく、原子力潜水艦で「ステンレス燃料被覆管」を使用したのは、この「ジルカロイ・水反応による水素ガスの発生と爆発」を恐れたからでした。つまり、商業用の原発と異なり原子力潜水艦では「経済性よりも安全性が重視された」というわけです。

原発では、何よりも経済性が重視されることになります。時の政府の言いなりになるような科学者・工学者などを総動員して、安全審査を通過させて建設を強行するわけです。それに対抗するには「認可取り消し」の「行政訴訟」しかありません。「もし、原告住民側が勝訴した」としても、勝訴の費用が得られるわけでもなく、すべてが原告側の持ち出しになるわけですから、その様な訴訟が起きるとは被告である田中角栄・総理大臣を始めとして、政府関係者も想定していなかったように思います。「この機会に、いかに原発が安全であるか」を証明することになるとして、被告は意気込んで対応したのですが、実際は「被告側がボロボロになった」と言えるでしょう。ぜひ、立教大学に保管されている「証言録」を含めての「原資料」を読んで欲しいものです。

伊方原発裁判の原告団は、必死の思いで「最後の望みの綱である裁判」に力を注いだのでした。特に原告団長である川口寛之さんは、財政面をも支えていて、大変だったことでしょう。そうであるからこそ、第一審の敗訴時の談話の激しさに驚きます（『日刊新愛媛』の記事を参照のこと）。川口さんと井田与平さんとの間には色々な争いもあったことでしょうが、福島原発事故を経験したこともありますから、あの世で「和解」されていることでしょう。また、川口さんの次の原告団長だった広野房一さんが「辛酸入佳境」の旗の前に座っておられる朝日新聞の記事も示しました。

原告側だけで六〇〇〇万円もの費用がかかったそうですから、その負担は大変だったことでしょうし、弁護士さんは殆ど自腹での協力でした。また、今までに経験したことのない原発の勉強をしながらの協力だったのです。勿論、支援した久米三四郎さんを初めてとしての支援グループの負担の大きかったことは言うまでもありません。薄給の身分の助手だった私たちも大変でした。その点では家族の支援がなければ、運動を続けることは不可能だったことでしょう。深く感謝したいと思います。

それにつけても、福島原発事故で避難しておられる方々のことを思うにつけ、「力不足で、裁判に負けてしまった」ことを後悔するばかりです。幾ら「裁判というものはそんなものだ」と言われても、私は川口さんの期待に応えられたかどうか、どの様な行動が必要だったのか……と悩むことが多いのです。そのような思いを抱きながらこの本を書いたのですが、少しでもお役に立つことが出来れば幸いです。

年表　京大定年退官までの45年間の出来事——反原発から電磁波問題まで

1958年4月　京大理学部へ入学（1回生は宇治構内）。京大原子炉の予定地は、宇治構内近くから高槻へ変更予定に。その後、熊取に決定する。

?月　京大原子炉実験所の建設事務所で短期間アルバイト（岡本朴さんの指導：炉心コンクリートの放射化の計算に従事）。警職法反対闘争から安保闘争へ。

1964年3月　京大理学部原子核物理学専攻・修士課程終了：修士論文「原子核のアルファ・クラスター構造の研究」。京大原子炉実験所か工学部原子核工学教室か迷った末、工学部で助手に（重イオン加速器・建設）。

1965年～　180。散乱断面積の測定を開始。

愛媛県津島町尻貝地区が原発予定地に：反対が強く四電は断念。

1967年　徳島県海南町が原発予定地に：漁協の反対が強く、伊方町が誘致運動。

1969年1月　東大・日大の大学闘争が京大にも飛び火（寮問題が中心）。

1月21～23日　京大：「狂気の3日間」（京大当局と共産党系による「逆バリケート」、封鎖されてた学生部のバリケートをも撤去）。

1月31日　「大学改革の討論のよびかけ」の声明文：京大教官研究集会有志（湯川秀樹を含む有名教官45人）。声明文に疑問を感ずる。

3月19日　京大職員組合大会で批判ビラを撒いて、退会宣言。
春　学生・院生からつるし上げ（?）。
春?　「全国の原子力研究者（若手）間での交流の必要性がある」と、東大原子力工学科へ行くことになる（当時、バリケートで自主管理中）：京大からの提案は、「何らかの連合体を作ろう」「原子力三原則すら無視しているウラン濃縮研究者を原子力学会で追及しよう」など。向坊教室主任の部屋で相談：東大は五人ほど？　東京工大からも一人参加。
7月8日　四国電力が伊方町に原発建設計画を発表。
7月21日　アポロ11号で人類月面到着。
7月　全国原子力科学技術連合（全原連）の第1回合宿。
7月28日　伊方町議会が原発誘致推進決議。
8月5日　「大学臨時措置法」の実施に反対し、同法に関する政府・文部省への協力拒否の「決意表明」に京大教官817名の一人とし参加。
9月　助講層の要請もあって、原子核工学教室会議へ助手層全員も参加する。
9月30日　伊方原発用地地主（約125名）中110名が四電と土地売買仮契約完了。
11月1日　原子力学会（東北大学）で学会体質に抗議し、その場で「全国原子力科学技術連合（全原連）」の結成を宣言、ビラ配布。「既成の学会秩序を再検討せよ！」「原子力開発は誰のためにするのか！」の見出し。
10月13日　伊方原発誘致反対共闘委員会（共闘委）が結成される（委員長：川口寛之・元町長）。

1970年

井田与之平・元町長（委員長の兄）：賛成派から変わる。

2月25日　全原連（東大・京大・東北大・東工大・名大、阪大・九大）：地域活動を本格化（東大・東工大支部：BWR中心で水戸・柏崎・浜岡など、京大支部：PWR中心で大飯・日生・伊方・阿南・熊野などで、特に日生、伊方が中心となる）：スライド問題、セクト問題。

3月14日　教室会議の選挙で補導委員に選出されるも、工学部長の要請で撤回。

5月7日　大阪で万国博開催。「人類の進歩と調和」がテーマ：原発からの電気で明かり。

6月28日　伊方共闘委の機材陸揚げ阻止の実力闘争。

8月1日　工学部改革委員会の助手層代表（5人）の一人に選出される。

8月8日　発起人7名による、株式会社「ロシナンテ社」設立趣意書。

9月21日　立川市で、第1回「地域闘争全国シンポジュウム」開催。

12月21日　四国電力が伊方原発の設置を正式に決定。

12月26日　井田与之平さんらのバリケードが強制撤去（仮処分命令で）。

町見漁協が四電に対し漁業権放棄決議。

1971年2月　全原連・原発問題資料1：「原子力の開発とその現状（東大教授・都甲泰正、原子力と地域開発（東北大教授・江草龍男）」。

4月10日　雑誌『自主講座』（編集代表：宇井純）が創刊される。

5月　全原連・原発問題資料2：「スターングラス警告」。

6月30日　イタイイタイ病第1次訴訟（富山地裁）で患者側が全面勝訴（四大公害訴訟で最初

の判決)。

7月　全原連・原発問題資料3:「ゴフマン・タンプリン証言」。

7月　全原連の全国行脚:北回りと南廻り。小浜市で合流し第3回合宿(直前になって宿泊を断わられる。2日目から会場を変更する条件で認めてもらう)。

10月　全原連・原発問題資料4:「全原連全国行脚隊報告」。

12月　全原連・原発問題資料5:「科学者からの原発狂時代への警告」。

1972年3月12日　「おらびだし」創刊(関西労学共闘会議+愛大共闘委員会+松山地区協議会=「(伊方)現闘団」だが、中心は「京大伊方共闘」)。

4月15日　「地域闘争5月号」特集:民の叫び・伊方原発反対の怒り。井田与之平さん(奥さんを離縁中)の寄稿「伊方の自然と人を守れ」。

5月27日　全国自然保護連合・奈良大会で、「瀬戸内海に原発を建設する事に反対」して、伊方労学を中心に大石環境庁長官(初代)を追及。

7月　大飯町で町主催の原子力発電所の説明会。講師は阪大教授。住民に混じって講師を追及。住民の関電社員も町を批判。

8月　北海道・岩内町で「原子力発電と漁業」(第1回原子力発電問題シンポジュウム)。主催:日本科学者会議。

8月27日　三室戸寺会館で「京滋バイパス反対住民集会」。京滋バイパス反対戦川地区協議会・公害部長として、予想される騒音について報告。

11月28日　伊方原発認可される。

12月8日　日本学術会議・原子力問題特別委員会（委員長：三宅泰雄）主催の「第1回原子力問題シンポジウム—原子力発電の安全について—」が開催される。共産党系学者と原産会議との野合シンポジウム？。

12月　全原連・原発問題資料6：「原発における緊急炉心冷却系の問題点」。

1973年

1月27日　伊方周辺住民が「伊方原発設置許可」に対し「異議申立」を行う。

3月31日　「伊方ノート（週刊）」発刊。61号まで週刊で発行。

5月3日　井田与之平さんがビラ配布：「皆さん!!聞いて下さい!!妻が自殺した真相はこうなのだ!!」。

5月11日　「X線の〝無差別照射〟に関する公開質問状」を京大当局へ（全原連・京大病院診療問題研究会・毒物タレ流しを糾弾する会）。

5月15日　京大保健管理センターの回答が京都新聞に大きく報道される：「無差別照射せぬ」「人体の影響考え」「年1回に疑問出る」の見出し。

5月16日　原研より原水禁へ、「原子力施設の事故」複製出版に対する禁止の通告。出版部数・配布先などの報告を要求。全原連は原水禁へ返却？。

5月19日　浜坂火力・原子力発電所設置反対町民協議会メンバー4人が全原連・京大支部へ。徹夜で資料をコピー。

7月　タンプリン博士（米国）が来日し、各地で講演（原水禁の招待）。

8月3日　京大でタンプリン講演会：「微量放射線とその影響」（主催：全原連・京大病院診療問題研究会・京大医学部2回生カリキュラム委員会）。京大で取り組んでいるX線集団撮影問題をもキャンペーン。
8月24日　福井県小浜市で「原子力発電所の集中化と環境破壊」（原子力発電問題若狭シンポジュウム）。主催：日本科学者会議＋原発反対若狭湾共闘会議。
8月27日　伊方周辺住民が原発許可取消と執行停止の行政訴訟。
10月　浜坂反対町民協議会研究部：「生存をおびやかす原子力発電所：1」を出版。
12月20日　伊方原発訴訟の初公判。傍聴券をもらって入る（その後、弁護補佐人になる）。
1974年
4月15日　岩佐訴訟の提訴（大阪地裁）。前日に各地（福井県、滋賀県の北陸線、小浜線の駅周辺を中心に）でビラまき。
5月27日　「伊方ノート（週刊）」61号で終刊。
7月10日　岩佐訴訟・初公判。前日に各地（福井県・滋賀県など）でビラまき。
9月末　NHK朝の連続ドラマ「鳩子の海」で原研が登場。鳩子：被爆2世。
10月21日　昭和天皇・皇后が原研・東海研究所を視察。
「身の回りの放射線」の学習会で、「電磁波も放射線の仲間ですよ」と話す。
1975年
6月20日　「原子力資料・情報室（代表：武谷三男）」設立の呼びかけ（武谷三男・久米三四郎・井上啓）。原水禁事務所の上の5階。
8月24日　京都で「反原発全国集会」（浜坂・熊野・柏崎が中心。京大が事務局担当。直前に推進側が出席撤回：荻野・小泉が推進側になって模擬討論）。
10月18日　原水禁から依頼のビキニの被曝評価報告（コンクリートで推定：1・5Rem／y）。
12月　荻野が狭山事件「筆圧痕」の鑑定書を作成。

1976年7月？　原子力技術研究会「原子力発電における安全上の諸問題」全4巻を出版。
1978年4月25日　伊方原発1号炉設置許可取消訴訟第一審判決で、原告住民側敗訴。
8月6日　静岡県浜岡町文化センター：荻野講演会「地震と原発」（第2回住民講座）。主催：浜岡原発に反対する住民の会（参加者は僅かだった）。
1979年3月28日　米国・TMI原発事故。
7月　第三書館より『原発の安全上欠陥』（原子力技術研究会）を出版。
10月　TMI事故調査の為に米国へ。ワルトハイマー論文を知る。
1981年3月30日　岩佐訴訟（大阪地裁）が敗訴。
9月4日　大阪府原子炉問題審議会・安全専門部会（委員長：音在清輝・阪大教授）が、「京大2号炉の安全性は確保されている」との答申。この後、敦賀原発事故と事故隠しなどの影響もあって、熊取町住民の反対も強く京大2号炉計画は頓挫。
1984年7月18日　共産党機関誌「赤旗」紙上に、伊方原発行政訴訟弁護団弁護士9人に対する謝罪文が掲載される。
12月14日　伊方原発訴訟が高裁でも敗訴：最高裁へ。
1985年11月　荻野：博士論文提出。理学博士号取得。
1986年4月26日　ソ連・チェルノブイリ事故。
10月　「シマンスキー氏講演会」。荻野の役割：「アウシュヴィッツ年表」作成と「アンネのバラ」の準備。
1988年1月　「アウシュヴィッツ（ナチス）関連年表」冊子を出版。

1月25日　高松市で伊方原発調整運転反対の大デモ（大分の「原発なしで暮らしたい」などの呼びかけ）。
1989年3月24日　『週刊現代』が電磁波の危険性を指摘する荻野のコメントを掲載。
11月　朝日新聞に「試験管内で核融合」「米英2学者が成功」（英紙報道）。
1991年6月30日　ピースボート世界一周「地球環境調査」に参加。
11月　「関西電力・美浜2号原子力発電所・蒸気発生器細管破断事故に関する調査研究」（環境データ）を出版。
1992年6月　『地球はまだ青いだろうか』（第三書館）をブラジルの環境サミットに合わせて出版。
1993年5月　甲府市で「高圧線問題全国ネットワーク」結成される。
11月　『進歩と改革』11月号に電磁波問題特集。荻野「電磁波の人体に及ぼす影響」。各地の運動の紹介も。
1994年1月　『技術と人間』1・2月号から『電磁波公害物語』の連載開始。
6月4日　瀬尾健さん逝去。
1995年1月17日　兵庫県南部地震（M＝7・9）発生。
6月10日　（株）技術と人間より『ガンと電磁波』を出版。
1999年9月30日　東海村JCOで再臨界事故が発生。
2000年3月　今中哲二さんに案内されて、チェルノブイリ原発へ。
12月20日　JT（日本たばこ）医薬研究所の研究員がJR高槻駅構内で放射性物質をまく。
2003年3月31日　京都大学を定年退官。「電磁波環境研究所」を立ち上げ。

［著者略歴］

荻野晃也（おぎの　こうや）

1940年富山県生まれ。元京都大学工学部講師。理学博士。原子核物理、原子核工学、放射線計測学などを専門とする一方で、原子力、核問題、環境問題などにも物理学者としてかかわっている。また、伊方原発訴訟では住民の特別弁護補佐人となり、1976年には地震活断層原因説による中央構造線の危険性を証言し、断層結果説の国側と対立するなど、住民・市民側に立つ科学者であることを心がけている。2003年から「電磁波環境研究所」を主宰。
2020年6月、逝去。

主な著書（共著を含む）『狭山事件と科学』（社会思想社）、『原発の安全上欠陥』（第三書館）、『昭和天皇新聞記事集成』（第三書館）、『ガンと電磁波』（技術と人間）、『ケイタイ天国・電磁波地獄』（週刊金曜日）、『携帯電話は安全か？』（日本消費者連盟）、『危ない携帯電話』（緑風出版）、『健康を脅かす電磁波』（緑風出版）、『予防原則・リスク論に関する研究』（本の泉社）、『危ないリニア新幹線』（緑風出版）、『汚染水はコントロールされていない』（第三書館）『イージス・アショアの争点』、『身の回りの電磁波被爆』（いずれも緑風出版）など。

監訳書に『死の電流』、『電力線電磁場被曝』、『電磁波汚染と健康』など。

科学者の社会的責任を問う

2020年8月30日　初版第1刷発行　　定価2500円＋税

著　者　荻野晃也 ©
発行者　高須次郎
発行所　緑風出版
〒113-0033　東京都文京区本郷2-17-5　ツイン壱岐坂
［電話］03-3812-9420　［FAX］03-3812-7262［郵便振替］00100-9-30776
［E-mail］info@ryokufu.com［URL］http://www.ryokufu.com/

装　幀　斎藤あかね
制　作　R 企 画　　印　刷　中央精版印刷・巣鴨美術印刷
製　本　中央精版印刷　　用　紙　中央精版印刷・巣鴨美術印刷　E1200

　ISBN978-4-8461-2014-6　C0036